Cours Familier de Littérature Volume 19

Alphonse de Lamartine

Edition : Culturea (culurea.fr), 34 Hérault
Contact : infos@culturea.fr
Impression : BOD, Norderstedt (Allemagne)
ISBN :9791041831029
Date de publication : juillet 2023
Mise en page et maquettage : https://reedsy.com/
Cet ouvrage a été composé avec la police Bauer Bodoni

Cours Familier de Littérature
Volume 19

I

Quelle que soit l'opinion qu'on se fasse du principe divin ou humain de l'autorité spirituelle ou temporelle de la papauté en Europe, il est impossible de nier que les papes soient des souverains, soit en vertu d'un mandat de Dieu, soit en vertu d'une antique tradition humaine; qu'en vertu du titre surhumain, leur autorité, sous le rapport spirituel, soit sacrée; et qu'en vertu du titre de possession humaine et traditionnelle, leur gouvernement soit respectable. Les gouvernements, monarchies ou républiques, traitent avec eux, leur envoient des ambassades ou en reçoivent d'eux, concluent des concordats ou des conventions avec eux, et sont tenus de les exécuter par le simple respect de leur parole, jusqu'à ce qu'ils soient périmés ou modifiés d'un consentement commun; en un mot ils gouvernent légitimement la portion d'empire qui leur a été dévolue sur ce globe.

Détrôné pour cause de papauté, est un axiome de droit public qui n'a pas encore été admis sur la terre.

Qu'on n'admette pas le mélange sacrilége du spirituel et du temporel, c'est libre à chacun; mais qu'on ne reconnaisse pas le gouvernement temporel de la papauté parce que le pape exerce comme pape des fonctions ecclésiastiques à Rome ou ailleurs, c'est confondre les deux puissances et passer soi-même d'un ordre d'idées dans un autre. Les papes ont donc comme souverains un gouvernement.

Or, du moment où les papes ont un gouvernement, ils ont des ministres; et si au nombre de ces ministres ils ont le bonheur de trouver un homme supérieur, modéré, dévoué jusqu'à l'exil et jusqu'à la mort, comme Sully était censé l'être à Henri IV; si ce rare phénix, né dans la prospérité, éprouvé par les vicissitudes du pouvoir et du temps, continue pendant vingt-cinq ans, au milieu des fortunes les plus diverses, en butte aux persécutions les plus acerbes et les plus odieuses, à partager dans le ministre, sans cause, les adversités de son maître; si le souverain sensible et reconnaissant a payé de son amitié constante l'affection, sublime de son ministre, et si ce gouvernement de l'amitié a donné au monde le touchant exemple du sentiment dans les affaires, et montré aux peuples que la vertu privée complète la vertu publique dans le maître comme dans le serviteur; pourquoi des écrivains honnêtes ne rendraient-ils pas justice et hommage à ce phénomène si rare dans l'histoire des gouvernements, et ne proclameraient-ils pas dans Pie VII et dans Consalvi le gouvernement de l'amitié?

C'est le véritable nom de ce gouvernement à deux têtes ou plutôt à deux cœurs, qui a traversé tant d'années de calamités sans se diviser, après quoi le ministre est mort de douleur de la mort du souverain, laissant pour toute fortune une tombe sacrée à celui qu'il a tant aimé.

Voilà l'histoire exacte du règne pontifical de Pie VII et du ministre Consalvi.

II

J'ai beaucoup connu et familièrement fréquenté le cardinal-ministre, à Rome, à différentes époques, sous les auspices de la duchesse de Devonshire, son amie la plus intime, et j'oserai dire la mienne aussi; elle m'en a légué une preuve touchante en me léguant une de ses munificences par son testament. Cette munificence acquit à mes yeux un triple prix parce qu'elle me fut transmise par madame Récamier, femme digne de cette société avec les illustrations de Londres, de Paris et de Rome, et qui m'a légué elle-même un souvenir immortel, le beau portrait de notre ami commun le duc Matthieu de Montmorency. J'ai été le témoin confidentiel, dans des circonstances difficiles, de la mesure, de la sagesse, de l'équilibre de son gouvernement et de l'impassibilité de son courage. Ce n'était pas seulement un grand ministre, c'était un grand cœur; j'ai passé avec lui en 1821 les semaines glissantes où l'armée napolitaine de Pépé et l'armée autrichienne de Frimont allaient s'aborder à Introdocco et se disputer les États romains envahis des deux côtés, et où Rome attendait des hasards d'une bataille son sort et sa révolution; il était aussi calme que s'il avait eu le secret du destin: «Experti invicem sumus ego et fortuna,» nous disait-il. «Quant au pape, il a touché le fond de l'adversité à Savone et à Fontainebleau; il ne craint pas de descendre plus bas, laissant à Dieu sa providence.» N'est-on pas trop heureux, dans ces agitations des peuples et dans ces oscillations du monde, d'avoir son devoir marqué par sa place, et ne pouvoir tomber qu'avec son maître et son ami?

III

J'attendais, je l'avoue, avec impatience le moment où un hasard quelconque, mais un hasard certain, quoique tardif, ramènerait le nom du cardinal Consalvi dans la discussion des grands noms de mon époque pour lui rendre témoignage. Ce jour est arrivé; un homme que je ne connais pas personnellement, et dont les opinions ne sont, dit-on, pas les miennes sur beaucoup de choses, M. Crétineau-Joly, vient de publier un livre intitulé: Mémoires du cardinal Consalvi.

Il ne faut pas qu'on s'y trompe, le titre ne donne pas une idée précise du livre; bien qu'il soit d'un grand et vif intérêt, il n'a que très-peu d'analogie avec ce que nous appelons ordinairement Mémoires. Ce sont les mémoires diplomatiques plus que les mémoires intimes et personnels du cardinal. Cet homme de bien, très-détaché de lui-même, ne se jugeait pas assez important pour s'occuper exclusivement de lui et pour en occuper les autres; il se passe habituellement sous silence; mais, quand il rencontre sur le chemin de ses souvenirs et de sa plume quelqu'une de ces questions historiques qui ont agité et l'Église et le monde, telles que le concordat, le rétablissement du culte en France, le conclave d'où sortit Pie VII, le voyage du pape à Paris pour y couronner Napoléon, l'emprisonnement de ce pontife à Savone, sa dure captivité, sa résidence forcée à Fontainebleau, les désastres de Russie et de Leipsick qui forcèrent l'empereur à tenter sa réconciliation avec Pie VII et à renoncer à l'empire des âmes pour recouvrer à demi l'empire des soldats; le retour du pape à Rome, l'enthousiasme de l'Italie à sa vue, qui le fait triompher seul à Rome de l'omnipotence indécise de Murat en 1813; enfin sa restauration spontanée sur son trône: alors Consalvi, directement ou indirectement mêlé à toutes ces transactions, prend des notes, les rédige et les confie aux archives du saint-siége pour éclairer le gouvernement pontifical et traditionnel sur ses intérêts. Ce sont ces notes authentiques dont le gouvernement romain d'aujourd'hui a donné communication à M. Crétineau-Joly, et celui-ci nous les livre à son tour sous le titre de Mémoires du cardinal Consalvi. Elles seraient plus convenablement nommées Mémoires de l'Église de Rome pendant la persécution de Pie VII, rédigées par son premier ministre et son ami. Mais elles sont cependant et effectivement des fragments très-réels et très-véridiques des Mémoires du cardinal-ministre; il n'y a aucune supercherie, il y a seulement lacune; ce ne sont pas tous les Mémoires, ce sont les documents originaux, préparés par le ministre lui-même, pour la rédaction de ses Mémoires.

Nous allons suppléer, à l'aide des documents fournis par M. Crétineau-Joly et par nos notions personnelles, aux commencements de la vie du cardinal, omis ou trop légèrement relatés dans ce livre, dont l'objet était plus vaste.

IV

Le cardinal Consalvi naquit à Rome, le 8 juin 1755, et fut baptisé sous le nom d'Hercule; il était l'aîné de quatre frères et d'une sœur; son père était le marquis Consalvi, de Rome, et la marquise Carandini, de Modène, sa mère. Il aurait dû réclamer légalement le nom de Brunacci, famille plus illustre de Sienne que la famille Consalvi à Rome; il n'en fit rien par respect pour son père, et persuadé, dit-il, que la plus précieuse noblesse est celle du cœur et des actions. Il n'avait que six ans quand il perdit son père; sa mère alla demander asile à la maison du cardinal Carandini, son frère de prédilection; il resta, ainsi que ses petits frères, sous la tutelle du marquis Gregorio Consalvi. Gregorio, avant de mourir, en 1766, les confia à la tutelle du cardinal Negroni, homme distingué du sacré collège. Ce cardinal, qui avait été élevé à Urbino par les frères des écoles pies, envoya ces enfants à Urbino pour y recevoir la même éducation que lui.

«Une circonstance douloureuse m'éloigna d'Urbino quatre ans après, avant d'y avoir fini mes études,» dit-il. «Mon second frère, Jacques-Dominique, y contracta une horrible maladie. On l'attribua,—je ne veux pas affirmer avec certitude que telle en fut la cause,—à la brutale férocité d'un religieux, surveillant de la division (prefetto della camerata) où nous nous trouvions. Ce surveillant frappait avec un gros nerf de bœuf, et pour chaque peccadille commise dans la journée, les faibles enfants revêtus seulement de leurs chemises au moment où ils allaient se mettre au lit. Or moi, qui n'avais que dix ans, j'étais l'un des plus âgés. Mon pauvre frère se plaignit bientôt d'une douleur très-intense à l'un de ses genoux, sans aucun signe extérieur tout d'abord; mais peu à peu le genou se dressa presque jusqu'au menton, et demeura ainsi durant le reste de sa vie.

«Ma mère et notre tuteur le firent revenir à Rome pour le soigner. Il fallut envoyer de Rome à Urbino la litière du Palais pontifical,—on n'en trouva pas d'autre,—car il était impossible que mon infortuné frère pût faire ce long trajet sans être porté sur un lit. Arrivé à la maison maternelle, après avoir langui dans la souffrance et subi une opération chirurgicale, il mourut vers l'âge de dix ou douze ans et fut enterré à Saint-Marcel. Le grand amour que je lui avais voué me fit amèrement ressentir sa perte, bien que je ne fusse que petit enfant. Mais ce n'était pas le coup le plus douloureux que me préparait mon triste sort.

«Le cardinal tuteur, voyant que, par suite de ce trépas, notre mère en voulait toujours au collège d'Urbino, nous rappela, mon frère André et moi, pour nous placer dans le collége Nazaréen à Rome, tenu, lui aussi, par les Scolopii. Mais une circonstance accidentelle ne lui permit pas de réaliser son projet. Le cardinal Negroni, étant prélat, avait été auditeur du cardinal duc d'York, alors évêque de Frascati. Or, ce royal cardinal, fils de Jacques III, roi d'Angleterre, rouvrait justement alors son séminaire et son collége, qu'il venait de retirer des mains de la Société de Jésus. Comme il recrutait de jeunes clercs pour peupler cet établissement, il demanda au cardinal Negroni de nous y envoyer, lui promettant de nous accorder à tous deux sa protection spéciale.

«Le cardinal Negroni ne put pas refuser; il vit même qu'il commençait notre fortune en nous plaçant sous la protection d'un aussi puissant personnage.

«Nous fûmes installés dans le collége de Frascati au mois de juillet 1771 pour y terminer nos études. J'acquis de la sorte les faveurs et l'amour infini dont, à dater de ce moment, le cardinal duc d'York m'honora jusqu'à la dernière heure de sa vie. Je restai à Frascati environ cinq ans et demi; j'y terminai la rhétorique, la philosophie, les mathématiques et la théologie. J'eus le bonheur d'avoir en rhétorique, en philosophie et en mathématiques deux excellents professeurs, et j'appellerai même le second très-excellent. Je puis bien dire que c'est à lui que je dois presque entièrement ce discernement, cette critique, ce jugement sûr,—si toutefois j'en ai un peu,—que l'indulgence des autres, bien plus que la vérité, a fait quelquefois remarquer en moi. Je prie ceux qui par hasard parcourront ces lignes de regarder ce que je dis à ce sujet comme un effet de ma reconnaissance pour le maître auquel je rapporte le peu que je sais, et non comme une louange de ma propre personne. C'était un homme d'un rare mérite: il connaissait la philosophie, les mathématiques, la théologie et les belles-lettres, et j'ai rarement vu quelqu'un digne de lui être comparé.

«Je contractai au collége de Frascati une maladie très-sérieuse qui interrompit mes études pendant quelques mois, et non sans me causer un véritable préjudice. Je fus appelé à Rome et placé par mon tuteur dans la maison maternelle, afin de m'y rétablir. Je retournai ensuite au collége. Je fis cette maladie au printemps de 1774, et je me trouvais en convalescence à l'époque de la mort de Clément XIV, ainsi qu'au commencement du conclave dans lequel Pie VI fut élu. Ayant achevé ma théologie au séminaire de Frascati, je le quittai définitivement au mois de septembre 1776. Mon tuteur me plaça, et plus tard il y plaça aussi mon frère André, qui était resté au collége pour achever ses études, dans l'Académie ecclésiastique ouverte de nouveau à Rome par le nouveau pontife Pie VI, qui l'entourait d'une spéciale protection. J'y demeurai six ans et mon frère quatre, et j'y étudiai les lois et l'histoire ecclésiastique professée par le célèbre abbé Zaccaria, autrefois jésuite. En sortant de cette académie, je reçus une pension de cinquante écus, ainsi que mon frère. Nous penchions l'un et l'autre vers l'état ecclésiastique, moi plus que lui cependant; c'est pourquoi j'embrassai cette carrière, quoique je fusse l'aîné de la famille. Quant à André, il renonça au sacerdoce, non pour se marier—ce qu'il ne fit jamais,—mais parce que sa santé ne lui permettait pas de consacrer toutes ses heures, et spécialement celles du matin, aux occupations et aux études imposées par les devoirs de cet état et les emplois qu'il aurait pu remplir.

«Par délicatesse de conscience, il ne se crut pas autorisé de demander dispense pour conserver un bénéfice ecclésiastique de cent écus, qu'il tenait de la générosité du Pape. Il le remit loyalement entre les mains du donateur. Sans que je l'eusse sollicité, le Pape déclara au cardinal dataire que ce bénéfice étant déjà entré, comme on dit, dans ma maison, il ne voulait point l'en retirer, et qu'en conséquence on devait m'en attribuer la collation. Ce fut la seule rente ecclésiastique que je touchai jusqu'au cardinalat. La pension dont j'ai parlé plus haut cessa de m'être payée à l'époque de l'invasion de Ferrare par les Français.

«Nous sortîmes, mon frère et moi, de l'Académie au mois d'octobre 1782, avec la pensée d'entrer dans la prélature. Il nous était impossible de vivre sous le même toit que notre mère, qui, demeurant avec son frère, ne pouvait pas se réunir à nous. Nous choisîmes donc une habitation près d'elle, dans le casino Colonna, aux Tre Canelle, nous réservant d'en prendre une plus fixe et plus convenable quand je serais devenu prélat. Le 20 avril 1783, tandis que je demeurais dans cet appartement provisoire, je fus nommé camérier secret de Sa Sainteté, et par conséquent prélat de mantellone. À la fin du mois d'août de cette même année, je fus éprouvé par une perte qui me causa une très-vive douleur. J'avais jusqu'alors fréquenté plus que toute autre la maison Justiniani: j'étais l'ami du prince et de la princesse Justiniani, ainsi que de leurs deux filles, mariées, l'une dans la maison des princes Odescalchi, l'autre dans la maison des princes Ruspoli. Cette dernière fut attaquée par la petite vérole, alors qu'elle était enceinte, et il lui fallut dire adieu à la vie à l'âge si tendre de dix-huit ans. C'était un miroir de toutes les vertus, elle apparaissait aussi aimable que sage. Vingt-neuf années se sont écoulées, et aujourd'hui je ressens aussi profondément ce malheur que le jour où il arriva. Je puis dire qu'après le trépas de mon frère,—alors que j'étais presque enfant,—la mort de la princesse Ruspoli fut pour ma jeunesse et pour mon âge mûr la première de toutes les pertes si cruelles que j'eus à déplorer par la suite. Il paraît que le Seigneur voulut éprouver ainsi la sensibilité peut-être trop ardente de mon cœur, ou plutôt je crois que, dans sa clémence, il chercha à punir mes nombreux péchés par ces deuils que mon caractère me rendait plus pénibles.

«Pendant un an et plus, je fus camérier secret du Pape. Au mois de juin 1784,—si je ne me trompe, car je ne me rappelle pas très-bien,—ou dans le mois d'août au plus tard, je devins prélat domestique. J'habitais déjà le petit palais au bas de la daterie; je ne le quittai qu'à ma promotion au cardinalat et quand je fus nommé ministre.

«Aux vacances d'automne, j'allai à Naples avec mon frère, afin de rétablir ma santé compromise par une maladie assez sérieuse que je fis au mois de septembre. Nous revînmes à Rome dans les premiers jours de novembre. Autant que je puis m'en souvenir, il se passa encore quatorze ou quinze jours sans que j'eusse aucune charge. J'étais cependant référendaire de la signature. La Curie se disait contente de mes services, et personne plus que moi n'était rapporteur d'autant de causes. Des quarante qui sont le non plus ultra des séances de ce tribunal, moi seul j'en avais vingt-cinq et même trente.

«Je fus enfin nommé ponente del buon governo dans une promotion nombreuse que fit le Pape à peu près au mois de janvier 1786,—si j'ai bon souvenir. Mon premier pas ne fut ni trop prompt ni trop inespéré, comme celui de plusieurs autres dans cette promotion, et j'aurais pu, si j'avais songé à en prendre la peine, avancer bien plus vite. Il m'eût été facile de marcher à pas de géant, ainsi que plus d'un de mes compagnons de l'Académie ecclésiastique et d'autres prélats mes confrères, si, à l'indulgence que me témoignait le Pape et à la réputation que me créait le grand concours de la Curie, j'avais cherché à joindre quelques-uns des bons offices de ceux qui s'offraient de me servir auprès du Souverain Pontife. Mais, outre que mon caractère était très-éloigné de demander, et plus encore de faire la cour au premier venu pour mon avancement, j'avais eu sur cette matière un trop bel exemple dans la personne de mon tuteur, le cardinal Negroni.

«Cet homme sans ambition, que sa probité, ses mœurs, l'élévation de son esprit, l'affabilité de ses manières et son désintéressement rendaient incomparable, ne fut pas heureux dans sa carrière. Durant sa prélature il n'avait rien obtenu malgré sa capacité et ses mérites, uniquement parce qu'il ne fit la cour à personne et qu'il ne sollicita rien. En fin de compte cependant, la vérité perça d'elle-même, et, sous le pontificat de Clément XIII, il devint auditeur du Pape, et Pie VI le nomma dataire. Or jamais il ne demanda rien, et, chose rare et même unique, il fut constamment estimé et aimé par trois papes successifs, Clément XIII, Clément XIV et Pie VI, qui tous, comme on sait, différaient d'habitudes et de caractère. Il professait donc une maxime, maxime mise par lui en pratique dès le principe et qu'il m'inculquait sans cesse avec beaucoup d'autres excellentes,—je veux payer ce tribut de reconnaissance à sa mémoire.—Le cardinal me disait: «Il ne faut rien demander, ne jamais faire la cour pour avancer, mais s'arranger de manière à franchir tous les obstacles par l'accomplissement le plus ponctuel de ses devoirs et par une bonne réputation.»

«Je suivis toujours ce conseil, et quand j'étais à l'Académie ecclésiastique, je ne flattai jamais le célèbre abbé Zaccaria,—que cependant j'estimais beaucoup.

«C'était un homme que le Pape aimait et qui, par ses rapports favorables sur les talents et les études de plusieurs de mes compagnons, avait commencé leur fortune. Je ne fréquentais pas davantage les cardinaux, ou ceux qui approchaient le plus près du Saint-Père. Poussant même les choses au-delà des justes bornes, je ne visitai jamais, ainsi que mes confrères, les neveux du Pape, et je n'assistai jamais à leurs réunions, car j'avais peur qu'on ne crût que l'intérêt me guidait.

«Ce n'est pas ici le lieu de parler de l'importance, de l'étendue, de la direction et de l'administration qu'entraîne cette œuvre gigantesque. Deux des cardinaux de la Congrégation étant morts, comme le Pape avait toujours eu la pensée d'abolir cette Congrégation et de faire de Saint-Michel une charge prélatice, il ne les remplaça pas. Le cardinal Negroni, survivant, demeura seul à la tête de l'hospice. La Congrégation avait pour secrétaire monsignor Vai. Quand il mourut, le cardinal Negroni, sans me consulter, me proposa au Pape pour le remplacer, et c'est ainsi que je devins secrétaire de la Congrégation. Je m'efforçai de mériter de mon mieux la confiance que le cardinal me témoignait; et, comme l'état de sa santé ne lui permettait plus de faire de la direction de ce grand établissement l'objet de ses occupations assidues, ce soin retomba sur moi seul. J'eus à traiter toutes sortes d'affaires.

«L'année 1789 arriva. Ce fut une époque de grands désastres généralement pour tous, à cause de la révolution sans pareille qui éclata en France vers la moitié de cette année, et qui se répandit comme un vaste incendie dans l'Europe entière et même au delà. Ce fut aussi pour moi, en particulier, une époque de véritables disgrâces qui surgirent alors, ou dont les conséquences se firent sentir plus tard.»

V

Le cardinal Negroni, son président, lui fut enlevé par la mort en 1789.

«Peu après, mon cœur reçut encore un coup très-sensible du même genre. J'avais à mon service un jeune homme de vingt ans, de mœurs angéliques, d'une prudence, d'une intelligence et d'une capacité très au-dessus de sa condition, d'une rare intégrité et d'une fidélité sans exemple, d'une propreté en tout et d'une amabilité peu communes. Un dimanche,—c'était le 1er mars,—comme il revenait avec sa femme de Saint-Michel à Ripa, quatre soldats, échauffés par le vin et par la luxure, se mirent à les suivre. D'abord à l'aide de paroles, ensuite par des actes indécents, ils tourmentèrent la pauvre femme et cherchèrent à la faire accéder à leurs désirs. Le malheureux jeune homme, avec beaucoup de patience, hâta sa course sans oser se retourner vers eux. Mais voyant que, malgré cela, ils voulaient exécuter leur projet et qu'ils touchaient les vêtements de sa femme, il fit volte-face et leur dit avec douceur que c'était son épouse, et qu'il les priait de cesser leurs poursuites et leurs obsessions. Il n'en fallut pas davantage pour enflammer leur colère. Les soldats le saisirent avec violence, ils l'arrachèrent d'auprès de sa femme. À quelques pas de distance, l'un d'eux, malgré ses prières,—il n'avait point d'autre défense,—lui enfonça sa baïonnette dans une côte. Le coup, ayant traversé l'artère, le tua en peu de minutes, noyé dans une mare de sang. Ce genre de mort et la perte de cet excellent jeune homme, qui m'était très-attaché, me furent plus pénibles qu'on ne saurait se l'imaginer. Cette même année, j'eus la douleur de perdre la duchesse d'Albany, nièce du cardinal duc d'York, qui m'avait toujours comblé de bontés et de gracieusetés. Elle mourut très-jeune à Bologne, où elle était allée prendre les bains d'après l'avis de la Faculté. Elle cherchait à se guérir de deux maladies, restes d'une petite vérole mal soignée, ou qui n'avait pas rendu suffisamment.

«Enfin la mort d'un autre de mes domestiques, ayant tous les droits à mon estime à cause de la fidélité et de l'attachement avec lesquels il me servait, mit le comble aux afflictions de cette espèce, afflictions, je l'ai dit, par lesquelles mon âme a toujours été très-éprouvée.»

VI

Consalvi ressentit quelque amertume du refus du pape de le choisir pour successeur du cardinal Negroni dans un emploi inférieur auquel il avait droit. Le pape, sans s'expliquer, le consola de cette disgrâce, en montrant à ses amis l'intention secrète de le réserver pour d'autres fonctions plus élevées et plus intimes. Il attendit patiemment, n'ayant alors pour tout emploi salarié que sa pension de deux cents écus romains (1,200 fr.).

«Je ne restai toutefois que fort peu de temps dans cette incertitude. La mort imprévue d'un des votanti di segnatura fit vaquer une place à ce tribunal. Tous mes amis m'engagèrent à ne pas perdre un moment et à la demander. Je n'accédai point à leurs instances, et le pape ne m'en aurait point laissé le loisir si j'eusse voulu le faire. C'est le jeudi saint que cette mort arriva. Le matin suivant, bien que ce fût le vendredi saint, bien que les augustes cérémonies de ce jour dussent avoir lieu, et que, selon l'usage, la secrétairerie d'État fût comme fermée, le pape envoya au secrétaire d'État l'ordre de m'expédier tout de suite votante di segnatura, charge de magistrature élevée. Dès que ma nomination me fut parvenue, je courus, comme c'était mon devoir, remercier Sa Sainteté. Elle n'avait pas pour habitude de recevoir quand on lui venait offrir des actions de grâces. Beaucoup moins imaginais-je être reçu ce jour-là, et au moment où le pape, rentré dans ses appartements après la fonction du vendredi saint, et devant retourner quelques heures après à la chapelle pour les matines que l'on nomme Ténèbres, récitait complies et allait, quand il les aurait achevées, se mettre à table pour dîner.

«Ayant appris alors que j'étais dans l'antichambre, où il avait donné l'ordre qu'on ne me renvoyât pas, selon l'usage, si je venais,—parce qu'il désirait me voir,—il me fit entrer immédiatement. Après qu'il eut achevé ses complies devant moi, il m'adressa des paroles si pleines de bonté, que je ne pourrai jamais les oublier tant que je vivrai. Ce fut avec le visage le plus affable et qui témoignait vraiment la satisfaction de son cœur, qu'il me dit: «Cher Monsignor, vous savez que nous ne recevons jamais personne pour les remercîments, mais nous avons voulu vous recevoir contre l'habitude, malgré cette journée si occupée, et quoique notre dîner soit servi, afin d'avoir le plaisir de vous dire nous-même ceci: En ne vous comprenant pas dans la dernière promotion, parce que nous avons été contraint d'attribuer à un autre le poste qui vous était destiné, nous avons éprouvé autant de tristesse que nous goûtons de joie à nous trouver en état de vous offrir de suite la charge de votante di segnatura maintenant vacante. Nous le faisons pour vous témoigner la satisfaction que vous nous causez par votre conduite. Nous vous avons enlevé de Saint-Michel, parce que nous voulions vous faire suivre la carrière du bureau et non celle de l'administration.»

«Le Saint-Père daigna ajouter ici quelques paroles sur l'opinion que sa bonté, et non mon mérite, lui faisait augurer de moi sous le rapport des études, paroles que la connaissance que je possède de moi-même ne me permet pas de transcrire. Il continua ainsi: «Ce que nous vous donnons aujourd'hui n'est pas grand'chose, mais je n'ai rien de mieux, car il n'y a aucune autre place disponible. Prenez-le cependant, comme un gage certain de la disposition où nous sommes de vous accorder davantage à la première occasion.»

«Il est facile de comprendre qu'à un semblable discours, prononcé avec cette grâce, cet air de majesté jointe à la plus pénétrante douceur, et cette amabilité qui étaient particulières à Pie VI, les expressions me manquèrent absolument pour lui répondre. C'est à peine si je pus balbutier: «qu'ayant recueilli les paroles si clémentes qu'il avait prononcées sur mon compte après la promotion, paroles qui m'assuraient que je n'avais point démérité de sa justice et qu'il n'était pas mécontent de moi dans la charge de Saint-Michel, j'étais fort tranquille, et que je l'aurais été longtemps encore et toujours; que je n'avais d'autre désir que celui de ne pas lui déplaire et de ne point faillir à mes devoirs dans tous les emplois auxquels il daignerait m'appeler.»

«Il m'interrompit: «Nous avons été content, très-content de vous à Saint-Michel; mais nous vous répétons que nous voulons vous attacher à d'autres études. Nos promesses d'alors étaient sincères, mais ce n'étaient que des mots; aujourd'hui voici un fait: ce n'est pas grand'chose, mais c'est plus encore que des mots. Prenez donc ceci maintenant; allez! allez! mon dîner se refroidit, et nous devons ensuite descendre à la chapelle!»

Ces paroles si bonnes et le goût que le caractère grave et la figure gracieuse et modeste du futur cardinal inspiraient au majestueux et beau pontife Braschi, ranimèrent les espérances bornées de Consalvi.

VII

Il refusa, un an après, la charge d'envoyé à Cologne, par crainte d'engager sa responsabilité.

«Je ne voyais rien de semblable à redouter l'auditorat de Rote. Cette charge ne portait avec elle aucune responsabilité, ainsi que je l'ai dit; elle était très-enviée et ne sortait pas du cercle d'études que je m'étais tracé. Si le labeur produisait de grandes fatigues à une certaine époque, il était compensé par de nombreux mois de vacances et de repos. Enfin, je considérais que, quoique exempt de l'ambition du cardinalat, toutefois, en le regardant comme le terme honorable de la carrière entreprise, l'auditorat de Rote m'y conduisait lentement, c'est vrai, mais certainement, sans avoir besoin de mendier la faveur ou la bienveillance de qui que ce fût, ni de faire la cour à personne, puisque le décanat de la Rote mène à la pourpre d'après l'usage, quand le doyen n'a pas démérité et que l'on n'a véritablement rien à lui reprocher. J'étais jeune encore,—j'avais environ trente-cinq ans,—et mon âge me permettait d'attendre le décanat, quelque lenteur qu'il mît à venir.

«J'ajouterai encore que j'avais un autre stimulant pour désirer si passionnément l'auditorat de Rote. J'éprouvais un goût très-prononcé pour les voyages, goût que je n'avais pu satisfaire jusqu'alors que par une petite course à Naples et en Toscane, d'où j'étais revenu depuis peu. Les vacances de la Rote commençaient aux premiers jours de juillet; elles finissaient en décembre. Je trouvais donc ainsi le moyen de voyager chaque année pendant cinq mois et plus, sans manquer à aucune de mes obligations, et sans avoir besoin de congés et de permissions obtenus à l'avance.

«Toutes ces raisons me firent désirer si fortement l'auditorat de Rote, que je me crus autorisé, pour cette seule fois,—car je ne l'avais pas fait avant et je ne le fis plus après,—et pour cette seule charge, à me départir de la maxime du cardinal Negroni, d'autant mieux que je ne la violais point par ambition, mais par un tout autre motif, et je dirais presque par le motif contraire. Toutefois je ne pus pas m'empêcher de me joindre à tant d'autres concurrents; et je n'osai pas m'abandonner entièrement aux espérances que m'inspiraient les promesses que le Pape m'avait adressées deux ans auparavant, promesses se résumant en ces mots: «Nous veillerons nous-même à votre avancement.»

«Je comptai plutôt sur ses bonnes dispositions, et ne me laissai pas arrêter par le peu de temps écoulé depuis ma dernière promotion. Je priai le cardinal secrétaire d'État (Boncompagni) de parler de moi au Souverain Pontife en même temps que des autres concurrents. De peur que, pressé par les affaires qu'il pouvait avoir, il n'exauçât pas mon vœu, je demandai à l'auditeur du Pape de vouloir bien faire connaître au Saint-Père que moi aussi j'étais sur les rangs, et rien de plus.

«Telles furent les seules démarches que je fis et que j'autorisai à faire. Le succès les couronna heureusement, et je passai auditeur de Rote dans le mois de mai ou de juin 1792. Je ne me souviens pas de la date précise.

«Je ne puis exprimer l'extrême joie que j'en éprouvai. Ayant rendu à Sa Sainteté les actions de grâces qui lui étaient dues, je crus de mon devoir de lui en garder, ainsi qu'à sa famille, une éternelle reconnaissance. Je me trouvai très-embarrassé pour en porter l'hommage au duc Braschi, son neveu. J'ai raconté plus haut qu'un excès de délicatesse m'avait toujours éloigné de la maison Braschi, dans l'appréhension que l'on pût s'imaginer que je la fréquentais pour faciliter mon avancement. En obtenant l'auditorat de Rote, j'avais touché le but de mes désirs. Comme j'étais bien résolu de mourir auditeur ou d'attendre le cours naturel des choses, afin d'en être le doyen et d'arriver au cardinalat par cette voie, je crus que visiter la famille Braschi, ce serait alors gratitude et non plus intérêt. Je surmontai avec peine la crainte que me causait mon entrée dans un salon où je n'étais pas vu avec trop de plaisir et non sans motif, car les proches du Pape avaient désiré et sollicité l'auditorat de Rote pour Mgr Serlupi, leur parent. Je fus donc accueilli avec froideur. Avant cette époque, je n'étais jamais allé au palais Braschi, si j'en excepte trois ou quatre visites d'étiquette en habit de prélat et confondu dans la foule, pour l'anniversaire de l'élection du Pape. À dater de ce jour, je ne laissai jamais passer une seule soirée sans me rendre chez les Braschi, et je devins leur plus dévoué serviteur et ami. Je crois en avoir fourni par mes actes les preuves les plus certaines et les plus constantes.»

VIII

Au mois de novembre 1794 ou 1795, il visita avec un de ses amis, Bordani, l'Italie et les bords de la rivière de Gênes.

À son retour à Rome, le Pape, pour se défendre contre les agressions répétées de la république Cisalpine, résolut d'augmenter son armée et d'en changer l'organisation. Il en donna le commandement au général Caprosa, employé alors au service de l'Autriche, et nomma une commission militaire, à la tête de laquelle il éleva Consalvi, malgré sa jeunesse: il n'avait alors que trente-cinq ans. Les Français attaquèrent les légations, la paix fut conclue. Le Directoire ordonna au général Duphot de fomenter l'insurrection de Rome contre le Pape; un coup de feu l'atteignit; il tomba mort. «Vous savez ainsi que moi,» écrivit l'ambassadeur français au Directoire, «que personne à Rome n'a donné d'ordre de tirer ni de tuer qui que ce fût; le général Duphot a été imprudent, tranchons le mot, il a été coupable.» Il y avait à Rome un droit des gens comme partout.

Rome fut envahie par quinze mille hommes, sous les ordres du général Berthier. Le gouvernement romain ne s'opposa point à sa marche; Consalvi est arrêté, Pie VI est emmené à Sienne; de là à la Chartreuse de Florence, puis à Briançon, en France. Ce martyre du pape, terminé par sa mort, commence. Elle le délivre dans la citadelle de Valence, la vingt-cinquième année de son pontificat. Ce pape opulent, magnifique, prodigue envers ses neveux, les Braschi, expia dans l'indigence et la captivité le luxe de sa vie et l'amabilité de ses manières.

Consalvi de son côté est conduit à Civita-Vecchia. Condamné à un éternel exil de Rome, il choisit Livourne pour lieu de son ostracisme dans l'espoir de rejoindre Pie VI à la Chartreuse de Florence, pour adoucir la captivité de ce pontife. À la sollicitation de ses amis romains, Berthier s'adoucit et le fait reconduire captif dans la capitale. Il est incarcéré au château Saint-Ange. Le général Gouvion Saint-Cyr, qui avait succédé à Berthier, refuse de ratifier une proscription plus odieuse du gouverneur romain, qui condamnait Consalvi à sortir de Rome, ignominieusement monté sur un âne, et en butte à la risée de ses ennemis; il fut conduit à Terracine, dans la compagnie de vingt-quatre galériens napolitains. À quelque distance de Rome, le commandant français le combla d'égards et le fit conduire à Naples. Après un mois et demi de captivité, le roi et la reine de Naples le reçurent avec empressement; dans le mois de juin 1798, on lui accorda la permission de se rendre à Vicina, dans les États

Vénitiens, de là il gagna la Chartreuse de Florence, où le pape Pie VI languissait encore.

«Je ne rencontrai toutefois,» dit-il, «chez le ministre du grand-duc que les manières les plus dures et le plus impoli des refus. Je me vis forcé d'agir alors comme par surprise. Il me fallait voir le Pape à tout prix, et lui prouver au moins ma bonne volonté. Je choisis secrètement le jour et l'heure que je jugeai les plus favorables, et je me rendis à la Chartreuse, à trois milles de Florence, où le Saint-Père était prisonnier. Lorsque j'arrivai au pied de la colline, je ne puis exprimer les sentiments dont mon cœur fut agité à l'idée de revoir mon bienfaiteur et mon souverain, qui avait eu tant de bontés pour moi, et en pensant au misérable état dans lequel se trouvait réduit ce Pie VI que j'avais vu au comble des splendeurs. Chaque pas que je faisais pour me rapprocher du Saint-Père apportait à mon âme une émotion toujours croissante. La pauvreté et la solitude de ces murs, le spectacle de deux ou trois malheureuses personnes composant tout son service, m'arrachaient les larmes des yeux. Enfin, je fus introduit en sa présence. Ô Dieu! que de sensations affluèrent alors à mon cœur, et en vinrent presque à le briser!

«Pie VI était assis devant sa table. Cette position empêchait qu'on ne s'aperçût de son côté faible: il avait à peu près perdu l'usage des jambes, et il ne pouvait marcher que soutenu par deux bras robustes.

«La beauté et la majesté de son visage ne s'étaient pas altérées depuis Rome; il inspirait tout à la fois la plus profonde vénération et l'amour le plus dévoué. Je me précipitai à ses pieds; je les baignai de larmes; je lui racontai tout ce qu'il m'en coûtait pour le revoir, et combien je souhaitais de rester à ses côtés pour le servir, l'assister et partager son sort. Je lui jurai que je tenterais tous les moyens possibles dans l'espoir d'atteindre ce but.

«Je renonce à rapporter ici le gracieux accueil qu'il me fit, la manière dont il agréa mon attachement à sa personne sacrée, et ce qu'il me dit de Rome, de Naples, de Vienne, de la France, et de la conduite tenue par ceux qu'il devait regarder comme les plus attachés et les plus fidèles de ses serviteurs. Le Saint-Père m'affirma ensuite qu'il croyait de toute impossibilité que je pusse obtenir la permission de rester auprès de lui. Je répondis que je ne négligerais rien pour réussir, et il me congédia après une heure d'audience. Cette heure me combla tout ensemble de consolation, de tristesse et de vénération; elle augmenta, s'il est possible, mon respectueux amour.

«Revenu à Florence, je ne parlai à personne de cette visite, et, pour éloigner davantage les soupçons, je demandai l'autorisation de me rendre à Sienne pour voir la famille Patrizi, qui arrivait de Rome. Je n'obtins ce permis qu'avec une limite de quinze jours. Cela me fut d'un très-fâcheux augure pour mes projets de résider à Florence, projets que je voulais ensuite essayer de réaliser. Dès que les quinze jours furent écoulés, le commissaire grand-ducal me força de quitter Sienne, et je me séparai avec chagrin de cette famille, que j'aimais beaucoup.

«D'autres jours se passèrent à Florence, pendant lesquels je tentai tout, je dis tout, j'osai tout, directement et indirectement, pour obtenir ce que je souhaitais avec tant d'ardeur. Mais alors le plénipotentiaire de France demanda expressément au premier ministre du grand-duc de me renvoyer sans retard. Mes efforts devenaient inutiles, et mon espérance s'évanouit. Je fus contraint de quitter Florence et d'aller habiter Venise, ainsi que j'en avais pris la résolution dans le cas où mon séjour auprès de Pie VI ne serait pas autorisé.

«Tout ce que je pus faire en cachette, et non sans courir certains risques, fut de me rendre une seconde fois à la Chartreuse pour communiquer au Pape mes vaines tentatives, pour lui baiser encore les pieds et recevoir sa dernière bénédiction. Il éprouva quelque peine en apprenant que je n'avais pas réussi dans mon projet, mais il n'en fut point étonné. Pendant l'heure entière d'audience qu'il m'accorda, il me prodigua toutes sortes de faveurs, et me donna les plus salutaires conseils de résignation, de sage conduite et de courage dont les actes de sa vie et son maintien m'offraient un parfait modèle. Je le trouvai aussi grand et même beaucoup plus grand que lorsqu'il régnait à Rome. Au moment où il me chargea de saluer de sa part le duc Braschi, son neveu, qui habitait Venise et qu'il avait eu la douleur, peu auparavant, de voir arracher d'auprès de lui dans cette même Chartreuse, je jurai à ses pieds que je considérerais partout, en tout temps et dans n'importe quelle occasion, comme une dette la plus sacrée, d'être attaché à sa famille jusqu'au point de devenir pour elle un autre lui-même. C'est l'expression qui m'échappa alors dans mon enthousiasme. Je me flatte de n'avoir pas failli à ma parole dans les circonstances où j'ai pu le faire.

«Pie VI me remercia avec une bonté et une majesté que je ne crois pas que l'on puisse égaler. J'implorai sa bénédiction. Il me posa les mains sur la tête, et, comme le plus vénérable des patriarches anciens, il leva les yeux au ciel, il pria le Seigneur, et il me bénit dans une attitude si résignée, si auguste, si sainte et si tendre, que, jusqu'au dernier jour de ma vie, j'en garderai dans mon cœur le souvenir gravé en caractères ineffaçables.

«Je me retirai les larmes aux yeux. La douleur m'avait presque mis hors de moi; néanmoins je me sentais ranimé et encouragé par le calme inexprimable de mon souverain et par la sérénité de son visage. C'était la grandeur de l'homme de bien aux prises avec l'infortune. De retour à Florence, j'en partis dans les vingt-quatre heures.

«J'étais à Venise à la fin de septembre 1798. Après y avoir passé quelques jours, je remplis un devoir en allant visiter mon oncle, le cardinal Carandini, qui habitait Vicence. Je restai avec lui presque tout le mois d'octobre, à l'exception de cinq ou six jours consacrés par moi à des amis que je possédais à Vérone. À la fin d'octobre, je retournai à Venise, où j'avais des connaissances qui offraient de subvenir à mon extrême détresse. Le gouvernement révolutionnaire avait confisqué mes propriétés, sous prétexte que j'étais émigré.

«Sur les représentations que mes mandataires firent pour démontrer la fausseté de cette allégation, les Consuls rendirent deux décrets.

«Par le premier, on me restituait mes biens comme n'ayant pas émigré; par le second, ces mêmes biens étaient confisqués de nouveau comme appartenant à un ennemi de la République romaine.

«Quoique toujours dans les transes à cause du périlleux séjour à Rome de mon cher frère, à qui il n'était plus permis d'en sortir, je restai tranquillement à Venise, où l'on ne tarda pas à recevoir la nouvelle de la mort du Pape. Elle arriva le 29 août 1799 à Valence, en France, où le Directoire l'avait fait traîner sans avoir égard à sa décrépitude et à ses incommodités si graves. Pie VI avait perdu l'usage des jambes, et son corps n'était qu'une plaie.

«Il était bien naturel que la nouvelle de cette mort dirigeât toutes les pensées vers la célébration du Conclave pour l'élection de son successeur. Le cardinal doyen résidait à Venise avec plusieurs autres cardinaux; ceux qui habitaient sur le territoire de la République y arrivèrent à l'instant, ainsi que ceux qui étaient dans les États les plus voisins. Quand ils furent en majorité, ils s'occupèrent tout d'abord de nommer le secrétaire du Conclave, parce que le prélat qui aurait dû remplir cette charge, en raison de son emploi de secrétaire du Consistoire, n'était pas à Venise, mais à Rome. Du reste, des considérations personnelles interdisaient aux cardinaux de le rappeler; ces mêmes considérations l'empêchaient de s'offrir de lui-même. Tous les prélats les plus élevés en dignité, et alors à Venise, concoururent pour être nommés à ce poste envié. Il y en eut un qui, de préférence aux autres, fut protégé et porté à cet office avec le plus grand zèle par un cardinal fort puissant. Ce cardinal avait beaucoup de bontés pour moi; il poussa l'amabilité jusqu'à me demander d'abord si j'avais l'intention de me mettre sur les rangs. Il déclarait que, dans ce cas, il renoncerait à son protégé. D'un côté, je professais une constante aversion pour tout emploi à responsabilité quelconque; de l'autre, je n'avais pas d'ambition qui pût être flattée des droits ou des affections que l'on devait acquérir dans ce poste, soit auprès du nouveau Pape, soit auprès des cardinaux qui l'approcheraient de plus près. Je n'hésitai donc pas un seul instant sur la conduite que j'avais à tenir. J'affirmai que je ne concourrais en aucune manière pour obtenir cette place.

«Les Cardinaux se rassemblèrent en congrégation générale: ils étaient assistés en premier lieu par tous les concurrents, et d'une façon particulière par celui qui étayait sa candidature sur ses propres mérites et sur les bons offices du cardinal qui le favorisait tant. Le fait est qu'à la réserve de quatre ou cinq votes qui lui furent accordés, je me vis choisi à l'unanimité.»

IX

L'élection d'un Pape dans une circonstance si difficile, où sa souveraineté temporelle était envahie, où sa capitale était occupée, où son prédécesseur venait d'expirer captif de la France, et où les cardinaux cherchaient en vain à emprunter un territoire libre pour se réunir en conclave, était une œuvre aussi délicate que périlleuse. Elle dura près de quatre mois au milieu des intrigues diverses que l'état désespéré de l'Église ne suspendait pas, et qui finit néanmoins, grâce à l'intervention du cardinal Consalvi, par l'élection la plus inattendue et la plus pure qui pût édifier et sauver cette institution. Nous allons en reproduire, à cause de ce résultat, les principales péripéties. Jamais l'action providentielle ne se donna plus évidemment en spectacle au monde; le conclave nomma celui qu'il ne cherchait pas, et le cardinal Consalvi lui-même fit nommer celui auquel il n'avait pas pensé: le hasard inspire la sagesse.

Voici l'abrégé du conclave.

X

Il se composait de trente-cinq cardinaux présents. Consalvi en fut nommé secrétaire. C'était le pouvoir exécutif provisoire de ce gouvernement. Le banquier romain Torlonia offrit au conclave de subvenir à ses besoins; Consalvi remercia Torlonia au nom de tous ses collègues et n'accepta que la reconnaissance. Le cardinal Herzan représentait l'empereur d'Autriche, arrivé peu de jours après l'ouverture de l'assemblée.

Dix-huit suffrages étaient déjà assurés au cardinal Bellisomi; Herzan sent le danger pour sa cour; il obtient un délai nécessaire pour former la brigue du cardinal Mattei, plus agréable à l'empereur. Le conclave, par égard, suspend ses opérations; elles recommencent, deux cardinaux, Zeladi et Gerdil, selon Consalvi, consentent, par une ambition légitime, à détacher des voix de Bellisomi et de Mattei pour eux-mêmes et à varier selon la convenance le nombre flottant de leurs adhérents.—Albani déclare à Herzan qu'on ne se réunira pas à Bellisomi, il l'interroge sur Gerdil, cardinal piémontais, pour connaître si l'empereur d'Autriche lui donnera au dernier moment l'exclusion. Herzan le laisse présumer sans l'affirmer; on y renonce. Mattei et son parti, sans espoir pour eux-mêmes, ne songeaient désormais qu'à affaiblir Bellisomi.

Le conclave ainsi retardé paraît interminable; on propose de présenter différents noms jusqu'ici sans espoir, ils sont repoussés. Herzan va s'entendre avec Calcaquin pour le sonder avant de lui porter les voix du parti autrichien; il le trouve insuffisant, obstiné, quoique honnête. L'archevêque de Bologne s'offre au choix, il le mérite par ses vertus; mais il a déserté le parti Mattei dans le commencement, ce parti ne le lui pardonne pas et lui refuse son concours par vengeance; de longs jours s'écoulent, on désespère de s'entendre.

À la fin, et après trois mois d'inaction, le conclave sent qu'il perd l'Église. Consalvi se dévoue pour la sauver.

«Ce cardinal,» dit-il en parlant d'un des membres du conclave, «se flattait ainsi de sauvegarder l'amour-propre de tous et de garantir l'affection du souverain à ceux à qui il devrait son exaltation. Après avoir organisé cet heureux plan, qui fut un pas décisif vers le terme de l'affaire, on lui fit remarquer qu'il était impossible de trouver le Pape dans le parti Mattei, soit parce que cette faction était trop peu nombreuse, soit parce que, après l'exclusion de Mattei lui-même et des quatre cardinaux déjà mis autrefois sur le tapis sans succès, ceux qui restaient avaient tous des exceptions personnelles auprès de la majorité des électeurs, sans en excepter quelques-uns de leur parti, à cause de leur âge ou pour d'autres circonstances qui rendaient chimérique l'espoir de réussir à leur sujet. Il comprit donc que le parti Mattei n'aurait qu'à choisir le nouveau Pape dans le sein du parti Bellisomi.

«Ce second pas fait, il examina quel serait le cardinal du parti Bellisomi qui, après l'exclusion de Bellisomi et des quatre autres cardinaux dont on avait essayé l'élection, offrait le moins de difficultés pour réunir les suffrages de tous.

«C'est alors qu'il apprécia que, de tous ceux qu'on comptait dans le parti Bellisomi, il s'en trouvait un qui, tout en présentant des obstacles extrinsèques à son élévation, n'avait néanmoins aucun empêchement personnel militant contre lui. Or chacun sait que ces derniers empêchements sont insurmontables, ce qui n'existe pas pour les autres; et il n'était pas seul à porter un semblable jugement sur le cardinal en question. Tous partageaient cette opinion; elle était donc générale. En effet, celui qui écrit ces pages peut affirmer qu'aux funérailles du Pape défunt, il entendit les spectateurs parler des cardinaux assis sur les bancs et dire ces mots: «Quel dommage que ce conclave soit celui qui va donner un successeur à Pie VI! S'il y avait un Pape entre les deux, en trois jours on nommerait le nouveau, et ce serait celui-là.»

«En parlant de la sorte, ils désignaient le cardinal, but de leur conversation. Or c'était le cardinal Chiaramonti, évêque d'Imola, qui réunissait très-certainement tous les avantages intrinsèques pour succéder à Pie VI. Il était de Césène comme lui; il était assez jeune pour être Pape, ayant cinquante-huit ans, comme le Pontife défunt, quand il fut élu. On doit bien croire qu'un règne qui avait duré près de vingt-cinq années détournait efficacement de l'idée de nommer un successeur qui pouvait vivre aussi longtemps. On était habitué à voir les princes occupant le siége de Pierre changer presque tous les sept ou huit ans, et les espérances de chacun empêchent d'ordinaire un choix qui, par sa durée, ne permet pas la réalisation de ces espérances. Bien plus, Chiaramonti était la créature la plus aimée de Pie VI, qui l'avait, quand il n'était que simple moine sans fonctions dans son ordre, créé évêque de Tivoli, puis cardinal, et enfin évêque d'Imola. Chiaramonti affectionnait très-vivement la famille Braschi, dont on le croyait assez proche allié. Mais j'ai su de sa bouche même, après son élévation au pontificat, qu'il n'en était rien. Toutefois cette seule croyance suffisait pour faire craindre qu'en le nommant on ne vît continuer le règne des Braschi, dont chacun avait assez après vingt-quatre ou vingt-cinq années.

«Ces impossibilités extrinsèques étaient si nombreuses et d'un tel poids, qu'on peut avouer avec certitude qu'en toute autre circonstance, et spécialement si le conclave se fût tenu à Rome en temps ordinaire et calme, on aurait éloigné Chiaramonti du pontificat suprême; tout au moins aurait-il été empêché de succéder immédiatement à Pie VI. C'est pourquoi le peuple disait en le voyant aux Novendiali, que c'était dommage qu'il n'y eût pas un Pape entre eux deux.

«La considération de ces obstacles si puissants avait éloigné de l'esprit des cardinaux du parti Bellisomi, dont Chiaramonti était membre, et plus encore de l'esprit du cardinal Braschi, qui en était le chef en sa qualité de neveu de leur créateur pour la plupart, l'idée et même le rêve de proposer Chiaramonti, quand il avait été question de désigner trois ou quatre des leurs. Tous étaient convaincus de l'absurdité de le mettre sur les rangs et de se flatter de le voir réussir. Or tous les obstacles dont je parle étant extrinsèques à la personne, la personne, si l'on retourne la médaille, comme dit le vulgaire, ne soulevait aucune répulsion intrinsèque.

«Une grande douceur de caractère, une très-aimable gaieté dans le commerce habituel, une pureté de mœurs qui n'avait jamais été souillée en aucune manière, une sévérité de conduite sacerdotale jointe à une indulgence parfaite pour les autres, une sagesse constante dans le gouvernement des deux églises confiées à ses soins, une profondeur peu commune spécialement dans les études sacrées, aucune contrariété individuelle, aucune hauteur, jamais une querelle avec ses collègues,—il faut en excepter la seule qu'il soutint contre le Légat de sa province pour la défense des immunités de ses églises d'Imola,—enfin le renom d'excellent homme dont il jouissait partout, comptaient pour autant de titres et de qualités intrinsèques. Dans l'état actuel des choses, ces titres et ces qualités étaient assez forts pour vaincre les obstacles extrinsèques énumérés plus haut.

«Après avoir pesé toutes ces choses, le cardinal dont j'ai parlé tout à l'heure conclut que Chiaramonti était celui du parti Bellisomi qui serait choisi et proposé avec chance de succès par les cardinaux de la faction opposée. La réussite était certaine, en effet, auprès de ceux de son parti; il semblait donc qu'elle ne devait pas l'être moins près de ceux du parti contraire. Ce parti aurait le mérite de l'avoir désigné, et ses membres n'avaient aucun grief à articuler contre lui,—si ce n'est tout au plus son âge peu avancé, qui pouvait porter obstacle aux espérances des personnages se flattant de monter sur le trône dans le futur conclave.»

Ce cardinal, inventeur d'une trame aussi bien ourdie, se promenant un jour dans les corridors du conclave avec Consalvi, dont depuis longtemps il était l'un des amis, vint à parler de la longueur du conclave et des embarras de la nouvelle élection,—car tel était le sujet des conversations journalières et communes à tous.—Il s'ouvrit dans cette occasion au secrétaire, et lui manifesta non-seulement en général le projet qu'il nourrissait de faire qu'une faction choisît le nouveau pape dans la faction contraire, afin qu'à l'heure de l'élection la part fût égale pour tous, mais encore il lui confia l'idée spéciale de briser le grand obstacle qui s'offrait aux cardinaux cherchant le pape dans le parti Mattei. Il ne s'agissait que de le prendre dans la faction de Bellisomi en la personne de Chiaramonti. Le secrétaire ne put qu'applaudir à cet heureux avis, et il encouragea beaucoup l'inventeur à le mettre à exécution. Dans cette conversation, tous les deux jugèrent que le plus difficile consistait à s'assurer du chef de la faction Mattei. Si celui-ci goûtait sa proposition, tous ou le plus grand nombre des électeurs de ce parti s'uniraient, par son intermédiaire, aux dix-huit cardinaux donnant leurs voix à Bellisomi.

Ce cardinal doutait cependant un peu que ces derniers votassent unanimement pour Chiaramonti, parce qu'il s'en rencontrait parmi eux d'aussi jeunes que lui. «Un certain amour-propre devait,» disait-il, «les arrêter en pensant que, si l'on voulait faire un Pape jeune, leur position deviendrait humiliante, ce qui n'aurait pas lieu en choisissant le Pape parmi les plus âgés.» Le prélat lui répondit qu'il n'y avait dans le parti Bellisomi que trois cardinaux au plus qui pourraient peut-être bercer leur esprit de semblables idées, puisque les autres ou ne désiraient pas la papauté, ou appréciaient les difficultés qui les en éloignaient; qu'au reste il fallait laisser au cardinal Braschi le soin de réunir sur Chiaramonti les votes du parti Bellisomi, et que si Son Éminence le permettait, il allait confier le projet à ce cardinal sous la plus grande réserve. Braschi pourrait ensuite agir près des siens quand on aurait été assuré de tous les votes des partisans de Mattei; que cette affaire dépendait, en dernier ressort, de l'adhésion obtenue de leur chef, qui, s'il le voulait, saurait se rendre maître d'Herzan aussi bien que de n'importe quel autre, si l'on s'apercevait de certaines opiniâtretés. Il termina en disant que tous leurs soins et tous leurs efforts devaient tendre à découvrir un expédient pour réussir auprès de ce chef, afin de ne pas faire un faux pas dans une matière aussi délicate.

Le cardinal (Maury) ayant approfondi toutes ces observations, chercha de son côté comment on parviendrait à faire goûter au chef du parti Mattei et le plan qu'il venait d'imaginer et Chiaramonti, l'objet de ce plan.

On crut d'abord que le cardinal lui-même devait lui en parler. Sa personne ne pouvait être suspecte, puisqu'il appartenait à sa faction et qu'il jouissait de toute son estime. Cependant, quand on eut bien étudié le caractère de ce chef (Antonelli) qui s'aimait naturellement en lui et en ses œuvres, et qui n'applaudissait pas toujours à celles des autres, parce qu'elles blessaient son orgueil et qu'elles avaient à ses yeux le défaut de venir d'un autre et non de lui, on ne voulut pas exposer le succès de l'affaire qui aurait infailliblement avorté si le dessein ne lui eût pas été agréable.

«Je proposai,» dit Consalvi, «une combinaison qui devait nous conduire au but avec certitude. Il se trouvait alors auprès du cardinal inventeur du projet, en qualité de familier et de conclaviste, un homme qui avait toujours possédé la faveur du chef du parti Mattei et qui jouissait de l'affection et de l'estime de tout ce parti. Cette circonstance nous fournit la plus opportune occasion de nous servir de lui pour faire naître dans l'esprit du cardinal chef de ce parti les idées que nous venons d'expliquer tout à l'heure. On pensa que cet homme, n'inspirant pas de jalousie et ne soulevant pas de défiances, ni par sa dignité, ni par aucune autre distinction, pourrait préparer les choses de façon que celui à qui il devait souffler la pensée semblât presque en être l'auteur. Nous voulions que ce dernier pût la présenter ensuite comme sienne, sans craindre de nous enlever le mérite de l'invention. Cet arrangement était très en rapport avec son caractère. La bonne volonté et l'attachement à son maître ne manquaient pas à ce familier (l'abbé Poloni) pour exécuter une telle entreprise de concert avec le cardinal dont il connaissait si bien à fond le caractère, qu'il savait toutes les manières de le prendre pour s'en servir utilement.»

Le plan ainsi arrêté sur ce point et dans cette entrevue fournie par le hasard, les deux interlocuteurs, chacun de son côté, s'occupèrent de le réaliser sans aucun retard.

Et pour parler d'abord de ce qui regarde le prélat secrétaire, il alla sans retard, comme on l'y avait autorisé, communiquer ses idées au cardinal Braschi.

On ne parviendra jamais à décrire la stupeur de Braschi quand il apprit que l'on pensait à Chiaramonti. Le plaisir infini qu'il en ressentit n'égala pas son étonnement et en même temps sa crainte très-fondée que les choses n'arrivassent pas à bon terme, tant lui semblaient insurmontables les obstacles extrinsèques contre Chiaramonti. Consalvi crut nécessaire de lui suggérer que, pour ne pas les augmenter et même pour les diminuer autant que possible, non-seulement il était indispensable de conserver le secret le plus absolu jusqu'à ce que la chose fût ébruitée par les adversaires, mais encore qu'à l'instant où ils la soumettraient aux intéressés, lui, cardinal Braschi, pour témoigner une grande modération et une parfaite indifférence, devait répondre que, ses relations particulières avec le cardinal Chiaramonti pouvant faire arguer qu'en le patronnant auprès de ceux de son parti il cherchait plutôt à satisfaire son amitié et ses goûts qu'à procurer le bien de tous, il entendait renoncer en une certaine façon à l'honneur de chef de parti. Braschi ne veut, devait-il ajouter, participer à cette affaire que pour émettre son vote, laissant au cardinal doyen Albani,—lui aussi dans le même parti,—le soin d'agir auprès des autres cardinaux de la manière qu'il jugerait convenable.

«Cette conduite tenue plus tard par Braschi au moment favorable contribua beaucoup au succès du dessein formé. Quant au cardinal qui en était l'inventeur, s'il ne rencontra pas de difficultés pour faire accepter à son conclaviste le rôle qu'il devait jouer auprès du chef de la faction Mattei, afin de la disposer en faveur de Chiaramonti, ce conclaviste n'en éprouva pas davantage (grâce à Dieu qui nous aidait) pour faire adopter l'idée à ce chef dès qu'il lui en ouvrit la bouche. Ce chef (Antonelli) n'avait rien à objecter contre le cardinal Chiaramonti, et il l'estimait comme Chiaramonti méritait d'être estimé. Les obstacles extrinsèques eussent sans doute été très-puissants sur son esprit, si la proposition de l'élection lui eût été faite dans un conclave moins avancé, par le parti adverse, ou tandis que l'espoir de nommer un des cardinaux de son parti subsistait encore. Mais, une fois convaincu de cette impossibilité et reconnaissant comme inévitable la nécessité de choisir le nouveau pape dans le parti contraire, il accueillit admirablement l'heureuse pensée que son parti eût l'honneur du choix, et plus encore que cet honneur lui fût attribué de préférence à tous les autres.

«Plus l'entreprise de couronner Chiaramonti semblait ardue à cause des obstacles extrinsèques, plus aussi cette difficulté flattait son amour-propre. Il entrait dans sa nature de chercher à montrer que rien ne lui était impossible, et qu'il réussissait là où le plus habile aurait inévitablement échoué. Il voyait encore, dans l'espoir qu'il avait de vaincre ces embarras, l'occasion de se faire un grand mérite auprès de l'élu à qui il aurait obtenu ce que Chiaramonti lui-même devait alors regarder comme chimérique.

«Il se chargea donc avec joie de la négociation, et, ne doutant pas de son omnipotence près des siens, il craignit plutôt que la jeunesse de Chiaramonti et ses autres obstacles extrinsèques lui fissent tort près de plusieurs cardinaux de son parti. Il jugea en conséquence qu'avant de se mettre à recueillir les votes du parti Mattei, il était nécessaire de faire certaines recherches afin de ne pas travailler en vain, et de vérifier si l'empêchement qu'il appréhendait dans l'autre parti était oui ou non insurmontable. Il se transporta donc chez le cardinal Braschi, et, dans un discours étudié, il lui rappela d'abord l'excessive longueur du conclave, aussi scandaleuse pour les fidèles que pénible à l'Église; les inutiles épreuves tentées pour l'élection des cardinaux des deux partis; l'urgence de terminer enfin et d'accorder à l'Église un chef alors si nécessaire. Il lui communiqua ensuite l'idée qu'il avait conçue d'agir auprès des deux premiers compétiteurs et des cardinaux de son parti pour l'exaltation du cardinal Chiaramonti, dès qu'il compterait avec certitude sur l'actif appui de ceux du parti Bellisomi. Il fit remarquer en même temps quel était son zèle pour le bien de l'Église, son estime et son intérêt à l'égard de Son Éminence, en choisissant comme Pape un membre du parti opposé au sien, lié par tant d'attaches au pape Pie VI dont il était la créature la plus aimée, et qui, entre parenthèses, était uni à Son Éminence et à la maison Braschi par la gratitude et par l'amour de la même patrie. Ces réflexions, dit-il, l'avaient déterminé à passer à pieds joints sur les difficultés extrinsèques compensées bien certainement par les mérites personnels du sujet. Il ajouta qu'il redoutait toutefois beaucoup ces obstacles, et en particulier la jeunesse de Chiaramonti, et que peut-être ils auraient trop de force auprès de beaucoup d'électeurs, surtout quand ces électeurs réfléchiraient que Chiaramonti devait succéder à un Pape qui avait si longtemps régné. Il conclut en demandant à Son Éminence si, sachant la manière de penser de ceux de son parti, elle croyait ces craintes tellement fondées qu'il ne fût pas possible de réussir. Si le succès était seulement douteux, il chercherait d'abord à assurer le concours des siens, et alors, conjointement avec Son Éminence, ils assureraient l'adhésion du parti opposé.

«Le cardinal Braschi répondit qu'il lui était impossible d'exprimer sa surprise et de comprendre comment Son Éminence (Antonelli) avait songé au cardinal Chiaramonti, à cause justement des difficultés extrinsèques qu'il avait indiquées sommairement; que malgré leur nature, lui, Braschi, ne les croyait pas absolument invincibles près de ceux de son parti, tant à cause des mérites personnels du sujet qu'en vue des circonstances particulières dans lesquelles on se trouvait; que la longueur excessive du conclave, l'inutilité des épreuves faites sur les candidats des deux partis que l'on ne pouvait parvenir à nommer, la lassitude des électeurs, aucune exception personnelle contre le sujet et une satisfaction naturelle de voir l'un d'entre eux succéder à saint Pierre, lèveraient beaucoup d'obstacles. Quant à lui, Son Éminence saurait bien comprendre par elle-même que personne ne devait être plus content de cette élection, mais que, par rapport aux relations existant entre lui et Chiaramonti, il croyait convenable à sa délicatesse de ne pas prendre la plus petite initiative dans sa promotion, même à l'égard de ceux du parti dont il était le chef. Qu'il pensait devoir seulement se borner à donner son vote quand les autres accorderaient les leurs à Chiaramonti; que cependant il croyait devoir offrir un bon conseil à Son Éminence, en lui disant que, dans le cas où les tentatives pour Chiaramonti aboutiraient près de ceux de son parti, il voulût bien alors s'aboucher avec le doyen cardinal Albani, et faire ensemble les démarches nécessaires auprès des cardinaux du parti Bellisomi, déjà invités à se concerter avec lui.

«Le cardinal chef du parti Mattei fut on ne peut plus satisfait de cette réponse. Ayant recommandé le secret à Braschi jusqu'à nouvel ordre, il le quitta et alla se mettre à l'œuvre.

«La première personne à laquelle il jugea indispensable de s'adresser fut Herzan. Il voulait obtenir son assentiment et acquérir ainsi un appui auprès des autres cardinaux. Il lui exposa donc toute son idée, et lui fit considérer comment, dans l'impossibilité d'arriver à l'élection de Mattei ou de tout autre de sa faction, Chiaramonti était incontestablement le plus capable dans le parti opposé; qu'il fallait en conséquence se tourner de son côté, afin de donner un chef à l'Église. Il n'oublia pas de lui faire remarquer que Chiaramonti, choisi et porté par eux au pontificat suprême, leur devrait son élévation encore bien plus qu'à ceux de la faction à laquelle il appartenait. Sans leur consentement, en effet, jamais il n'aurait été Pape. Ses adversaires naturels ne se bornaient donc pas à concourir pour lui, ils étaient encore les promoteurs de son exaltation. Ce cardinal (Antonelli) releva les mérites personnels de Chiaramonti, qui balançaient les exceptions produites par son attachement à la personne et à la famille du Pape défunt; puis il finit en disant que, dans la situation actuelle, c'était la conclusion la plus honorable et la plus avantageuse que l'on pût souhaiter. Il termina par la déclaration qu'il ne doutait pas du plein consentement de Son Éminence.

«Herzan se montra convaincu de la vérité et de la justesse de ces réflexions, et tout disposé à concourir. Il dit seulement qu'il suspendait sa résolution pour quelques heures, parce qu'il n'avait pas une connaissance bien positive de Chiaramonti. Ce dernier, habitant toujours son diocèse, venait fort rarement à Rome, ce qui faisait que Herzan ne l'avait que très peu vu. Il voulut donc aller le visiter sous quelque prétexte,—comme il était allé chez Calcagnini,—afin de juger si ses manières lui plaisaient, et pour s'entretenir un peu avec lui. Le jour suivant, il se rendit dans sa cellule à cet effet, ainsi que c'est l'usage parmi les cardinaux dans les conclaves. Après s'être longuement entretenu avec lui, traitant divers sujets pendant la conversation, il le quitta si enchanté de sa douceur, de sa gaieté, de la sagesse de ses réflexions et de ses raisonnements, qu'il assura aussitôt de son adhésion complète le chef du parti Mattei, le priant de commencer les démarches parmi ceux de sa faction.

«Ces démarches provoquèrent cependant près de quelques-uns de ce parti certaines objections que leur chef n'avait pas prévues, et qui prirent leur origine dans la qualité même de ceux qui le composaient. Il s'en rencontrait parmi eux qui aspiraient à la tiare. N'étant pas très-bien convaincus,—comme cela arrive ordinairement dans les choses qui nous sont personnelles,—de l'impossibilité de réussir, et honteux pour la plupart de céder la place à un candidat qu'ils se croyaient inférieur de beaucoup, à cause de son âge, des emplois qu'il avait remplis, de ses amitiés ou d'autres circonstances qui lui étaient propres, ils témoignèrent une assez vive répugnance à lui accorder leur voix. Peut-être n'auraient-ils pas montré de semblables répulsions, si le sujet choisi eût été de qualité proportionnée à la leur.

«Ces difficultés surgirent chez les plus âgés de ce parti. On rencontra aussi chez les plus jeunes les obstacles que l'on redoutait dans ceux du parti opposé: mais la prudence de leur chef, et l'autorité dont il jouissait auprès d'eux et dans tout le Sacré-Collége, la joie que Herzan affichait, et par conséquent l'espérance de voir se réaliser des avantages sur lesquels on comptait, aplanirent en deux jours et peu d'heures les embarras qui furent suscités dans ce parti.

«Tous consentirent d'autant plus volontiers qu'ils admettaient unanimement le mérite personnel de Chiaramonti, et qu'ils reconnaissaient que les difficultés soulevées contre lui étaient seulement extrinsèques. Les cardinaux comprenaient la nécessité d'en finir, et tous furent persuadés qu'ils ne pouvaient terminer autrement. Ils n'eurent donc pas besoin, pour admettre Chiaramonti, de l'argument dont leur chef se servit néanmoins, afin d'appuyer son discours auprès de chacun d'eux. Cet argument consistait à démontrer que le refus d'une petite minorité n'empêcherait pas l'élection projetée, puisque le nombre nécessaire de suffrages était acquis à Chiaramonti. Ce nombre, affirmait-il, était plus que suffisant, quand bien même tous n'auraient pas voulu adhérer,—ce qui toutefois arriva.

«Il n'y eut qu'un seul cardinal de ce parti qui, tout en rendant justice au mérite personnel de Chiaramonti, montra plus de résistance que tout autre à passer sur les obstacles extérieurs. Cette opposition venait, disons-le en taisant son nom, de ce qu'il ne pouvait se résoudre facilement à renoncer à l'espoir du pontificat. On doit ajouter aussi, pour être vrai, qu'après quelques hésitations mises en avant par lui plus que par tout autre, il accepta avec ses collègues la proposition qu'on lui fit en faveur de cette élection.

«Quand le chef du parti Mattei eut ainsi réuni sur Chiaramonti les votes de tous les siens, il crut avoir achevé son œuvre, et il ne se trompa pas dans cette croyance. Le cardinal Braschi, informé d'un tel succès, en fit part aussitôt, comme c'était convenu, au doyen cardinal Albani, afin de procurer, de concert avec lui, l'unanimité des votes du parti Bellisomi. Quant au cardinal Braschi, il s'abstint de toute démarche pour les motifs expliqués plus haut. Il est impossible d'exprimer avec quelle joie Albani apprit cette nouvelle, lui qui avait une particulière estime pour Chiaramonti, et avec quel bonheur il se joignit à son collègue, dans le but de recueillir les votes des cardinaux de son parti. On peut avancer très-sincèrement que tout cela fut l'ouvrage de peu d'instants. On commença le matin même la recherche des voix; en un moment cette tâche fut accomplie.

«À l'annonce du choix qui avait été fait de Chiaramonti pour Pape, on ne rencontra même point parmi les dix-huit les difficultés et les hésitations que l'on redoutait de la part de ceux qui avaient son âge. Si, dans un récit tout historique, des rapprochements étaient permis, on dirait ici avec raison que cette élection fut semblable à un feu d'artifice dont les étincelles passent d'une fusée à l'autre avec la rapidité de l'éclair. Tous répétaient sans se cacher et sans mystère: «Le Pape est fait! Chiaramonti est Pape!» et le conclave retentit de cette nouvelle.

«Chiaramonti cependant était allé, selon son habitude, se promener dans le jardin, après le scrutin de la matinée, dans lequel Bellisomi et Mattei avaient obtenu, comme toujours, le même nombre de voix. L'un des conclavistes courut à sa rencontre et l'informa de ce qui se disait dans le conclave sur son élection. Chiaramonti en fut ému et troublé souverainement, d'autant plus qu'il s'y attendait moins et qu'il n'aurait jamais pu le croire. Celui qui lui avait annoncé cette nouvelle fut témoin de l'agitation qu'il ne put cacher dans ce premier moment. Mais Chiaramonti se rendit bientôt maître de lui-même, puis il courut à sa chambre, et, se tenant à l'écart, il laissa les événements marcher selon les vœux de la Providence. Le chef du parti Mattei, Herzan et tous les autres ne tardèrent pas à aller le trouver. Cette nouvelle prit à peine consistance que l'on parla de faire le soir même la cérémonie du baisement des mains. Tous les cardinaux prennent part à cette fonction la veille de l'élection, d'où il résulte que le pape est élu avec l'assentiment prémédité de tous, et non par hasard ou par surprise. On fixa l'heure de la cérémonie, et, à dater de ce moment, la prochaine exaltation de Chiaramonti ne fut plus un secret pour le conclave. On en répandit ensuite la nouvelle au dehors, par le moyen du tour. Bientôt Venise entière l'apprit.

«Dans cette après-dînée le scrutin ordinaire eut lieu, comme c'est l'usage, et, chose admirable, qui dut exposer les deux sujets à une cruelle épreuve, Bellisomi et Mattei eurent encore le même nombre de voix. Tous aperçurent, ou du moins crurent apercevoir, sans se tromper, une sérénité et une indifférence héroïques sur le visage du premier, un grand trouble sur celui du second. Ce dernier aura pu exercer les vertus et l'esprit religieux dont il était si bien doué, pour dominer son émotion et ne pas en être ébranlé.

«Après le scrutin, Chiaramonti pensa qu'il convenait de donner une marque de respect et d'estime au cardinal doyen et à Herzan. Il alla les visiter l'un et l'autre quelques instants dans leurs chambres. Le soir venu, le doyen et les cardinaux, réunis autour de lui, vinrent en corps baiser la main de Chiaramonti. Son humilité et son naturel affable refusaient de consentir à cette cérémonie; l'usage enfin prévalut.

«Après le départ des cardinaux, il songea, pendant les premières heures de la nuit, à préparer les choses indispensables pour la fonction du jour suivant, et spécialement les vêtements pontificaux, que l'on a l'habitude de tenir prêts, et qui allaient mal à sa stature plutôt petite que grande.

«Il écrivit aussi les lettres de communication aux souverains, et s'occupa de l'expédition des courriers qui, dès qu'il aurait été élu, devaient se rendre auprès des nonces et à Rome.

«Durant cette nuit, on tenta, dit-on, de faire avorter l'élection si solennellement assurée par le baisement des mains. On raconte que deux cardinaux du parti de Bellisomi, et deux autres de la faction Mattei, tous de l'âge du nouvel élu, et qui pour la plupart aspiraient à la papauté, se liguèrent et s'efforcèrent de gagner leurs collègues, afin de former un nombre de suffrages contraires à Chiaramonti dans le scrutin du jour suivant. Mais leurs efforts furent vains: ils abandonnèrent leur projet; puis, comme les autres, ils se montrèrent favorables à l'élection.

«J'ai cru ne pas devoir cacher ce fait, parce qu'il en fut généralement question dans la suite; mais je n'ai pas par-devers moi de preuves qui le confirment. Peut-être même ne fut-ce qu'un faux bruit qui augmenta en passant de bouche en bouche, ainsi que cela se pratique ordinairement. On prit pour une tentative ce qui ne fut autre chose qu'un discours au sujet des difficultés s'opposant au pape désigné, et l'on fit ressortir ces difficultés avec une certaine énergie.

«Le 14 mars parut enfin. C'était le jour destiné par la Providence pour faire cesser le veuvage de l'Église romaine, et pour donner un suprême pasteur aux fidèles, après une vacance du saint-siége de six mois et seize jours, et après trois mois et quatorze jours de conclave.

«On se rendit au scrutin à l'heure accoutumée; Chiaramonti fut élu unanimement et proclamé souverain pontife. Afin d'honorer le cardinal doyen, celui-ci lui donna sa voix. L'élection faite, tous les cardinaux assis dans les stalles situées du côté où se tenait Chiaramonti se retirèrent du côté opposé, le laissant seul, selon l'usage, en signe de respect. Le secrétaire du conclave, le sacriste et le maître des cérémonies entrèrent alors pour réclamer l'acte d'élection et d'acceptation, comme cela se pratique toujours. Quand ils furent introduits dans la chapelle, qui se referma sur eux, le cardinal doyen sortit de sa stalle, et, suivi des cardinaux, il se dirigea vers celle où était assis Chiaramonti, pour savoir s'il acceptait la tiare. Chiaramonti demanda un moment pour prier. Après son oraison, il répondit brièvement qu'il se reconnaissait indigne d'une charge si sublime à laquelle auraient dû être élevés de si nombreux et de si méritants sujets qui étaient dans le Sacré-Collége. Il ajouta qu'il adorait les jugements de Dieu; qu'il était confondu et tremblant à l'aspect d'un si lourd fardeau et à la vue de son insuffisance; qu'il comptait sur l'aide et sur le concours du Sacré-Collége dans l'exercice du pontificat, auquel il ne croyait pas devoir renoncer dans les circonstances actuelles de l'Église, et dans la nécessité de ne plus prolonger son veuvage. Il déclara qu'il acceptait donc, et qu'il remerciait en même temps les cardinaux de l'opinion qu'ils avaient eue de lui, sans aucun mérite de sa part.

«On lui demanda quel nom il désirait choisir. Il répondit qu'en souvenir de gratitude pour son prédécesseur, il prenait celui de Pie VII.

«Après son élection et son acceptation, le nouveau pape fut conduit à l'autel pour revêtir les ornements pontificaux. Pendant qu'il s'habillait, un des cardinaux qui, d'après la voix publique, avait tenté, dans la nuit précédente, d'entraver cette élection, fit un jeu de mots, avec la plus grande gaieté, au secrétaire du conclave, près duquel il s'était placé. Je ne veux pas l'oublier au milieu de ce récit. Il lui dit donc que, dans cette matinée, les cardinaux avaient prouvé que leur puissance était plus grande que celle du pape. Le secrétaire ne comprenant pas ce que signifiaient ces paroles, le cardinal continua: «Vous ne savez donc pas, Monseigneur, que les avocats romains, pour démontrer l'immense pouvoir du pape, disent qu'il peut faire ex albo nigrum. Ce matin, nous avons fait ex nigro album, ce qui est bien plus difficile, car pour que le blanc devienne noir, il faut très-peu.» Ce cardinal faisait allusion au changement de costume de Chiaramonti, qui, tout en étant cardinal, s'habillait de noir en sa qualité de bénédictin, et qui alors se revêtait de blanc comme pape.

«Après qu'on l'eut couvert des vêtements pontificaux, les cardinaux firent au nouveau pape l'adoration accoutumée, puis la chapelle fut ouverte et on admit les conclavistes à l'adoration, tandis que, de la loge, le plus ancien des cardinaux-diacres annonçait au peuple, aggloméré sur la petite place de l'île, l'exaltation du cardinal Chiaramonti au souverain pontificat, sous le nom de Pie VII.

«Cette nouvelle fut accueillie avec des transports d'allégresse. On ouvrit alors le conclave, et le peuple se vit admis au baisement des pieds. La foule était prodigieuse, et la joie causée par cette élection était vraiment universelle. Le pape sortit après dîner, et il alla processionnellement, avec le Sacré-Collége, à l'église, au milieu des plus vifs et des plus continuels applaudissements. Il fut placé sur l'autel, selon la coutume, et il reçut l'adoration publique des cardinaux et du peuple innombrable qui était accouru. Il retourna ensuite au couvent, où le conclave s'était assemblé.

«Je pourrais ici terminer ce récit, qui a pour objet l'histoire du conclave, car il finit avec l'élection du pape. Mais je ne crois pas devoir me dispenser de rapporter quelques-uns des faits relatifs au pape élu. Quoique postérieurs à l'élection, ils ont cependant corrélation avec elle en tant qu'ils servent de preuve à ce que j'ai avancé par rapport aux vues de la cour de Vienne sur le choix du nouveau pontife. Je n'ai pas, ainsi que je l'ai déclaré tout d'abord, de documents pour appuyer mes assertions.»

XI

Pie VII fut très-embarrassé entre l'Église temporelle qu'il ne voulait pas trahir, et l'empereur d'Autriche qu'il ne pouvait pas mécontenter. L'empereur voulait profiter de l'élection pour lui arracher les Légations, le pape ne pouvait y consentir; il choisit Consalvi, l'auteur inconnu de son exaltation, et le nomma son pro-secrétaire d'État. Il partit par mer pour Rome, une frégate vénitienne le porta à Ancône; il y arriva le même soir que la nouvelle de la bataille de Marengo qui humiliait l'Autriche, et qui lui donnait l'espoir de résister plus efficacement à la demande des trois légations. On ne peut douter que cet événement ne lui causât une satisfaction secrète. En effet, l'empereur s'abstint de toute initiative dans son gouvernement, et ne garda aucune action que comme police militaire. Rome l'accueillit en pape et en souverain.

Lamartine.

(La suite au prochain entretien.)

CXe ENTRETIEN.

MÉMOIRES DU CARDINAL CONSALVI,
MINISTRE DU PAPE PIE VII,
PAR M. CRÉTINEAU-JOLY.
(DEUXIÈME PARTIE.)

I

«Le pape était rentré à Rome le 3 juillet 1801. Le premier consul, qui voulait gouverner en souverain et non en perturbateur de l'Europe, lui fit des ouvertures de paix; il témoigna au cardinal Martiniani, évêque de Verceil, le désir d'entrer en négociation pour les affaires religieuses de France. Le cardinal Spina fut envoyé à Turin pour cet objet. Bonaparte, qui ne s'arrêta pas à Turin, lui fit dire de se rendre à Paris. Il avait connu le cardinal Spina à Valence, où ce cardinal avait vu mourir le pape Pie VI. La négociation avec Spina ne marchait pas. Bonaparte nomma pour la suivre à Rome M. de Cacault, déjà accrédité à Rome sous le précédent pontificat. Il y était aimé et considéré.

«Bonaparte impatienté écrivit à M. de Cacault de revenir à Paris avec le projet de concordat accepté, ou de demander immédiatement ses passe-ports.

«Cette nouvelle surprit beaucoup le Saint-Père, sans l'épouvanter cependant. Il s'était restreint, en amendant le projet, à retrancher simplement ce que son devoir lui empêchait à toute force d'accorder. Rempli d'un courage et d'une sagesse vraiment apostoliques, il se détermina à endurer n'importe quelle calamité, y compris même la perte de sa souveraineté temporelle, qu'on avait menacée d'une manière expresse, plutôt que de céder un seul pouce de terrain après s'être acculé à ses derniers retranchements. Pie VII se vit secondé dans sa résistance par cette nombreuse congrégation des Cardinaux les plus savants, qui avait été formée dès le principe et qui se rassemblait en sa présence pour l'examen des dépêches et des projets reçus de Paris. On avait, avec l'assentiment de cette congrégation, corrigé le projet renvoyé pour la signature réciproque si les corrections eussent été admises. Ce fut encore avec son approbation que le Saint-Père persista dans ses desseins, et brava les conséquences qu'on lui laissait entrevoir.

«Spina reçut donc l'ordre de notifier au gouvernement français combien il était impossible au Saint-Père de se départir des amendements joints au projet et de le signer tel qu'il était, puisque sa conscience et ses devoirs les plus sacrés le lui défendaient. On le chargea en même temps de déclarer que Sa Sainteté était prête à souscrire le projet corrigé, quoiqu'elle se fût flattée de quelque chose de mieux; mais qu'elle voulait se persuader que son espérance se réaliserait au moins pour l'avenir. La Cour pontificale, dans la plus vive anxiété, comptait les jours, en attendant la réponse de Paris à la demande du Saint-Père. Tout à coup, au lieu d'arriver par l'entremise du prélat Spina, comme cela s'était toujours pratiqué jusqu'alors, cette réponse fut apportée par M. de Cacault. Il fit savoir au pape, d'abord par l'intermédiaire de la secrétairerie d'État, et personnellement ensuite, qu'il avait reçu de Paris l'ordre le plus positif de déclarer que si, cinq jours après son intimation, le projet de Concordat envoyé naguère de Paris n'était pas signé, sans qu'on y fît le plus léger changement, la plus petite restriction ou correction, lui, Cacault, devait déclarer la rupture entre le Saint-Siége et la France, quitter Rome immédiatement et se diriger sur Florence auprès du général Murat, qui s'y trouvait à la tête de l'armée française d'Italie.

«Cet ordre, si brutalement péremptoire, du départ de l'ambassadeur, et cette déclaration de rupture ne produisirent pas l'effet qu'en attendaient M. de Cacault et le gouvernement consulaire. Et cependant les conséquences auxquelles il fallait se résoudre étaient évidentes, à cause de la proximité des troupes françaises. Le Pape fit part de cette nouvelle aux cardinaux. Ils me chargèrent tous de répondre que le Saint-Père ne pouvait à aucun prix acquiescer à ce qu'on exigeait de lui, retenu qu'il était par ses devoirs les plus sacrés; qu'il voyait avec un véritable chagrin le départ de Cacault, la déclaration d'une rupture imméritée et les résultats qui en découleraient; qu'il remettait sa cause entre les mains de Dieu, et qu'il était prêt à toutes les éventualités que le Ciel lui réservait dans ses décrets.

«Je reçus l'ordre de Sa Sainteté de transmettre cette réponse à l'envoyé. Je devais en même temps lui faire observer et le motif si juste qui l'avait dictée, et l'impossibilité pour le Pape d'agir d'une autre manière. Sa Béatitude espérait que M. de Cacault, dans sa sagesse, dans sa droiture et dans la rectitude de ses intentions,—ces qualités distinguaient réellement cet honnête ministre, mort aujourd'hui,—n'aurait pas manqué d'en instruire son gouvernement.

«Porteur de ce message et des passe-ports réclamés, j'allai chez l'ambassadeur. Je lui exposai en détail et avec la plus grande précision les motifs qui forçaient le Pape à se conduire ainsi au prix de n'importe quelle calamité. Il me serait très-malaisé, je dirai même impossible, de dépeindre quelle sincère douleur produisit sur Cacault cette résolution. Je ne raconterai pas non plus la vive émotion qu'il manifesta en apprenant les motifs qui rendaient cette résolution inébranlable.

«Il en fut saisi jusqu'au point d'éclater en véritable fureur, se voyant les mains liées par une injonction des plus hautaines et qu'il fallait exécuter sur-le-champ. Il était désolé de ne pouvoir retarder son départ; il aurait voulu exposer à son maître les excellentes raisons qui forçaient le Pape à ne pas consentir, et l'impossibilité pour Rome d'agir différemment. D'autre part il ne se berçait pas d'un heureux succès, quand bien même il lui serait permis de faire des représentations, car le caractère de celui qui ne se laissait pas persuader l'épouvantait, disait-il. Cacault ajoutait que le genre des matières traitées, fort peu comprises par les séculiers et par ceux surtout qui professaient des principes différents, offrait un obstacle de plus à cette persuasion. Il aurait pu se flatter, avouait-il, de convaincre le général Bonaparte s'il avait eu à l'entretenir d'objets politiques. Il ne pouvait se consoler en réfléchissant qu'une rupture qui aurait de si funestes suites allait éclater, parce qu'on n'avait pu s'entendre réciproquement, et il manifestait une très-amère douleur en voyant sacrifier des hommes qui n'affichaient aucune mauvaise intention,—ce sont ses propres termes,—et qui n'agissaient que contraints par leurs propres devoirs. Il se désolait encore d'assister à une nouvelle ruine d'un pays auquel il était attaché d'une façon toute particulière, d'un pays qu'il avait habité pendant les belles années de sa jeunesse, et dans lequel il était revenu discuter les affaires publiques sous le pontificat précédent, et où il avait trouvé la plus cordiale réception et la plus éclatante bonne foi.

«Transporté de rage,—c'est le mot qui le peindra le mieux,—il révéla dans ce très-long entretien ses angoisses extrêmes. Après avoir longtemps médité, il découvrit un biais dont personne ne s'était avisé.

«Cacault assura donc qu'il ne lui paraissait pas possible que le premier consul, en apprenant directement de ma bouche tout ce que je venais de lui dire, n'en demeurât pas frappé, et qu'il ne se contentât pas de ce que le Pape pouvait et désirait accorder. Il lui semblait que l'unique moyen de suspendre d'abord et de conjurer ensuite pour jamais les désastres dont on était menacé, serait de me rendre à Paris pour communiquer de vive voix à Bonaparte, au nom du Saint-Père, ce que je lui avais exposé. Je devais, disait-il, aller assurer le premier consul que si le Souverain Pontife ne pouvait pas adhérer à ses demandes au-delà de certaines limites, ce n'était point par mauvaise volonté,—Sa Sainteté étant animée des meilleurs sentiments à son égard,—mais uniquement parce qu'elle y était forcée par la nécessité la plus impérieuse.

«Je fus très-surpris de cette idée, et je lui fis remarquer aussitôt combien il serait difficile de la mettre à exécution. J'étais cardinal et premier ministre; or la seconde qualité ne me permettrait point de m'éloigner du Pape. D'un autre côté, un cardinal ne pouvait guère se montrer dans un pays où depuis tant d'années on n'avait pas vu même les insignes d'un simple homme d'Église.

«Mais aux objections que je lui soumis, il répondit toujours que ces qualités de cardinal et de premier ministre, qui me paraissaient des obstacles à ce voyage, lui semblaient être au contraire des titres décisifs pour l'entreprendre, et le gage le plus certain du succès; que j'en avais vu un exemple dans l'envoi fait par l'empereur François à Paris de son premier ministre, le comte de Cobenzel, y résidant actuellement pour les affaires d'Autriche; qu'il fallait connaître comme il les connaissait le caractère et la manière de penser de Bonaparte, pour se convaincre que rien ne devait plus chatouiller son orgueil que de montrer aux Parisiens un cardinal et le premier ministre du Pape; que ce voyage le flatterait encore davantage que celui du premier ministre de l'empereur; que j'aurais, grâce à mes fonctions, libre accès auprès du chef de l'État, ce que ni Spina ni aucun autre du même rang que lui ne sauraient obtenir. Il termina en affirmant que le choix fait expressément par Rome d'un aussi haut dignitaire prouverait avec évidence la bonne volonté du Pape. Cette mission en imposerait aux conseillers pervers; elle forcerait le gouvernement consulaire à se montrer raisonnable, afin de ne pas amener le public à rejeter sur lui la faute d'une rupture. Tout le monde, en effet, aurait vu le Pape risquer tout par cette démarche, afin d'arriver à un accommodement.

«Ces raisons, que Cacault développa avec autant d'éloquence que de franchise et de bonne foi, me parurent, à première vue, avoir un très-grand poids. Je lui répondis que ses paroles m'impressionnaient vivement, et que je les jugeais dignes d'être portées à la connaissance du Pape, auquel j'allais les transmettre. Je lui témoignai aussi que si son discours me semblait très-fondé en ce qui regardait l'envoi d'un cardinal, je ne pouvais cependant pas tomber d'accord avec lui sur le choix de ma personne; que je faisais volontiers abstraction de mon manque de talents et de qualités nécessaires; mais qu'il existait un autre obstacle majeur qui m'empêcherait d'être désigné pour cette mission; que si le proverbe si vis mittere, mitte gratum, si vous voulez envoyer, envoyez qui sera agréable, était vrai (comme il l'est du reste), je n'étais pas aimé, et cela apparaissait bien dans les lettres adressées de Paris et dans les conversations que tenaient les amis de la France à Rome. Je ne devais donc pas être chargé de cette ambassade. La persécution et l'emprisonnement que j'avais autrefois subis par ordre du gouvernement républicain, à l'occasion de la chute du pouvoir temporel de Pie VI, alors que l'on m'avait cru exécuteur ou tout au moins complice de la mort du général Duphot, étaient si récents qu'ils vivaient encore dans la mémoire de tous. Déjà l'on murmurait à Paris et à Rome qu'il n'était pas étonnant de voir les négociations du Concordat tourner si mal, puisque le premier ministre de Sa Sainteté était un ennemi juré de la France.— Et, à propos du général Duphot dont j'ai prononcé le nom tout à l'heure, je dois affirmer que je n'étais pas moins innocent de son assassinat que le gouvernement pontifical et le peuple lui-même. Ce général, en effet, provoqua sa mort quand, à la tête de quelques révolutionnaires, il se jeta sur la caserne des soldats. L'un d'entre eux, pour se défendre, lâcha le coup de fusil qui le tua.

«Je fis donc observer au plénipotentiaire français que je n'étais pas bien vu par le premier consul, et que cela porterait préjudice à mon ambassade, dès mon arrivée à Paris et pendant le cours des négociations; que du reste son gouvernement ne voyait pas le Concordat d'un œil très-favorable, ainsi qu'on pouvait en juger sur les apparences, et que, par conséquent, on attribuerait mes refus non à la force des motifs et à des principes qui empêchaient le Pape d'adhérer, mais à l'animosité personnelle que l'on me supposait. Je conclus alors en déclarant que, quand bien même le Pape croirait devoir nommer un ambassadeur, je ne devais pas être choisi, et que cette dignité était naturellement réservée soit au cardinal Mattei, très-connu du premier consul, soit au cardinal Joseph Doria, ayant déjà été nonce à Paris. Ces princes de l'Église avaient en outre, l'un et l'autre, un nom plus illustre que le mien, et plus capable, évidemment, de flatter cet orgueil auquel on venait de faire allusion.

«Cacault répondit à tout cela que c'était moins le nom de l'ambassadeur que ses fonctions et son rang qui, par-dessus toute chose, pouvaient toucher cet orgueil; que si ces deux cardinaux avaient des titres de famille plus vieux et plus beaux que les miens, ils n'étaient pourtant pas secrétaires d'État ainsi que moi; que, quant à ce qui m'était personnel et relatif à mes tribulations passées et à mon inimitié contre la France, ce n'étaient que des inepties qui fondraient comme la neige dès que j'aurais été vu et apprécié. Il voulut bien me dire encore quelque chose sur les qualités qu'il remarquait en moi (ne me connaissant pas); mais la vérité et la modestie ne me permettent point de rapporter ces compliments. Il conclut enfin en m'avouant que plus il réfléchissait sur cette affaire, plus il persistait dans son idée, et qu'il me suppliait d'en instruire tout de suite le Pape, auquel il désirait me proposer lui-même comme la seule ancre de salut dans une tempête aussi imminente contre l'Église et contre l'État.

«Je ne voulus pas me rendre en ce qui regardait l'envoi de ma personne, et je répondis à ses raisons sur ce point, mais sans aucun succès. Néanmoins je lui promis de transmettre ses raisons au Pape, et de demander l'audience réclamée afin qu'il pût lui-même entretenir le Saint-Père.

«Je quittai Cacault l'esprit plein de doutes et d'appréhensions, et le cœur agité en prévision de ce que le Pape résoudrait. Ne me fiant pas à mes propres lumières et à l'impression que le discours si sérieux de Cacault avait faite sur moi, je me souviens qu'avant de retourner à ma demeure, j'allai visiter le nouveau ministre d'Espagne, chevalier de Vargas, arrivé depuis peu de jours. Je crus devoir m'ouvrir à lui et raconter ce qui venait de se passer. C'était pour savoir de quelle façon il prendrait ce projet. Vargas était hors de cause, tierce partie; il devait donc juger sans partialité et sans prévention. L'assentiment complet qu'il donna, après les plus sérieuses réflexions, au voyage que conseillait Cacault, me détermina à n'en pas différer plus longtemps la communication au Pape, pour ne point me rendre responsable des conséquences qui découleraient peut-être de mon silence ou de mon retard.

«Dès que je fus arrivé au Quirinal, je montai dans le cabinet du Saint-Père, et je lui narrai fidèlement et exactement tout ce qui avait été suggéré sur l'envoi projeté à Paris et sur le choix de la personne. Je ne lui laissai rien ignorer de ce qui s'était dit et répondu entre le plénipotentiaire de France et moi. Le Pape en fut surpris outre mesure. Mais, en homme plein de pénétration et de sagacité, il avoua, après un long entretien et de mûres réflexions, que l'opinion et le projet de M. Cacault lui paraissaient raisonnables et fondés; que toutefois, en affaires si délicates, il ne voulait pas agir sans demander conseil à plusieurs; que je devais donc assembler, pour le jour suivant, une congrégation de tout le sacré-collége, et que cette congrégation se tiendrait en sa présence; que j'aurais à y relater tout ce qui s'était passé, et que l'on écouterait les dires de chacun; qu'il se résoudrait alors au parti qui lui semblerait le meilleur, et qu'en attendant il accorderait l'audience demandée par M. Cacault.

«Ayant reçu les ordres du pontife, je fis convoquer, pour le jour suivant, la congrégation générale des cardinaux, dans les appartements de Sa Sainteté, et l'envoyé français fut averti qu'il pouvait aller voir le Pape, ainsi qu'il en avait témoigné le désir.

«Cacault se rendit auprès de Sa Sainteté, et il lui répéta, avec la plus grande énergie, ce qu'il m'avait déjà dit quelques heures auparavant. Pie VII n'eut pas de peine à lui prouver combien sa détermination était juste; il lui démontra qu'il ne pouvait accepter le plan de concordat tracé par le gouvernement français. Les paroles de Sa Sainteté confirmèrent l'ambassadeur dans l'idée qu'il avait eue d'abord. Cacault était persuadé, c'est ainsi qu'il s'exprimait, que si le premier consul entendait par lui-même les motifs du pape, Bonaparte se rendrait nécessairement à leur évidence. Il ajouta que si Sa Sainteté leur prêtait plus de force par l'ambassade dont lui, Cacault, avait pris l'initiative, ambassade qui manifesterait la bonne volonté du Pontife, son estime pour la France, et l'intérêt qu'il prenait à rattacher de nouveau cette nation à l'Église, les choses s'arrangeraient, sans aucun doute, surtout si, par une marque de considération personnelle, on flattait le chef du gouvernement français.

«Le Pape répondit qu'il avait convoqué tous les cardinaux pour s'occuper de cette mission et discuter un projet dont la gravité ne lui permettait pas d'agir sans les plus mûres réflexions et sans avis préalable.

«La congrégation générale se tint dans les appartements de Sa Sainteté. D'après l'ordre que je reçus du Saint-Père, je rapportai tout ce que m'avait dit M. de Cacault, soit sur l'ambassade en général, soit sur le choix de ma personne. Je ne me permis de faire sur le premier point qu'une relation simple et franche; mais quand j'arrivai au second, j'ajoutai que, dans l'hypothèse de la mission, je ne croyais pas devoir être choisi pour plénipotentiaire. Je démontrai aussi fortement qu'il me fut possible, et avec les raisons les plus évidentes, qu'il ne fallait pas penser à moi, mais plutôt aux cardinaux Doria et Mattei, dont je fis ressortir les titres, qui devaient, à mon avis, leur assurer la préférence. Je ne manquai pas de faire remarquer d'un autre côté combien je devais appréhender une légation aussi scabreuse, dont le non-succès déplairait à beaucoup, et la réussite à un très-petit nombre,—ce qui la rendait fort peu désirable et poussait même à la décliner,—et je terminai en déclarant que le choix de ma personne nuirait très-sûrement à l'affaire par les motifs déduits plus haut.

«Aucun des cardinaux ne s'opposa à l'ambassade projetée; tous, au contraire, la regardèrent comme la seule ancre de salut dans les circonstances actuelles. Et quand on passa du général au particulier, tous aussi me désignèrent, au lieu de choisir les deux cardinaux Doria et Mattei, ou tout autre auquel on aurait pu songer. Pour justifier leurs votes, ils arguaient que ma qualité de secrétaire d'État semblait, d'après l'observation de M. Cacault, devoir rendre plus agréable la légation du premier ministre du pape à celui qui avait déjà près de lui le premier ministre de l'empereur. Mes scrupules étaient hors de mise, et personne ne voulut changer d'avis. Voyant que tous désiraient non-seulement l'ambassade, mais encore l'ambassadeur, le Pape, après avoir gardé le silence jusqu'à la fin, pour ne gêner aucun des cardinaux, se joignit au sacré collége. Il décida qu'on partirait pour Paris, et que ce serait moi qui partirais. Me sera-t-il permis de rapporter ici ce que je ne crains pas de voir démentir, car le lieu où je m'exprimai fut public, et plusieurs témoins auriculaires existent encore? Le Pape avait annoncé sa résolution: après avoir rendu grâces au Saint-Père ainsi qu'au sacré collége de la confiance qu'ils me témoignaient,—confiance que je savais ne point mériter,—je dis avec franchise et candeur que j'avais en ce moment un besoin extraordinaire de me souvenir de mes promesses et de mes serments d'obéissance aux volontés du Pape, promesses et serments articulés quand il me plaça le chapeau de cardinal sur la tête; que cette foi soutenait mon courage et m'aidait à servir le pontife suprême et le saint-siége; que mon désir de le faire était ardent, mais que ce secours m'était indispensable au moment d'accepter une mission si difficile et sa périlleuse, que j'avais tant et de si fortes raisons pour décliner.»

II

Le cardinal Doria fut choisi par le Pape et par Consalvi pour remplacer le cardinal-ministre en son absence.

Consalvi et Cacault partirent ensemble de Rome en plein jour, dans la même voiture, pour donner confiance au peuple romain. En approchant de Livourne, ils trouvèrent un courrier de Murat qui annonçait à M. Cacault que le général l'attendait à Pise pour conférer avec lui; ils s'y rendirent. Murat combla d'égards Consalvi; Cacault fut obligé de s'arrêter; Consalvi continua seul sa route pour Paris. Il y arriva dans la plus grande anxiété. Le premier consul lui envoya l'abbé Bernier, Vendéen réconcilié, pour commencer sans aucun délai la négociation. Consalvi, sur sa demande, résuma, dans un mémoire rapide, les points sur lesquels on était d'accord, ceux sur lesquels on différait. «Ce mémoire, dit le prince de Talleyrand, fait reculer la négociation beaucoup plus loin que tous les écrits précédents.» Après vingt-cinq jours on tomba d'accord, le rendez-vous pour la signature fut assigné chez Joseph Bonaparte. Consalvi s'y rendit, mais, au moment de la signature, l'abbé Bernier entra.

«Quelle fut ma surprise, quand je vis l'abbé Bernier m'offrir la copie qu'il avait tirée de son rouleau comme pour me la faire signer sans examen, et qu'en y jetant les yeux, afin de m'assurer de son exactitude, je m'aperçus que ce traité ecclésiastique n'était pas celui dont les commissaires respectifs étaient convenus entre eux, dont était convenu le premier consul lui-même, mais un tout autre! La différence des premières lignes me fit examiner tout le reste avec le soin le plus scrupuleux, et je m'assurai que cet exemplaire non-seulement contenait le projet que le Pape avait refusé d'accepter sans ses corrections, et dont le refus avait été cause de l'ordre intimé à l'agent français de quitter Rome, mais, en outre, qu'il le modifiait en plusieurs endroits, car on y avait inséré certains points déjà rejetés comme inadmissibles avant que ce projet eût été envoyé à Rome.

«Un procédé de cette nature, incroyable sans doute, mais réel, et que je ne me permets pas de caractériser,—la chose d'ailleurs parle d'elle-même,—un semblable procédé me paralysa la main prête à signer. J'exprimai ma surprise, et déclarai nettement que je ne pouvais accepter cette rédaction à aucun prix. Le frère du premier consul ne parut pas moins étonné de m'entendre me prononcer ainsi. Il disait ne savoir que penser de tout ce qu'il voyait. Il ajouta tenir de la bouche du premier consul que tout était réglé, qu'il n'y avait plus qu'à signer. Comme je persistais à déclarer que l'exemplaire contenait tout autre chose que le concordat arrêté, il ne sut que répondre qu'il arrivait de la campagne, où il traitait des affaires d'Autriche avec le comte de Cobenzel; qu'étant appelé précisément pour la cérémonie de la signature du traité, dont il ne savait rien pour le fond, il était tout neuf, et ne se croyait choisi que pour légaliser des conventions admises de part et d'autre.

«Moi, je n'oserais pas, aujourd'hui, affirmer avec certitude s'il disait vrai ou s'il disait faux. Je ne sus pas le reconnaître alors davantage; mais j'ai toujours incliné, et j'incline encore à croire qu'il était dans une ignorance absolue, tant il me parut éloigné de toute dissimulation dans ce qu'il fit durant cette interminable séance, et sans jamais se démentir. Comme l'autre personnage officiel, le conseiller d'État Crétet, en affirmait autant, et protestait ne rien savoir, et ne pouvoir admettre ce que j'avançais sur la diversité de la rédaction, jusqu'à ce que je la leur eusse démontrée par la confrontation des deux copies, je ne pus m'empêcher de me retourner vivement vers l'abbé Bernier.

«Quoique j'aie toujours cherché dans le cours de la négociation à éviter tout ce qui aurait tendu à suspendre la marche des choses et à fournir prétexte à la colère et à la mauvaise humeur, je lui dis que nul mieux que lui ne pouvait attester la vérité de mes paroles; que j'étais très-étonné du silence étudié que je lui voyais garder sur ce point, et que je l'interpellais expressément pour qu'il nous fît part de ce qu'il savait si pertinemment.

«Ce fut alors que, d'un air confus et d'un ton embarrassé, il balbutia qu'il ne pouvait nier la vérité de mes paroles et la différence des concordats qu'on proposait à signer; mais que le premier consul l'avait ainsi ordonné, et lui avait affirmé qu'on est maître de changer tant qu'on n'a point signé. Ainsi, continua Bernier, il exige ces changements, parce que, toute réflexion faite, il n'est pas satisfait des stipulations arrêtées.

«Je ne détaillerai pas ce que je répliquai à un aussi étrange discours, et par quels arguments je démontrai combien cette maxime, qu'on peut toujours changer avant d'avoir signé, était inapplicable au cas actuel. Ce que je relevai bien plus vivement encore, ce fut le mode, la surprise, employés pour réussir; mais je protestai résolûment que je n'accepterais jamais un tel acte, expressément contraire à la volonté du Pape, d'après mes instructions et mes pouvoirs. Je déclarai donc que si, de leur côté, ils ne pouvaient pas ou ne voulaient pas souscrire celui dont on était convenu, la séance allait être levée.

«Le frère du premier consul prit alors la parole. Il s'efforça de la manière la plus pressante d'appuyer sur les conséquences de la rupture des négociations, non moins pour la religion que pour l'État, et non moins pour la France, cette grande partie du catholicisme, que pour tous les pays où l'on éprouvait sa toute-puissante influence. «Il faut faire, répétait-il, toutes les tentatives imaginables pour ne pas nous rendre, nous présents, responsables de si cruels désastres.»

III

«Joseph Bonaparte se rendit aux Tuileries.

«En moins d'une heure il était de retour, révélant sur son visage la tristesse de son âme. Il nous apprit que le premier consul était entré dans la plus extrême fureur à la nouvelle de ce qui était arrivé; que, dans l'impétuosité de la colère, il avait déchiré en cent morceaux la feuille du concordat arrangé entre nous; que finalement, cédant à ses prières, à ses sollicitations, à ses raisons, il avait promis, quoique avec une indicible répugnance, d'accepter tous les articles convenus, mais que pour celui que nous avions laissé non réglé, il était demeuré aussi inflexible qu'irrité. Joseph ajouta que le premier consul avait terminé l'entretien en le chargeant de me dire que lui, Bonaparte, il voulait absolument cet article, tel qu'il l'avait fait rédiger dans l'exemplaire apporté par l'abbé Bernier, et que je n'avais qu'un de ces deux partis à prendre: ou admettre cet article tel quel et signer le concordat, ou rompre toute négociation; qu'il entendait absolument annoncer dans le grand repas de cette journée ou la signature ou la rupture de l'affaire.

«On imagine facilement dans quelle consternation nous jeta un pareil message. Il restait encore trois heures jusqu'à cinq, heure fixée pour ce repas auquel nous devions assister. Impossible d'énumérer tout ce qui fut dit et par le frère du premier consul et par les deux autres pour me décider à le satisfaire. Le tableau des conséquences qui naîtraient de la rupture était des plus sombres; ils me faisaient sentir que j'allais me rendre responsable de ces maux, soit envers la France et l'Europe, soit envers mon souverain lui-même et envers Rome. Ils me disaient qu'à Rome on me taxerait de roideur inopportune, et qu'on m'attribuerait le tort d'avoir provoqué les effets de ce refus. J'éprouvais les angoisses de la mort, je voyais se dresser devant moi tout ce qu'on m'annonçait: j'étais (il est permis de l'avouer) comme l'Homme des douleurs. Mais mon devoir l'emporta; avec l'aide du Ciel, je ne le trahis point. Je persistai dans mon refus, pendant les deux heures de cette lutte, et la négociation fut rompue.

«Ainsi se termina cette triste séance de vingt-quatre heures entières, commencée vers les quatre heures du jour précédent et close vers les quatre heures de ce malheureux jour, avec une grande souffrance physique, comme on le comprend du reste, mais avec une bien plus grande souffrance morale, et telle qu'il faudrait la ressentir pour s'en faire une idée.

«J'étais condamné (et c'était la circonstance cruelle du moment) à paraître dans une heure à ce pompeux dîner. Je devais affronter en public le premier choc de l'impétueuse colère qu'allait soulever dans le cœur du général Bonaparte l'annonce de la rupture que son frère devait lui communiquer.

«Nous retournâmes quelques instants à l'hôtel; nous fîmes à la hâte ce qui était nécessaire pour nous présenter convenablement, et nous allâmes, mes deux compagnons et moi, aux Tuileries.

«À peine étions-nous entrés dans le salon où se trouvait le premier consul, salon que remplissait tout un monde de magistrats, d'officiers, de grands de l'État, de ministres, d'ambassadeurs, d'étrangers les plus illustres, invités à ce dîner, qu'il nous fit un accueil facile à imaginer, ayant déjà vu son frère. Aussitôt qu'il m'aperçut, il s'écria, le visage enflammé et d'un ton dédaigneux et élevé:

«Eh bien, monsieur le cardinal, vous avez voulu rompre! soit. Je n'ai pas besoin de Rome. J'agirai de moi-même. Je n'ai pas besoin du Pape. Si Henri VIII, qui n'avait pas la vingtième partie de ma puissance, a su changer la religion de son pays et réussir dans ce projet, bien plus le saurai-je faire et le pourrai-je, moi. En changeant la religion en France, je la changerai dans presque toute l'Europe, partout où s'étend l'influence de mon pouvoir. Rome s'apercevra des pertes qu'elle aura faites; elle les pleurera, mais il n'y aura plus de remède. Vous pouvez partir, c'est ce qui vous reste de mieux à faire. Vous avez voulu rompre, eh bien, soit, puisque vous l'avez voulu. Quand partez-vous donc?

—«Après dîner, général,» répliquai-je d'un ton calme.

«Ce peu de mots fit faire un soubresaut au premier consul. Il me regarda très-fixement, et à la véhémence de ses paroles je répondis, en profitant de son étonnement, que je ne pouvais ni outre-passer mes pouvoirs ni transiger sur des points contraires aux maximes que professe le Saint-Siége. «Dans les choses ecclésiastiques, ajoutai-je, on ne peut faire tout ce qu'on ferait dans les choses temporelles en certains cas extrêmes. Nonobstant cela, il ne me semble pas possible de prétendre que j'aie cherché à rompre du côté du Pape, dès qu'on s'est mis d'accord sur tous les articles, à la réserve d'un seul, pour lequel j'ai prié qu'on consultât le Saint-Père lui-même; car ses propres commissaires n'ont pas rejeté cette proposition.»

«Plus radouci, le Consul m'interrompit en disant qu'il ne voulait rien laisser d'imparfait, et que ou il statuerait sur le tout ou rien. Je répliquai que je n'avais pas le droit de négocier sur l'article en question, tant qu'il le maintiendrait précisément tel qu'il l'avait proposé, et que je n'admettrais aucune modification. Il reprit très-vivement qu'il l'exigeait tel quel, sans une syllabe ni de moins ni de plus. Je lui répondis que, dans ce cas, je ne le souscrirais jamais, parce que je ne le pouvais en aucune manière. Il s'écria: «Et c'est pour cela que je vous dis que vous avez cherché à rompre, et que je considère l'affaire comme terminée, et que Rome s'en apercevra et versera des larmes de sang sur cette rupture.»

«Tandis qu'il parlait, se trouvant proche du comte de Cobenzel, ministre d'Autriche, il se retourna vers lui avec une extrême vivacité, et lui répéta à peu près les mêmes choses qu'à moi, affirmant plusieurs fois qu'il ferait changer de manière de penser et de religion dans tous les États de l'Europe; que personne n'aurait la force de lui résister, et qu'il ne voulait pas assurément être seul à se passer de l'Église romaine (c'est sa phrase), qu'il mettrait plutôt l'Europe en feu de fond en comble, et que le Pape en aurait la faute et la peine encore.

«Puis il se mêla brusquement à la foule des conviés, répétant les mêmes choses à beaucoup d'autres. Le comte de Cobenzel, consterné, accourut de suite vers moi, et se mit à me prier, à me supplier d'inventer quelques moyens pour détourner une pareille calamité. Il ne me dépeignait que trop éloquemment les conséquences certaines qui allaient en résulter pour la religion, pour l'État, pour l'Europe. Je lui avouai que je ne les voyais que trop, que je m'en désolais, mais que rien ne pourrait me faire souscrire à ce qui ne m'était pas permis. Il m'avouait qu'il comprenait parfaitement que j'avais raison de ne pas trahir mes devoirs, mais qu'il s'étonnait qu'on ne pût pas découvrir quelque moyen de conciliation, et tomber d'accord, quand il n'y avait plus qu'un seul article en litige. Je lui répliquai qu'il était impossible de tomber d'accord, et de se concilier, lorsqu'on prétendait obstinément ne pas retrancher ou ajouter une seule syllabe à l'article débattu, comme s'en exprimait le premier consul, puisque dès lors on ne pouvait réaliser ce qui a coutume de se dire et de se faire en toute négociation, à savoir, que chacune des parties risquant un ou deux pas, on finissait par se rencontrer. On ouvrit dans ce moment la salle à manger, et on passa à table, ce qui rompit l'entretien.

«Le dîner fut court, et on s'imagine que je n'en goûtai jamais un plus amer. De retour au même salon, le comte de Cobenzel reprit avec moi la conversation interrompue. Le premier consul, nous voyant causer ensemble, s'approcha, et, s'adressant au comte, il lui dit qu'il perdait son temps, s'il espérait vaincre l'obstination du ministre du Pape, et il répéta en partie ce qu'il avait annoncé précédemment, en y mettant la même vivacité et la même force. Le comte répondit qu'il le priait de lui permettre de déclarer qu'il rencontrait non de l'obstination dans le ministre du Souverain-Pontife, mais bien un sincère désir d'arranger les choses et un extrême regret de cette rupture, mais que, pour arriver à une conciliation, c'était au premier consul seul d'en ouvrir la voie.

«Et comment? répliqua-t-il avec vivacité.—C'est, reprit le comte, d'autoriser une nouvelle séance entre les commissaires respectifs, et de vouloir bien leur permettre de chercher le moyen d'introduire dans l'article en litige quelque changement propre à satisfaire les deux parties. Puis, ajouta Cobenzel, j'aime à penser que votre désir de donner la paix à l'Europe, comme vous me l'avez souvent promis, vous décidera à renoncer à cette détermination de ne souffrir aucune addition, aucun retranchement à cet article, d'autant plus que c'est vraiment une calamité de consommer une aussi regrettable rupture pour un seul article, quand on a combiné tout le reste à l'amiable.

«Ce discours du comte de Cobenzel fut accompagné de beaucoup d'autres paroles sortant très-réellement de la bouche d'un véritable homme de cour, toutes pleines de politesse et de grâce, ce en quoi il était fort expert. Et il manœuvra avec tant d'esprit que le premier consul, après quelque résistance, s'écria: «Eh bien! afin de vous prouver que ce n'est pas moi qui désire rompre, j'adhère à ce que demain les commissaires se réunissent pour la dernière fois. Qu'ils voient s'il y a possibilité d'arranger les choses; mais si on se sépare sans conclure, la rupture est regardée comme décisive, et le cardinal pourra s'en aller. Je déclare aussi que cet article, je le veux absolument tel quel, et que je n'admets pas de changements.» Et là-dessus il nous tourna les épaules.

«Quoique ces paroles de Bonaparte fussent en contradiction avec elles-mêmes, puisque d'une part il nous permettait de nous réunir pour aviser à un moyen de conciliation, et que de l'autre, en même temps, il exigeait l'article tel quel, sans aucun changement, ce qui excluait une conciliation, toutefois on s'accorda unanimement à profiter de la faculté de se réunir et de voir si on ne ferait pas surgir quelque biais d'arrangement, dans l'espérance (si on y arrivait) de pousser Joseph, son frère, à l'y amener lui-même. Le comte de Cobenzel, qui traitait avec Joseph des affaires d'Autriche, en était fort bien vu. Il lui parla chaudement, d'autant plus chaudement qu'il paraissait lui-même désirer avec sincérité d'éviter une rupture. On convint donc de tenir le jour suivant, à midi juste, au même lieu, cette nouvelle séance, comme on avait tenu la précédente, qui fut si amère et si déplorable.

«Je ne raconterai pas comment je passai cette nuit douloureuse, mais je ne puis taire à quel point s'accrurent mes angoisses lorsque, le matin, je vis entrer dans ma chambre le prélat Spina, avec un air triste et embarrassé, et que je l'entendis m'avouer que le théologien Caselli sortait de sa chambre, où il était venu lui annoncer qu'il avait réfléchi toute la nuit sur les conséquences incalculables de la rupture; qu'elles seraient on ne peut plus fatales à la religion, et qu'une fois arrivées, elles devaient être irrémédiables, comme le prouvait l'exemple de l'Angleterre; que, voyant le premier consul déclarer qu'il restait inébranlable sur le point de ne pas admettre de changement dans l'article controversé, il était déterminé, pour sa part, à y adhérer et à le signer tel quel; qu'il ne croyait pas le dogme lésé, et qu'il pensait que les circonstances, les plus impérieuses qu'on ait pu voir, justifiaient la condescendance dont le pape userait dans ce cas. Il n'y a point de proportion, ajoutait-il, entre la petite perte provenant de cet article et la perte immense qui résulterait de la rupture.

«Le prélat Spina me déclara que, puisque le père Caselli, beaucoup plus savant théologien que lui, pensait ainsi, il n'avait pas le courage d'assumer la responsabilité de conséquences si fatales à la religion, et qu'il était résolu, lui aussi, à admettre l'article et à le signer tel quel. Spina ajoutait encore que, si je jugeais que leur signature ne pût se donner sans la mienne, ils ne me cachaient pas qu'ils se voyaient dans la nécessité de protester de leur adhésion, et de se garantir par là de toute responsabilité des conséquences de la rupture, si elle devait avoir lieu.

«Je ne puis exprimer l'impression que me firent et cette déclaration, et l'idée de me savoir abandonné seul dans le combat. Mais si cela me surprit et me chagrina à l'excès, cela ne m'abattit pas toutefois, et ne m'ébranla point dans ma résolution. Après avoir inutilement essayé de les persuader l'un et l'autre, m'apercevant que mes raisons n'avaient pas dans leur balance de poids à l'égal des résultats qui les épouvantaient, je finis par dire que, n'étant pas, moi, persuadé par leurs raisons, je ne pouvais m'y rendre, et que je lutterais tout seul dans la conférence; que je les priais simplement de renvoyer à la fin l'annonce de leur adhésion à cet article, si, ne parvenant pas à concilier la chose, on était forcé de rompre; ce à quoi j'étais résolu en cas extrême, quoique avec une vive douleur, plutôt que de trahir ce qui, dans ma pensée, était de mon rigoureux devoir. Ils le promirent, et de plus m'affirmèrent qu'ils ne laisseraient pas d'appuyer mes raisons jusqu'au bout, quoiqu'ils ne voulussent pas y persister au moment d'une rupture.

«On se réunit donc à l'hôtel du frère du premier consul, et la discussion commença à midi précis. Si cette séance ne fut pas aussi longue que la première, assurément elle ne fut pas courte. Elle a duré douze heures consécutives, car elle se termina juste au coup de minuit.

«Onze heures pour le moins furent consacrées à la discussion de ce fatal article. Pour bien saisir l'affaire, il est indispensable d'entrer (rien que sur ce point) dans l'intrinsèque de la négociation. Je m'étudierai à y porter le plus de clarté possible, en restant dans la concision de l'histoire, qui n'admet pas les développements d'une dissertation théologique.»

IV

Consalvi partit pour Rome trois jours après cette épineuse négociation. Le concordat y fut accepté, et son crédit sur le pape s'accrut de sa fermeté envers le premier consul. Nul ne songea à lui contester le titre de ministre pacificateur de l'Église. Marengo avait en un jour reconquis l'Italie. Les vingt-cinq jours du voyage désespéré de Consalvi avaient reconquis l'Europe à l'Église. Il envoya le cardinal Caprara à Paris et passa à d'autres affaires. Mais il était maître du pape par l'amitié, maître du premier consul par son génie de conciliation. Bonaparte sentit l'utilité pour lui d'avoir le cœur du pape dans les mains d'un tel homme.

V

Le cardinal pouvait, depuis cette époque, être considéré comme le favori du vertueux pontife Pie VII, non pas favori du caprice ou de la flatterie, mais favori de conscience et de raison. Toute cette première partie du pontificat ne fut qu'une longue et difficile diplomatie entre les exigences injurieuses et les prétentions menaçantes de l'empire et la faiblesse consciencieuse du pape. Le choix que l'amitié lui avait suggéré au conclave de Venise était devenu le choix de sa politique. Il lui fallait un homme mixte, mêlé de sacerdoce et de monde, aussi capable de ménager la vertu scrupuleuse du pape, sincèrement religieux, que de concéder au pouvoir dominateur et absolu de l'empire et du conquérant ce que Dieu lui-même commande à ses ministres de céder à ceux auxquels il donne l'autorité irrésistible du champ de bataille.

VI

On sait que, depuis Marengo jusqu'à Wagram, Napoléon, favorisé et si souvent enivré par la victoire, était devenu le maître incontesté de l'Europe. Après Wagram il songea à perpétuer sa domination en se donnant une épouse plus jeune et des héritiers légitimes de sa puissance. Il fixa son choix sur une jeune princesse de dix-huit ans, Marie-Louise, que la maison d'Autriche sacrifia pour obtenir des conditions de paix et d'alliance plus intimes, et qui fut officiellement demandée à son père par les ambassadeurs de Bonaparte. Joséphine fut répudiée, et les conditions du mariage débattues avec le Pape.

Les cardinaux arrivent à Paris. Consalvi, privé de ses fonctions de ministre à Rome, n'était plus que le confident officiel de Pie VII. Voici comment il rend compte de sa ruine définitive.

VII

Pendant les années qui s'écoulèrent entre le premier ministère du cardinal Consalvi et la rupture violente des relations de l'empereur Napoléon avec Pie VII, le Pape, contraint par Napoléon, avait donné sa confiance officielle à un autre ministre. Le cardinal Fesch, ambassadeur de Napoléon, était très-mal pour Consalvi.

Bonaparte l'estimait et le redoutait, il désirait son éloignement.

«À cette cause,» dit le cardinal dans ses Mémoires, «s'en joignit une autre que je ne puis passer sous silence. Ainsi que je l'ai dit, le cardinal Fesch était ambassadeur de Napoléon à Rome. Il n'y eut pas d'attentions compatibles avec mes devoirs, d'égards délicats et en toute espèce de choses, que je n'eusse pour lui dès le principe. Fesch le savait; il me témoigna tout d'abord une sincère reconnaissance, de l'estime et même de l'amitié. Mais plusieurs raisons altérèrent ensuite son affection pour moi. Je ne sacrifiais certainement pas mon honneur aux volontés de son maître, auprès duquel il ambitionnait de se faire bien venir. En conséquence, pour ne pas paraître vis-à-vis de l'Empereur ou peu perspicace ou peu habile, il fallait une victime sur le compte de laquelle on pût rejeter l'inflexibilité du Pape à ses désirs. Fesch avait un caractère fort soupçonneux, et il s'imaginait presque toujours voir en réalité ce qui n'existait pas même en rêve. Enfin, pour ne pas trop m'étendre sur ce sujet, il était par malheur devenu l'intime ami d'une famille dont le mari, par soif du lucre, et la femme, par vanité, étaient mes plus cruels ennemis. Je n'avais jamais voulu sacrifier les intérêts du Trésor à la cupidité du premier et la bienséance à la coquetterie de la seconde.

«Voyant, après de nombreux échecs, qu'ils n'avaient rien à gagner près de moi et sous mon ministère, ces pauvres gens dirigèrent tous leurs artifices et toutes leurs batteries vers l'ambassadeur de Napoléon. C'était déjà la puissance qui dictait la loi au monde. Ces gens espéraient qu'il leur serait possible de me faire sauter de mon poste. Pour arriver à leur but, ils employèrent le mensonge, la duplicité, la séduction.

«Tous ces motifs réunis amenèrent le cardinal Fesch à me représenter comme la cause unique de l'opposition du Pape à l'Empereur. Et cependant le Pontife n'avait pas besoin de tels mobiles. Mais il suffisait à l'ambassadeur de France de voir que le Pontife résistait pour inculper résolûment son ministre. La douceur du caractère de Pie VII l'avait mal fait juger en France. On ne sut pas distinguer en lui ce besoin d'accomplir ses devoirs, besoin qui l'emportait sur tout le reste.

«Peu de paroles suffiront relativement à ce sujet, c'est-à-dire à l'opinion en partie personnelle et en partie inspirée que l'Empereur nourrissait sur mon compte. Il enjoignit à son plénipotentiaire de me communiquer la lettre qu'il lui écrivait de sa main,—ce qui fut fait.—En parlant de moi dans cette lettre, il termine ainsi: «Dites au cardinal Consalvi de ma part que, s'il aime son pays, il n'a qu'une de ces deux choses à faire: ou obéir à tout ce que je veux, ou bien laisser le ministère.»

«Je ne balançai point un instant quand le cardinal Fesch me fit lire cette dépêche, et je lui permis de répondre de ma part «que je ne ferais jamais la première des deux choses, et que j'étais tout prêt à exécuter la seconde dès que le Pape m'y autoriserait, afin de ne pas servir de prétexte ou de motif aux malheurs de mon pays.» Pendant tout le temps que le cardinal Fesch résida à Rome, les déclarations les plus impérieuses de l'Empereur contre moi, ainsi que les manifestes les plus péremptoires de sa volonté de ne plus me voir au ministère, et les menaces des plus grands périls pour l'État si je restais dans ma charge, se multiplièrent à l'infini. Les objurgations en vinrent à un tel point qu'il fallut toute la fermeté de ce caractère que l'Europe a depuis, et à son étonnement, admiré dans le Pape, pour le faire résister non moins aux efforts de la France afin de m'éloigner de ses côtés, qu'à mes prières elles-mêmes. Je les appuyais sur ma ferme résolution de n'être pas l'occasion de tous les désastres qui fondraient sur Sa Sainteté et sur l'État; je disais qu'il fallait avoir soin de ne pas inculquer aux peuples,—quoique sans raison,—la pensée que ces désastres arrivaient parce que le Pape avait voulu me défendre, et qu'on les aurait évités s'il eût consenti à me sacrifier, quoique sans motifs, aux exigences de celui qui pouvait tout. Le Pape resta toujours inébranlable. Il trouvait en moi, disait-il, des qualités appropriées à son service et à celui de l'Église attaquée; mais c'était un pur effet de sa bonté, car ces qualités n'existaient pas.

«La fureur de Napoléon, excitée par la résistance de Pie VII à ses desseins et à ses volontés, allait toujours croissant. Il avait substitué le ministre Alquier au cardinal Fesch, qu'il venait de rappeler, afin que son oncle et cardinal ne fût pas l'exécuteur de la dernière ruine de Rome, quand l'heure de la réaliser aurait sonné. Alquier reçut contre moi les mêmes ordres que son prédécesseur, mais ils n'eurent pas plus de succès pendant un certain temps. Enfin le moment arriva où le Pape crut opportun de se rendre à l'idée de ma retraite. Peu après, l'Empereur répondit au Pape par une note officielle de M. de

Talleyrand, ministre des affaires étrangères. On reproduisait dans cette note les prétentions naguère exposées sur sa souveraineté dominatrice à Rome et dans l'État ecclésiastique,—sulla sua soprasovranità di Roma e Stato ecclesiastico,—ainsi que sur la dépendance du Saint-Siége.

«Cette note demandait encore que l'on entrât dans le système de l'Empereur, que le Pape fît la guerre aux Anglais, qu'il reconnût pour ses amis et pour ses ennemis les amis et les ennemis de l'Empereur, et autres choses semblables, conséquences de sa prétendue soprasovranità. Le Pape répondit négativement à tout. Mais pour prêter à cet acte solennel un plus grand poids, pour qu'on ne pût attribuer ce refus à une influence étrangère, mais à la volonté spontanée et propre du Saint-Père lui-même, et pour que ce refus pût amener chez l'Empereur la conviction que l'unique et véritable impossibilité de manquer à ses devoirs sacrés et non des inspirations étrangères empêchaient Pie VII d'accéder à ses désirs, on jugea que c'était le moment de compenser le nom définitif donné aux prétentions impériales, par le bonheur qu'il ressentirait en m'arrachant lui-même du ministère. On prouvait ainsi à Napoléon que le Pape faisait pour lui plaire, bien qu'à contre-cœur, tout ce qu'il était possible de faire, mais qu'il n'accordait pas ce que ses devoirs sacrés lui interdisaient de céder. Le Saint-Père se résolut d'autant mieux à consommer son sacrifice,—c'est ainsi qu'il l'appelait, dans sa bonté,—que les exigences de l'Empereur et les refus du Pape n'avaient pas été jusqu'alors livrés à la publicité. Il était donc permis d'espérer qu'après la satisfaction de mon renvoi obtenue, Napoléon se convaincrait de la réalité des obstacles s'opposant à ce que Pie VII adhérât à ses désirs, et que, dans ce cas, il se désisterait de ses prétentions. Il pouvait le faire sans froisser son amour-propre, justement parce que rien n'avait encore transpiré dans le public, ainsi que je l'ai dit. Je dois rendre justice à la droiture des intentions du Pape et à son excessive bonté envers moi. Il ne les fit céder qu'à cette considération puissante et ne se soumit qu'à ces réflexions. Il me sera permis de rendre encore justice, non à moi-même,—ce qui ne serait pas convenable,—mais à la vérité, sur une particularité qui me regarde. Je dirai donc que, quoique non-seulement je n'eusse pas ambitionné la secrétairerie d'État, mais encore que j'eusse fait tout mon possible pour en décliner les honneurs, cependant ce n'eût pas été au milieu des périls qui menaçaient le Saint-Siège et le Pape, mon grand bienfaiteur, que j'aurais privé l'un et l'autre de mes services, quels qu'ils fussent. Toutefois je me laissai guider dans ma conduite par la pensée dont je viens de parler. Il en coûta beaucoup à mon cœur à cause des circonstances, et aussi parce qu'il fallait quitter celui que je vénérais et chérissais tant.

«La chose ainsi arrêtée entre le Pape et moi, le même courrier extraordinaire portant à Paris le nouveau refus de Pie VII à propos des grandes affaires qui étaient l'objet des convoitises ambitieuses de l'empereur Napoléon, lui porta en même temps l'acceptation pontificale de mon éloignement du ministère, et la nomination de mon successeur. C'était le cardinal Casoni. Cela arriva le 17 juin 1806, si je ne me trompe. Je ne dois pas raconter la douleur du Pape et la mienne à cette séparation. Il me sera permis de dire seulement que ce ne fut pas sans des pleurs réciproques et que, dans la suite des temps, le Saint-Père ne démentit jamais son immense bienveillance envers moi.

«Je n'avais donc pas revu depuis mon arrivée le ministre Fouché. Voilà que ce soir-là, tandis que nous attendions la sortie des souverains de leurs appartements, il s'approche de moi, puis, me prenant par la main, il me conduit dans un coin du salon. Il me dit alors avec cordialité et intérêt: «Est-il vrai qu'il y a plusieurs cardinaux qui refusent d'assister au mariage de l'empereur?»

«À cette question, je me tus, n'ayant rien à riposter et ne voulant surtout désigner personne. Il ajouta: «Mon cher Monsieur le cardinal, ne savez-vous pas qu'en ma qualité de ministre de la police, je dois déjà être instruit avec certitude de ce que j'avance? Ma demande n'est donc que de pure politesse.»

«Forcé de répondre, je lui déclarai que je ne savais vraiment ni combien il y en avait, ni qui ils étaient, mais que lui, Fouché, s'entretenait avec l'un d'entre eux. Il s'écria alors: «Ah! que me dites-vous? l'Empereur m'en a parlé ce matin, et il vous a nommé dans sa colère; mais je lui ai affirmé que, quant à vous, il n'était pas à présumer que ce fût vraisemblable.»

«Je lui répétai que c'était vrai, et très-vrai. Il me plaça aussitôt sous les yeux les dangereuses conséquences d'une telle action, qui intéressait l'État, la personne même de l'Empereur, ainsi que la succession au trône, et qui prêtait tant de hardiesse aux mécontents. Il n'y eut rien au monde qu'il ne tentât pour m'amener à persuader aux autres d'intervenir ou tout au moins,—car il m'entendait répéter que cela n'était pas possible,—à intervenir moi-même. Il me faisait remarquer que le plus grand mal était de me voir parmi ceux qui refusaient d'assister au mariage; car, disait-il, vous marquez, après le concordat et après avoir été premier ministre si longtemps.» Il ajouta quelque chose sur les qualités personnelles qu'il rencontrait en moi, quoiqu'elles n'y fussent certainement pas.

«Je tins ferme, et je répondis à tout. Je lui exposai les motifs qui nous obligeaient, bien qu'à nos risques et périls, à observer cette conduite, et je l'assurai que l'accomplissement de mes devoirs était ce que je voulais et devais avoir en vue plus que tout autre. Je ne lui cachai point ce que nous avions fait pour éviter la publicité d'un pareil choc; je lui communiquai notre demande afin de ne pas être invités, demande restée sans effet.

«Il serait trop long de rapporter tout ce que nous échangeâmes de paroles dans cette conversation interminable, qui me coûta, je le répète, des sueurs de mort. Jamais il ne s'avouait vaincu, et il mit fin à l'entretien en affirmant que si nous ne voulions pas assister au mariage civil, on n'y ferait guère attention, quoique cela déplût beaucoup, mais qu'il fallait absolument nous rendre au mariage ecclésiastique, si nous ne cherchions pas à pousser les choses à la dernière ruine; puis il me supplia d'en aviser mes collègues.

«Il obtint sans cesse une réponse négative, excepté à sa demande de notification aux autres cardinaux, notification que j'exécutai fidèlement.

«Notre dialogue fut interrompu par l'entrée des souverains, auxquels nous devions tous être présentés. À leur apparition, chacun courut prendre sa place. L'empereur tenait par la main la nouvelle impératrice, et lui désignait chaque personne à mesure qu'il les rencontrait dans le cercle. Quand il arriva à la place où nous étions, il s'écria: «Ah! les cardinaux!» Puis, avec beaucoup d'amabilité et de courtoisie, il nous présenta un à un, nous appelant par notre nom et ajoutant à quelques-uns certaines qualités particulières, comme il fit pour moi en disant: «Celui qui a fait le concordat.»

«On sut ensuite qu'il ne s'était montré aussi gracieux que dans le but de séduire les cardinaux récalcitrants à sa volonté.

«Nous répondîmes tous par une inclination, et rien de plus. Ayant parcouru le cercle de notre côté, il alla où se trouvaient les autres grands de l'empire, les ministres, et il sortit enfin des salons pour se rendre au théâtre. Nous retournâmes à Paris, et les treize s'étant rassemblés chez le cardinal Mattei, je leur racontai ce que m'avait dit le ministre Fouché. Mes paroles, tout en augmentant la tristesse commune, ne modifièrent pourtant pas notre résolution.

«Le jour suivant, qui était le dimanche, on célébra le mariage civil à Saint-Cloud. Les treize n'y intervinrent pas. Des quatorze autres déjà nommés plus haut, onze assistèrent à cette cérémonie: ce furent les cardinaux Joseph Doria et Antoine Doria, Roverella, Vincenti, Zondadari, Spina, Caselli, Fabrice Ruffo, Albani, Erskine et Maury. Le cardinal Fesch fut le douzième. Le cardinal de Bayane, étant malade, ne put s'y rendre. Les cardinaux Despuig et Dugnani s'excusèrent sous prétexte de maladie. Tous les trois, ils écrivirent au cardinal Fesch, en déclarant qu'ils ne pouvaient aller à Saint-Cloud. Cela arriva le dimanche.

«Le lundi 2 avril était le grand jour de l'entrée triomphale de l'empereur et de la nouvelle impératrice à Paris pour célébrer la fonction du mariage religieux dans la chapelle des Tuileries.

«On avait espéré que les paroles de Fouché à Saint-Cloud auraient ébranlé les treize cardinaux, et qu'elles les engageraient pour le moins à intervenir au mariage ecclésiastique, s'ils ne voulaient pas assister au mariage civil. On prépara donc des siéges pour tout le sacré collége, quoique les treize n'eussent point participé au mariage civil.

«Quand sonna l'heure décisive, et que l'on s'aperçut que nous manquions encore à cette cérémonie, on fit enlever promptement les fauteuils vides, afin que le public ne remarquât pas trop notre absence.

«Douze cardinaux, y compris le cardinal Fesch officiant, assistèrent au mariage ecclésiastique, et ce furent ceux-là mêmes que j'ai nommés plus haut, à l'exception du cardinal de Bayane. Sa mauvaise santé ne lui avait pas permis d'aller au mariage civil; il s'efforça, malgré ses douleurs, de se rendre à la chapelle, et il assista à la solennité. Le cardinal Erskine, très-souffrant depuis longtemps, s'était rendu à Saint-Cloud la veille, ayant un pied dans la tombe, comme on a l'habitude de le dire. Il se leva le lendemain, et il était déjà prêt à aller aux Tuileries, quand il éprouva deux évanouissements qui le retinrent de force dans son hôtel. Les deux autres cardinaux, Dugnani et Despuig, s'excusèrent cette fois encore, alléguant pour motif leur santé, et ils n'assistèrent pas au mariage ecclésiastique. Tous trois écrivirent aussi ce jour-là même au cardinal Fesch, et ils lui firent savoir que la maladie les empêchait d'intervenir. On les considéra donc comme ayant assisté, puisque leur abstention n'était pas volontaire. Ils ne réclamèrent point, ils ne se défendirent point de cette accusation; ils soutinrent même depuis que l'on devait et que l'on pouvait intervenir. Pendant la célébration du mariage civil et du mariage religieux, les treize cardinaux restés volontairement à l'écart ne sortirent point de leurs demeures, pas même la nuit. Ils renoncèrent à la curiosité de voir les fêtes et les illuminations qui eurent lieu avec tant de pompe dans ces deux journées ainsi que dans la soirée. Les convenances leur imposèrent cette réserve, et l'on s'imaginera facilement qu'ils eurent alors le cœur tourné vers d'autres pensées.

«Durant ces heures mémorables, ils ressentirent de mortelles angoisses en réfléchissant sur la grande action qu'ils entreprenaient et sur les conséquences qui devaient en découler. Ils restèrent tout ce temps dans une ignorance parfaite de l'impression produite par leur abstention sur l'esprit de l'empereur; car, ainsi que je l'ai raconté, ils ne quittèrent pas leurs appartements, et personne n'osa les visiter.

«Quand Napoléon entra dans la chapelle, il jeta tout d'abord son regard sur les places réservées aux cardinaux. En n'en voyant que onze (le cardinal Fesch était à l'autel pour la fonction), ses yeux étincelèrent tellement et son visage prit un tel air de colère et de férocité, que ceux qui l'observaient présagèrent la ruine de tous les princes de l'Église n'assistant pas au mariage. Ils nous firent part de leurs inquiétudes, et ce que je vais ajouter prouvera qu'ils ne s'étaient pas trompés.

«Le jour suivant était réservé pour la quatrième invitation, celle relative à la présentation aux souverains assis sur leurs trônes. Comme il avait été convenu entre les treize qu'ils assisteraient à cette cérémonie, ils s'y rendirent tous. L'invitation portait qu'il fallait paraître en grand costume, c'est-à-dire revêtu de la pourpre cardinalice. Chacun de nous alla aux Tuileries à l'heure prescrite. Deux heures s'écoulèrent dans les appartements voisins de la salle du trône, où se trouvaient l'empereur et l'archiduchesse, environnés des rois, des princes du sang et des hauts dignitaires. Ces appartements étaient remplis par les cardinaux, le sénat, le corps législatif, les évêques, les ministres, et les autres corps de l'État, les chambellans, les dames du palais, etc. Nous y rencontrâmes nos collègues qui avaient assisté aux deux mariages civil et religieux. Ni les uns ni les autres ne parlèrent de cette affaire.

«Tout le monde était pêle-mêle, attendant l'heure de l'entrée. Enfin la porte s'ouvrit, et le défilé commença. Les sénateurs eurent la préséance sur les cardinaux, et ils furent introduits les premiers. Le cardinal Fesch étant sénateur,—je ne puis cacher dans cet écrit ce qui est indispensable pour qu'il soit véridique,—fit la faute de marcher avec les sénateurs plutôt qu'avec les cardinaux. Il préféra donc ainsi ce corps laïque à celui auquel, par sa dignité, son ancienneté et ses serments, il appartenait d'une manière plus étroite.

L'exemple de nos collègues qui, quoique sénateurs, ne voulurent pas se joindre à ce corps, mais à celui auquel ils appartenaient depuis longtemps, ne produisit sur lui aucune impression. Après le sénat, le conseil d'État passa encore avant les cardinaux. Le corps législatif eut même le pas sur nous. Tandis que ces nombreux personnages défilaient successivement, et que les cardinaux, confondus dans la foule et sans le moindre égard pour leur dignité, dévoraient ces humiliations en attendant que le héraut d'armes ou le maître des cérémonies, qui était à la porte, les appelât enfin, on vit tout d'un coup s'élancer de la salle du trône un officier chargé d'un ordre de l'empereur. Sa Majesté l'avait appelé près du trône sur lequel elle était assise, et lui avait enjoint de pénétrer dans l'antichambre et d'en chasser tous les cardinaux qui n'avaient pas assisté au mariage, parce qu'elle ne daignerait pas les recevoir. L'officier allait sortir de la salle du trône quand l'empereur le rappela; puis, changeant subitement son ordre, il lui intima de faire expulser seulement les cardinaux Opizzoni et Consalvi. Mais l'officier, ne saisissant pas bien cette seconde instruction, crut que l'empereur, après avoir chassé ces cardinaux, voulait que l'on nommât spécialement les deux cardinaux désignés. Il agit donc ainsi. Il est plus facile d'imaginer que de peindre cette expulsion de treize cardinaux en grande pourpre, expulsion opérée dans un lieu si public, à la face de tous et avec tant d'ignominie. Tous les yeux se tournèrent sur les treize cardinaux que l'on mettait à la porte; ils traversèrent ainsi la dernière antichambre, les autres qui précédaient et qui étaient remplies de monde, les salles et le grand vestibule. Leurs voitures avaient disparu au milieu de la confusion; ils retournèrent à leurs logis, pleins des pensées qu'un semblable événement devait provoquer dans leurs âmes.

«Les cardinaux qui étaient intervenus au mariage demeurèrent dans l'antichambre, et ils subirent encore l'humiliation de se voir précéder dans l'introduction,—je ne sais si ce fut une équivoque ou un ordre pour mortifier le corps auquel ils appartenaient,—par les ministres de l'empire, bien que le cérémonial français lui-même accorde la préséance sur eux aux cardinaux. C'était d'un seul coup blesser la justice, les règles et l'usage, qui les placent au-dessus des grands dignitaires et des princes du sang. Enfin, quand vint leur tour, ils furent admis. La fonction consistait à entrer lentement un à un, à s'arrêter au pied du trône, à faire une profonde inclination et à sortir par la porte de la salle suivante. Ce fut alors,—tandis que les cardinaux arrivaient un à un pour saluer respectueusement,—que l'empereur, du haut de son trône, adressant la parole, tantôt à l'impératrice, tantôt aux dignitaires et aux princes qui l'environnaient, dit, avec la plus vive animation et la plus grande colère, des choses très-cruelles contre les cardinaux absents, ou, pour parler plus exactement, contre deux d'entre eux, ajoutant qu'il pouvait épargner les autres, car il les considérait comme des théologiens gonflés de préjugés, et que c'était la raison de leur conduite; mais qu'il ne pardonnerait jamais aux cardinaux Opizzoni et Consalvi; que le premier était un ingrat, puisqu'il lui devait l'archevêché de Bologne et le chapeau de cardinal; que le second était le plus coupable du Sacré Collége, n'ayant pas agi par préjugés théologiques qu'il n'avait point, mais par haine, inimitié et vengeance contre lui Napoléon, qui l'avait fait tomber du ministère; que ce cardinal était un profond diplomate,—l'Empereur le disait du moins,—et qu'il avait cherché à lui tendre un piége politique, le mieux calculé de tous, en préparant à ses héritiers la plus sérieuse des oppositions pour la succession au trône, celle de l'illégitimité.

«Toujours s'enflammant de plus en plus dans l'irritation de sa parole et dans la violence des expressions, il accumula tant de reproches contre moi que mes amis en furent consternés et me crurent tôt ou tard perdu sans rémission, tant étaient noires et terribles les couleurs sous lesquelles l'Empereur dépeignait l'acte que j'avais commis, ainsi que les autres, pour accomplir mes devoirs.

«Cette fureur de Napoléon contre moi était si réelle, que dans le premier accès, quand il sortit de la chapelle, le jour du mariage ecclésiastique, il ordonna d'abord de fusiller trois des cardinaux absents, Opizzoni, Consalvi et un troisième dont on ne sait pas le nom avec certitude, mais que l'on croit être Litta ou di Pietro. Ensuite il se borna à un seul, Consalvi. Je pense devoir la non-exécution de cette sentence à l'amitié du ministre Fouché, qui fit revenir l'Empereur sur sa détermination. On peut imaginer les émotions qu'éprouvèrent les treize, tant par leur expulsion qu'à cause de ce qu'on leur rapportait des faits et des gestes de l'Empereur. Le soir du mercredi, quelques-uns d'entre nous apprirent que ce jour-là même, on avait demandé, par ordre de l'Empereur, aux cardinaux Opizzoni et aux autres des treize promus à l'épiscopat, la démission de leurs évêchés. Ils étaient menacés de prison s'ils ne la donnaient pas immédiatement: ils la signèrent, avec cette réserve néanmoins qu'elle serait acceptée par le Pape. À huit heures, chacun de nous reçut un billet très-succinct du ministre des cultes, dans lequel on nous annonçait que, à neuf heures précises, nous devions nous rendre auprès de ce haut fonctionnaire pour recevoir les ordres de l'Empereur.

«Tous nous y arrivâmes, qui par un chemin, qui par un autre, surpris, ignorants et pleins de crainte, en général, sans trop savoir que redouter. Nous nous rencontrâmes presque tous ensemble dans l'antichambre du ministre, et on nous introduisit dans son cabinet. Il y était, ainsi que le ministre de la police. Fouché nous dit qu'il se trouvait là par hasard, mais on comprit parfaitement qu'il n'en était rien. La vérité est que tous les deux avaient l'air très-affligé de ce qu'ils allaient exécuter. Dès que Fouché m'aperçut: «Eh bien, monsieur le Cardinal, s'écria-t-il, je vous ai prédit que les conséquences seraient affreuses. Ce qui me fait le plus de peine, c'est que vous soyez du nombre!» Je le remerciai de l'intérêt qu'il me témoignait, et je lui dis que j'étais préparé à tout. Il nous firent asseoir en cercle, et alors le ministre des cultes commença un long discours qui ne fut compris que du plus petit nombre, car parmi les treize il y en avait à peine trois qui sussent le français. Il nous dit donc en substance que nous avions commis un crime d'État, et que nous étions coupables de lèse-majesté; que nous avions comploté contre l'Empereur, et qu'on en relevait la preuve dans le secret observé à son égard et à l'égard des autres cardinaux intervenus; que nous devions cependant nous en ouvrir à lui, ministre des cultes, étant, en cette qualité, notre supérieur; que le secret dont nous nous étions enveloppés prouvait aussi la malice de nos pensées et notre conspiration contre l'Empereur; que nous n'avions pas voulu être éclairés sur la fausseté de notre opinion concernant le prétendu droit privatif du Pape dans les causes matrimoniales entre souverains, car si nous eussions agi de bonne foi, et si cette fausse idée eût été le véritable motif de notre conduite, nous aurions cherché à être mieux édifiés; ce que lui et les autres auraient très-facilement fait et avec succès, si nous nous étions entretenus de cela avec lui et avec eux; que notre crime aurait de très-graves conséquences pour la tranquillité publique, si l'Empereur, par sa force prépondérante, n'empêchait que cette tranquillité ne fût compromise; qu'en agissant de la sorte, nous avions tenté de mettre en doute la légitimité de la succession au trône. Il conclut en déclarant que l'Empereur et Roi, nous jugeant comme rebelles et coupables de complot, lui avait enjoint de nous signifier: 1o Que nous étions dépouillés dès ce moment de nos biens tant ecclésiastiques que patrimoniaux, et que déjà on avait pris des mesures pour les séquestrer; 2o que Sa Majesté ne nous considérait plus comme cardinaux, et nous défendait de porter aucune marque de cette dignité; 3o que Sa Majesté se réservait le droit de statuer ensuite sur nos personnes. Et ici il nous fit pressentir qu'un procès criminel serait intenté à quelques-uns.

«Quand il eut terminé je pris la parole, et je répondis que nous étions accusés à tort de complot et de rébellion, crimes indignes de la pourpre et de notre caractère personnel; que notre conduite avait été très-simple et très-franche; qu'il était faux que nous eussions fait un secret de notre opinion à nos collègues intervenus, que nous leur avions même parlé à ce sujet, mais avec la mesure qui était nécessaire afin de nous garantir de l'accusation d'avoir cherché à recruter des prosélytes pour accroître le nombre des non-intervenants; que si, malgré notre prudence, on nous traitait de la sorte, on nous aurait blâmés bien davantage si nous avions endoctriné ceux dont l'avis était contraire au nôtre; qu'aucun d'eux ne pouvait nier de bonne foi que nous ne lui avions pas manifesté notre opinion et les motifs sur lesquels elle se basait; que nous n'avions pas, il est vrai, fait des ouvertures au ministre des cultes, mais que nous étions allés chez le cardinal Fesch, auquel, comme à notre collègue et à l'oncle de l'Empereur, nous avions cru pouvoir parler avec plus de liberté et moins de publicité, justement pour envelopper la chose dans le mystère; que le plus ancien d'entre nous lui avait confié, avec abandon et sincérité, notre détermination; que nous lui avions aussi suggéré le moyen d'empêcher tout éclat, en le priant d'obtenir de l'Empereur qu'on ne nous invitât pas, et qu'il voulût bien se contenter de l'intervention de ceux qui étaient d'un avis différent du nôtre, et qu'on n'avait pas accepté ce moyen terme. J'ajoutai qu'entretenir d'abord du complot l'oncle de celui contre lequel on nous soupçonnait de tramer des intrigues, et prier ce même oncle d'en faire la révélation au neveu, c'était un mode tout nouveau de conspirer. Je fis remarquer encore que nous nous étions adressés à celui qui, partie intéressée au débat, était justement dans le cas de nous éclairer mieux que personne, s'il avait eu des raisons plus décisives que les nôtres. J'achevai en déclarant que Sa Majesté était libre d'agir à notre égard comme il lui plairait; mais, qu'en respectant ses ordres, nous ne pouvions pas néanmoins admettre notre culpabilité pour le crime de rébellion et de complot que l'on nous imputait.

«C'est dans ce même sens à peu près que les cardinaux Litta et della Somaglia s'exprimèrent après moi. Tous les autres se turent, car ils ne comprenaient pas la langue et la parlaient beaucoup moins encore. Les deux ministres furent ébranlés par nos réponses, et comme ils étaient déjà fort affligés de ce qui arrivait et qu'ils désiraient, ainsi que du reste la politique le suggérait, arranger l'affaire, ils avouèrent que si l'Empereur avait entendu ces paroles, on pourrait espérer qu'il écouterait la voix de la clémence. Nous répondîmes qu'ils étaient autorisés à les lui communiquer. Les deux ministres répliquèrent que Napoléon n'ajouterait pas foi à leur relation, qu'il la considérerait comme un palliatif inventé pour le calmer; mais que si telle était la vérité, il fallait lui écrire, ce qui produirait beaucoup plus d'effet.

«Nous fîmes connaître que nous n'éprouvions aucune difficulté à rendre hommage à ce qui était vrai. Les ministres conclurent en annonçant que, dans notre lettre, nous pouvions très-bien affirmer que nous n'avions pas comploté, que nous n'étions pas coupables de rébellion et d'autres actes semblables;

mais que nous ne devions pas expliquer le motif de notre abstention, c'est-à-dire qu'il importait de ne pas revenir sur la non-intervention du Pape dans l'affaire, car cette non-intervention était ce qui irritait le plus et ce qui donnait lieu aux conséquences tirées contre le nouveau mariage et la descendance future; que dans cette lettre, il fallait arguer d'un motif indifférent, par exemple la maladie, la difficulté d'arriver à temps à cause de la foule, ou une autre excuse banale.

«Nous répondîmes que ce biais était impossible; que, tous, nous étions résolus à ne point trahir la vérité à n'importe quel prix; que nous ne voulions pas manquer à nos devoirs et à nos serments de soutenir les droits du saint-siége; que cette défense obligatoire exigeait l'allégation du véritable motif de notre conduite à l'exclusion de tout autre; que nous ne nous attendions pas aux conséquences qui allaient, disaient-ils, découler de l'exposition du vrai motif, et que nous n'entrions même pas dans ces éventualités; que nous ne prétendions point nous ériger en juges de l'affaire, mais que nous ne pouvions transiger en aucune façon sur la sincérité des causes qui nous avaient empêchés d'intervenir.

«Alors les ministres, voyant avec peine sacrifier des hommes innocents (car ils ne pouvaient pas s'empêcher de nous reconnaître comme tels), et désirant aussi accommoder la chose afin de contenter l'Empereur et de faire révoquer les mesures déjà prises et dont ils prévoyaient l'éclat, proposèrent diverses formules. L'un d'eux même déclara qu'il voulait essayer de trouver des expressions capables de concilier les deux parties.

«En parlant de la sorte, il se plaça à son bureau et rédigea des brouillons de phrases et des projets que l'on aurait pu, sous forme de modèle, accepter et copier dans la lettre pour l'Empereur. Alors on vit là ce qu'on voit d'ordinaire lorsqu'on se réunit en certain nombre, car il est impossible que plusieurs hommes aient tous les mêmes idées et envisagent au même instant une chose sous le même aspect.

«Il arriva donc qu'un de nous, perdant un peu l'équilibre, admit les formules proposées et même les copia avec assez d'imprudence afin de pouvoir plus facilement se rendre compte de la différence qui existait entre elles et cette autre formule qu'un esprit moins troublé et l'union des avis devait adopter plus tard et transcrire pour être remise à l'Empereur.

«Pendant ce temps, des cardinaux ne comprenant ni ce que l'on disait, ni ce que l'on faisait,—ils ignoraient le français, nous le répétons, et n'entendaient qu'imparfaitement et confusément ce qu'en rapportaient les autres qu'ils interrogeaient,—ne firent plus attention à la présence des ministres. Ils parlèrent en pleine liberté de la manière dont ils appréciaient l'affaire, et devinrent ainsi les principaux auteurs du rejet des modèles composés peu de minutes auparavant.

«En somme, ce fut là un triste quart d'heure. Comme les ministres insistaient pour qu'on rédigeât et qu'on signât, séance tenante, la lettre qu'ils devaient porter à Sa Majesté le lendemain matin, en allant lui rendre compte de l'exécution de ses ordres, c'est-à-dire de la communication qu'on nous avait faite, nous courûmes le risque d'attacher nos noms à un document dont nous n'aurions pas été contents peut-être en le relisant à tête calme et après cette épouvantable occurrence.

«Pour éviter un si grand péril, j'insinuai avec dextérité aux ministres qu'il y en avait beaucoup parmi nous qui ne savaient pas la langue, et qu'on ne pouvait pas minuter cette lettre à l'impromptu; qu'il fallait d'abord combiner les opinions, et que, dans cette vue, on l'écrirait le matin suivant. Les ministres répondirent que c'était impossible, puisque le matin même ils devaient aller faire leur rapport à l'Empereur résidant à Saint-Cloud, et qui vers midi partait pour son voyage de Saint-Quentin et des Pays-Bas.

«Ils pressèrent donc pour que la chose se fît instantanément. Quelques-uns d'entre nous, ne saisissant pas bien l'importance de cette précipitation, y consentirent. M'apercevant que tout ce que l'on pouvait gagner était de sortir au plus tôt de l'appartement officiel et d'aller dans un endroit où il serait possible de s'expliquer avec maturité, je proposai aux ministres de nous laisser nous retirer dans la maison de notre doyen, qui était voisine. Je leur promis que cette nuit-là même nous rédigerions la lettre, et que dès les premières heures du jour on la consignerait au ministre des cultes, personnage le plus important de l'affaire et chargé par l'Empereur de l'exécution de ses ordres.

«Les raisons que j'alléguai furent heureusement goûtées. Pour qu'on ne mît pas d'entraves à notre sortie, je fis valoir l'ignorance de la langue française constatée chez plusieurs et même chez le plus grand nombre. Cette ignorance exigeait, répétais-je sans cesse, une perte de temps considérable pour arranger les termes avec eux. Je réussis ainsi à nous tirer de ce mauvais pas, et tous ensemble nous nous rendîmes chez le cardinal Mattei, qui demeurait à très-peu de distance. Il était onze heures du soir quand nous nous séparâmes du ministre.

«En prenant congé de lui, on commit l'imprudence de lui donner à entendre qu'on avait fidèlement copié les expressions suggérées par les ministres, expressions qu'il eût été fort malheureux d'adopter.

«Arrivés dans l'appartement du cardinal Mattei, où nous pouvions parler en toute liberté, je m'empressai de relever l'inconvenance,—pour ne rien caractériser davantage,—qu'il y aurait à souscrire ces formules, et je fis saisir à tous ceux qui ne savaient pas la langue qu'ils n'avaient pas compris la portée des mots.

«Tous furent immédiatement d'avis de ne rien exprimer, dans la missive, en opposition avec nos devoirs ou qui pût altérer tant soit peu la vérité. On convint de l'exposer telle qu'elle était, en s'abstenant seulement de ce qui ne serait pas nécessaire. Il n'y avait plus à redouter que la différence existant entre notre lettre ainsi libellée et les formules des ministres. Là gisait l'insurmontable difficulté, car nous avions perdu le droit de leur confesser que nous ne nous souvenions pas très-bien de leurs paroles, puisque l'un de nous avait commis la faute d'en prendre copie.

«On ne se dissimula point combien les ministres et l'Empereur seraient irrités en ne nous voyant pas suivre leurs conseils. Nous savions que le ministre de la police devait voir Sa Majesté avant celui des cultes, qu'il lui aurait raconté notre entrevue du soir, et que, afin d'être agréable, il lui annoncerait que notre lettre serait rédigée d'après leurs inspirations. Cette fâcheuse coïncidence devait encore accroître la colère dc l'Empereur recevant une lettre si différente de celle qu'il attendait. Malgré ces réflexions, la volonté efficace de ne point faillir à nos devoirs et de ne rien tenter qui pût être réprouvé par la conscience prévalut dans nos âmes. Néanmoins on chercha, ainsi que l'exigeait la prudence, à ne pas trop s'éloigner de l'avis des ministres en ce qui n'était pas indispensable pour ne point trahir la vérité.

«Dans ce dessein, tous ensemble nous libellâmes un écrit dont chaque mot fut pesé un à un, et cinq heures s'écoulèrent dans ce travail. Notre lettre disait que, blessés par les accusations de complot et de rébellion qui nous avaient été révélées par le ministre de Sa Majesté, accusations si incompatibles avec notre dignité et notre caractère, nous nous faisions un devoir d'exposer nos sentiments à Sa Majesté avec la loyauté et l'énergie convenables à la circonstance.

«Ce commencement donnait à notre lettre la forme d'une réponse à des inculpations et rien autre, et nous montrions ainsi que notre but était uniquement de nous laver de la tache de révolte et de trahison. Nous déclarions ensuite qu'il n'y avait jamais eu de complot entre les cardinaux; que la conduite tenue par nous résultait de nos sentiments propres, manifestés tout au plus dans des entretiens confidentiels; que l'idée de voir le Pape exclu de cette affaire avait été la véritable cause de notre abstention; qu'en agissant de la sorte, nous n'avions pas prétendu nous ériger en juges, ni semer dans le public des doutes sur la validité du premier mariage, ou sur la légitimité des enfants qui naîtraient du second; qu'enfin il nous restait à prier Sa Majesté de bien se convaincre de notre obéissance. Dans cette lettre, personne ne songea, en aucune façon, à glisser quelque demande, afin d'être réintégrés dans la possession de nos fortunes et d'avoir le droit de porter la pourpre. Nous signâmes tous les treize par ordre d'ancienneté; puis, vers quatre heures du matin on se sépara, et chacun retourna chez soi.

«Le cardinal Litta, qui habitait chez le cardinal Mattei, porta notre document au ministre des cultes, parce que Mattei ne parlait point français, et que le ministre n'entendait pas l'italien.

«Ce haut fonctionnaire, ayant lu la lettre, s'en montra satisfait. Il dit qu'il la remettrait à l'Empereur à Saint-Cloud, et qu'il nous ferait connaître dans la soirée la réponse de Sa Majesté. Le soir arrivé, nous reçûmes tous un billet du ministre nous annonçant que le ministre de la police, parti pour Saint-Cloud avant lui, venait de lui communiquer à son retour que l'Empereur avait avancé son départ, qu'en conséquence l'audience n'avait pas eu lieu. Le ministre des cultes ajoutait qu'il ne serait pas en son pouvoir de suspendre les ordres signifiés la veille, de la part du maître.

«En écrivant ces mots, le ministre voulait nous faire comprendre qu'il fallait obtempérer aux injonctions reçues et nous dépouiller tout de suite de nos insignes cardinalices. C'est ainsi que de rouges nous devînmes noirs. De là naquirent les deux noms qui, à dater de ce moment, furent partout en usage pour distinguer les Cardinaux noirs et les Cardinaux rouges. On séquestra immédiatement tous nos biens, et ce fut un séquestre d'un nouveau genre, car, au lieu de laisser les revenus de nos propriétés entre les mains des séquestrants, ainsi que c'est l'usage afin d'en rendre compte, on eut soin de les verser au trésor public.

«L'Empereur passa de Saint-Quentin dans les Pays-Bas, et il retourna peu après à Compiègne, ou à Saint-Cloud,—je ne me souviens pas très-exactement de cela, mais je crois que ce fut à Compiègne.—Nous étions à Paris, et, comme nous n'avions plus de rentes, chacun s'empressa de renvoyer sa voiture, son domestique de place, et se contenta d'une habitation moins coûteuse.

«L'Empereur était revenu des Pays-Bas et chaque jour on apprenait une nouvelle contradictoire. Tantôt on répandait le bruit que Sa Majesté avait fait espérer la révocation de ses ordres contre nous aux ministres des cultes et de la police ainsi qu'au cardinal Fesch. Ce dernier parlait en notre faveur, parce que la distinction des rouges et des noirs lui déplaisait au suprême degré, les seconds étant beaucoup plus aimés et respectés que les premiers. D'autres fois on affirmait que Napoléon avait répondu en termes qui ne laissaient aucune espérance.

«Deux mois et demi s'écoulèrent dans ces alternatives. Le 10 juin, chacun de nous reçut un billet du ministre des cultes, qui nous convoquait chez lui à une heure marquée. Ces billets portaient l'indication d'heures diverses, mais chaque heure était désignée pour deux cardinaux à la fois. Nous nous rendîmes au moment prescrit, sans savoir pourquoi nous étions appelés. La première heure,—onze heures du matin,—avait été fixée au cardinal Brancadoro et à moi. J'arrivai avant lui. Le ministre me dit qu'il avait le déplaisir de me notifier que je devais partir dans les vingt-quatre heures pour Reims, où je resterais jusqu'à nouvel ordre; puis il me donna mon passe-port, préparé d'avance. Il communiqua la même nouvelle au cardinal Brancadoro, qui entrait comme je sortais. Tous les autres cardinaux reçurent la même intimation pendant les heures qui se succédèrent; le lieu seul de l'exil fut ce que le ministre changea.

«Le cardinal Brancadoro et moi nous fûmes donc destinés pour Reims; les cardinaux Mattei et Pignatelli pour Rethel, les cardinaux della Somaglia et Scotti pour Mézières, les cardinaux Saluzzo et Galeffi pour Sedan; plus tard on les interna à Charleville, parce qu'il n'y avait point d'appartements à Sedan; les cardinaux Litta et Ruffo Scilla furent envoyés à Saint-Quentin, le cardinal di Pietro à Semur, le cardinal Gabrielli à Montbard et le cardinal Opizzoni à Saulieu. Ces deux derniers se virent bientôt réunis au cardinal di Pietro.

«Il faut remarquer qu'en convoquant ainsi les cardinaux, on mit une attention particulière à éloigner les uns des autres les amis le plus étroitement liés. Par exemple, on sépara les cardinaux Saluzzo et Pignatelli, qui vivaient ensemble depuis plus de trois ans, les cardinaux Mattei et Litta, Gabrielli et Brancadoro qui habitaient sous le même toit depuis quelques mois. On m'adjoignit ce dernier, que j'avais vu à Paris moins que tous les autres, à cause de l'éloignement de nos demeures respectives, et je quittai le cardinal di Pietro, mon compagnon de voyage lorsque je vins de Rome à Paris. En un mot, chacun de nous fut uni à celui avec lequel il l'était le moins, bien que tous nous fussions de bons collègues. Le ministre des cultes nous offrit 50 louis pour les frais de route. Quelques-uns acceptèrent, d'autres remercièrent en refusant. Au moment de me rendre à ma destination, je fus appelé par le ministre. Il avait oublié, la première fois qu'il m'avait vu, de me délivrer cet argent, et il me pria de le prendre. Je m'empressai de décliner avec gratitude une pareille offre.

«Chacun se dirigea vers l'exil assigné. Très-peu de temps après, nous reçûmes une lettre du ministre des cultes annonçant que nous avions 250 francs par mois pour notre subsistance. Je remerciai encore, sans vouloir accepter. Je crois que tous les autres répondirent dans le même sens.

«C'est ainsi que cette affaire a été conduite jusqu'à cette heure. Seule la Providence sait ce que l'avenir nous réserve. En attendant, nous vivons dans notre exil, nous privant de toute société, ainsi qu'il convient à notre situation comme à celle du Saint-Siége et du Souverain Pontife, notre chef. Les cardinaux rouges sont restés à Paris, et l'on dit qu'ils fréquentent le grand monde.»

Lamartine.

(La suite au prochain entretien.)

CXIe ENTRETIEN.

MÉMOIRES DU CARDINAL CONSALVI, MINISTRE DU PAPE PIE VII, PAR M. CRÉTINEAU-JOLY. (TROISIÈME PARTIE.)

I

Il se retira à l'abri de tout soupçon par sa pauvreté et celle de sa famille. Le cardinal d'York, frère du prétendant au trône des Stuarts en Angleterre, l'aimait avec une réelle prédilection; il lui légua en mourant une somme considérable à titre d'exécuteur testamentaire. Consalvi refusa la somme et remplit le devoir.

La mort de son frère lui inspire ici des larmes égales à celles de Cicéron.

«Peu après la perte du cardinal duc d'York, que je respectais et aimais tant et qui me chérissait si paternellement de son côté, mon cœur fut frappé du coup le plus cruel qu'il pût jamais recevoir. Ah! au moment où je commence ce funèbre récit, les pleurs s'échappent en abondance de mes yeux! Que serait-ce donc si je devais écrire longuement sur ce trépas? car, et moi aussi, je puis dire avec vérité:

Tu mea, tu moriens fregisti commoda, frater,
Tecum una nostra est tota sepulta domus!
Omnia tecum una perierunt gaudia nostra,
Quæ tuus in vita dulcis alebat amor!

«Oui, il mourut après tous les autres, mon cher et unique frère André, lui qui m'aimait plus que lui-même, et qui m'en avait prodigué de si nombreuses et de si incontestables preuves; lui, un miroir de toutes les vertus; lui, religieux, humble, modeste, désintéressé, bienfaisant, courtois et aimable; lui, plein de talents, de savoir, et dont l'esprit était cultivé plus qu'aucun autre; lui, tout mon soutien, toute ma consolation et mon bonheur; lui, enfin, dont je ne pourrai jamais faire assez l'éloge pour égaler les mérites. Ah! oui, il mourut après une pénible maladie de soixante-treize jours, pendant laquelle il offrit de très-éclatants modèles de toutes les vertus chrétiennes. Il supporta courageusement ses souffrances. Au milieu des douleurs et dans ses peines continuelles, il se montra détaché de la terre et de moi-même, qui lui étais néanmoins si cher. Il fut plein de résignation à la volonté de Dieu; il l'aimait ardemment, ainsi que sa très-sainte mère. La ville entière, qui en sut bientôt la nouvelle, fut très-édifiée de cette mort. Il rendit son âme à son Créateur le 6 août 1807, jour quam semper acerbam, semper honoratam habebo. Que Dieu le veuille ainsi!

«J'étais à ses côtés quand il expira. Je n'avais jamais voulu le laisser un instant. En effet, je lui rendis les derniers devoirs, en faisant la plus extrême violence à mon cœur. Et comme je ne l'abandonnai point jusqu'à ce que le ciel eût reçu son âme, ainsi je ne l'abandonnerai point après mon trépas. Je désire que nos corps reposent ensemble et soient unis dans la mort, comme nos âmes furent unies durant la vie. Je lui en confirmai la promesse presque au moment où il expira. D'une voix affaiblie et tremblante, mais avec toute son âme sur ses lèvres pâlies, il m'en fit la touchante demande et en exigea l'assurance formelle. J'espère que le gouvernement sous lequel le ciel me fera mourir sera assez bon et assez humain pour ne pas mettre obstacle, dans une circonstance aussi indifférente, à l'accomplissement de ces vœux innocents de deux frères que les révolutions purent rendre infortunés,—je parle plutôt de moi que de lui,—mais qui ont toujours été honorés et honorables, et qui ne firent jamais de mal à personne. Je l'espère, et tandis que je nourris de cet espoir le misérable reste d'existence dont je désire vivement voir le terme, la chère mémoire d'André restera toujours gravée dans mon esprit et dans mon cœur.

«À dater de ce moment la vie me fut souverainement à charge, et il n'y eut plus de plaisir pour moi. Je n'étais plein que de sa pensée, et je remplissais mes devoirs dans le but de me rendre le moins possible indigne du secours du ciel et d'aller l'y rejoindre un jour. Depuis l'époque douloureuse de sa mort jusqu'au moment où j'écris, mon existence a été une série continuelle d'amertumes et de malheurs. Pendant l'espace de cinq mois je vis se succéder des jours plus sombres les uns que les autres, précurseurs de l'irruption des armées françaises venant à Rome pour renverser ce gouvernement dont je faisais partie, quoique sans mérite de ma part. J'assistai à cette invasion qui eut lieu le 2 février 1808, et si elle ne brisa pas subitement la souveraineté apparente du Pape, elle la détruisit néanmoins en substance. On languit encore dix-sept autres mois, en attendant la crise finale. Les jours et les nuits que l'on passa dans cette anxiété furent plus amers que la mort, morte amariores.

«Le 20 juin 1809, cette crise finale éclata; on déclara l'abolition de la souveraineté pontificale et l'annexion des États de l'Église à l'empire français. Après, je fus témoin d'un siége de plusieurs semaines que l'on mit devant le palais pontifical et qui arrachait les larmes des yeux de tous les bons; puis, dans les ténèbres de la nuit, le sac du Quirinal. On escaladait les murs en différents endroits, comme on aurait pu l'effectuer sur une citadelle prise d'assaut. Soldats, sbires, coupe-jarrets, galériens, sujets rebelles et ivres de colère, y pénétrèrent en armes, après avoir fait tomber la porte intérieure. Ils surprirent le Pape au lit, lui laissant à peine le temps de se lever. Ils lui proposèrent de souscrire aux volontés de l'empereur ou de partir immédiatement, sans désigner le lieu de l'exil. Le Pape refusa avec courage et fermeté. Il fut aussitôt enlevé de sa résidence; puis, seul avec le cardinal Pacca, pro-secrétaire d'État, sans un domestique, sans personne des siens,—on ne permit ensuite qu'à un petit nombre de le suivre,—on le jeta dans une mauvaise voiture, sur le siége de laquelle le général français avait pris place. Alors, avec la rapidité de l'éclair, et sans lui accorder aucun répit, on le traîna jusqu'à Grenoble, où il ne resta prisonnier que onze jours, parce que la piété du peuple inspirait des craintes au gouvernement. Le Saint-Père fut ensuite transféré à Savone, où il est encore captif.»

On voit que la vertu qui rend le caractère inflexible ne dessèche pas le cœur.

II

Le général Miollis gouverna Rome. Il était doux et lettré, il fit ses efforts pour capter Consalvi. Consalvi fut sensible, mais inébranlable; il ne lui rendit même pas sa visite. Il crut malséant de montrer aux Romains l'ami de Pie VII en relation avec le remplaçant temporel de son souverain emprisonné. Miollis était frère d'un ces évêques si dignes à qui Victor Hugo assigne un rôle si vertueux et si romanesque dans son livre des Misérables. Consalvi avait donné à ce frère du général français, émigré à Rome pendant la terreur et après, toute la protection papale à sa disposition. Miollis était reconnaissant. L'empereur Napoléon lui fit écrire de venir à Paris toucher les 30,000 fr. auxquels son titre de cardinal français lui donnait droit. Il refusa; il fut enlevé de Rome avec le cardinal di Pietro, coupable comme lui de fidélité à son bienfaiteur. Un rapport précédent avec les ministres et avec les princes et princesses de la famille impériale lui assurait des protections et des bénéfices. Il ne consentit pas à les voir, il renvoya son mandat de 30,000 fr. au ministre des cultes.

«Enfin je réfléchissais que le verre s'étant brisé, comme on dit, en d'autres mains que les miennes, il s'ensuivait naturellement que celui qui ne prenait pas la peine d'approfondir les choses et qui s'arrêtait à la seule rupture extérieure,—rupture non de mon fait ni de mes œuvres,—devait croire que mon éloignement du ministère n'était pas un avantage. Cependant les événements arrivés étant un effet des principes consacrés, ces événements eussent été les mêmes si j'avais gardé le pouvoir. Il paraissait donc très-faux de prétendre que dans ce cas ce qui était survenu n'aurait pas eu lieu.

«Ces considérations, qui prenaient leur source dans l'essence de la nature humaine, me faisaient appréhender, je le répète, un accueil favorable, et ce fut avec cette épine dans le cœur que, six jours après mon arrivée, je me rendis à l'audience impériale.

«Nous étions cinq cardinaux que le cardinal Fesch présentait ce jour-là à l'Empereur, tous cinq arrivés seulement durant cette semaine, savoir: le cardinal di Pietro, venu avec moi, et les cardinaux Pignatelli, Saluzzo et Despuig. Le cardinal Fesch nous avait placés à part d'un côté, en demi-cercle, tous les autres cardinaux étant de l'autre. Suivaient les grands de la cour, les ministres, les rois, les princes, les princesses, les reines, et autres dignitaires. Voici que l'Empereur arrive. Le cardinal Fesch se détache et commence par lui présenter le premier, qui est le cardinal Pignatelli. Nous étions, nous cinq, rangés par ordre de prééminence de cardinalat. À Fesch disant: «C'est le cardinal Pignatelli,» l'Empereur répond: «Napolitain,» et il passe outre, sans rien ajouter. Le cardinal Fesch présente le second, en disant: «Le cardinal di Pietro.» L'Empereur s'arrête un peu et lui dit: «Vous êtes engraissé. Je me rappelle de vous avoir vu ici avec le Pape à l'occasion de mon couronnement,» et il passe. Le cardinal Fesch dit en présentant le troisième: «Le cardinal Saluzzo.» «Napolitain,» répond l'Empereur, et il s'avance. Le cardinal Fesch présente le quatrième et dit: «Le cardinal Despuig.» «Espagnol,» répond l'Empereur. Et le cardinal plein de frayeur de répliquer: «De Majorque,» comme s'il reniait sa patrie. Je ne puis à ce trait retenir ma plume.

«L'Empereur passe outre; arrivé jusqu'à moi, il s'écrie, avant que le cardinal Fesch m'eût nommé: «Ô cardinal Consalvi, que vous avez maigri! je ne vous aurais presque pas reconnu.» Et en parlant ainsi avec un grand air de bonté, il s'arrêta pour attendre ma réponse. Je lui dis alors, comme pour expliquer mon amaigrissement: «Sire, les années s'accumulent. En voici dix écoulées depuis que j'ai eu l'honneur de saluer Votre Majesté.—C'est vrai, répliqua-t-il, voilà bientôt dix ans que vous êtes venu pour le Concordat. Nous l'avons fait dans cette même salle; mais à quoi a-t-il servi? Tout s'en est allé en fumée. Rome a voulu tout perdre. Il faut bien l'avouer, j'ai eu tort de vous renverser du ministère. Si vous aviez continué à occuper ce poste, les choses n'auraient pas été poussées aussi loin.»

«Cette dernière phrase me fit tant de peine, que je n'y voyais presque plus. Quelque désir que j'eusse d'être bien reçu par Napoléon, je n'aurais jamais osé croire qu'il en arrivât là. S'il pouvait m'être agréable de l'entendre attester en public qu'il avait été la cause de mon éloignement de la secrétairerie, je fus saisi de l'entendre affirmer que, si j'étais resté dans ce poste, les choses ne seraient pas allées aussi loin. Je craignis, si je laissais passer cette assertion sous silence, que cela ne donnât lieu au public de conclure qu'il en était vraiment ainsi et que j'aurais trahi mes devoirs, comme cela en paraissait la conséquence naturelle.

«Sous l'impression de cette crainte, je ne consultai que mon honneur et la vérité. Au lieu donc de me montrer touché et reconnaissant de sa bonté et de cet aveu si extraordinaire et tellement significatif sur les lèvres d'un pareil homme, aveu fait en s'accusant d'avoir eu le tort de m'écarter du ministère, je me vis dans la dure nécessité de riposter à une assertion des plus obligeantes de sa part par une phrase des plus fortes et des plus énergiques. Je lui dis donc: «Sire, si je fusse resté dans ce poste, j'y aurais fait mon devoir.»

«Il me regarda fixement, ne fit aucune réponse, et, se détachant de moi, il commença un long monologue, allant de droite et de gauche, dans le demi-cercle que nous formions, énumérant une infinité de griefs sur la conduite du Pape et de Rome pour n'avoir pas adhéré à ses volontés et s'être refusé d'entrer dans son système, griefs qui ne sont pas à rapporter ici. Après avoir ainsi parlé pendant un temps assez long, et se trouvant près de moi, dans ses allées et venues, il s'arrêta, puis répéta une seconde fois: «Non, si vous étiez resté dans votre poste, les choses ne seraient pas allées aussi loin.»

«Quoiqu'il fût bien suffisant de l'avoir contredit une fois, néanmoins, toujours animé des mêmes motifs, j'osai le faire de nouveau et lui répondre: «Que Votre Majesté croie bien que j'aurais fait mon devoir.»

«Il se mit à me regarder plus fixement. Sans rien répliquer, il se détacha de moi, recommença à aller et venir, continuant son discours, formulant les mêmes plaintes sur les actes de Rome à son égard, sur ce que Rome n'avait plus de ces grands hommes qui l'avaient autrefois illustrée. Puis s'adressant au cardinal di Pietro, le premier au commencement du demi-cercle, comme moi j'étais à l'autre extrémité, il répéta pour la troisième fois: «Si le cardinal Consalvi fût resté secrétaire d'État, les choses ne seraient pas allées aussi loin.»

«Lorsque Napoléon articula ces paroles pour la troisième fois, je ne dirai pas mon courage, mais mon peu de prudence dans cette occasion, et comme un zèle excessif de mon honneur, me firent passer les bornes. Je l'avais déjà contrarié deux fois; il ne me parlait pas alors comme précédemment; il était assez éloigné. Néanmoins, à cette répétition, je sortis de ma place, puis m'avançant jusqu'auprès de lui, à l'autre extrémité, et le saisissant par le bras, je m'écriai: «Sire, j'ai déjà affirmé à Votre Majesté que, si j'étais resté dans ce poste, j'aurais assurément fait mon devoir.»

«À cette troisième profession de foi, si j'ose ainsi parler, il ne se contint plus; mais, me regardant fixement, il éclata en ces paroles: «Oh! je le répète, votre devoir ne vous aurait pas permis de sacrifier le spirituel au temporel.» Dans son idée, il cherchait à se persuader que j'aurais adhéré à ses volontés plutôt que d'exposer les intérêts de la religion aux dangers de le voir rompre avec Rome. Cela dit, il me tourna les épaules, ce qui me fit revenir à mon rang. Alors il demanda, en peu de mots, aux cardinaux qui étaient de l'autre côté, s'ils avaient entendu son discours. Il revint ensuite à nous cinq, et se tenant proche du cardinal di Pietro, il dit que, le collége des cardinaux étant à peu près au complet à Paris, nous devions nous mettre à examiner s'il y avait quelque chose à proposer ou à régler pour la marche des affaires de l'Église. Il ajouta que nous pouvions nous réunir en conséquence, ou tous à la fois ou quelques-uns des principaux d'entre nous. Il expliqua ce qu'il entendait par les principaux: c'étaient les plus versés dans les questions théologiques, comme il ressortait de l'antithèse qu'il fit en disant au cardinal di Pietro, à qui s'adressaient ces paroles: «Faites que dans ce nombre se trouve le cardinal Consalvi, qui, s'il ignore la théologie, comme je le suppose, connaît bien, sait bien la science de la politique.» Il termina en demandant qu'on lui remît les résolutions par l'intermédiaire du cardinal Fesch, et il se retira.

«L'issue de cette audience et la réponse que par trois fois j'adressai à l'allégation de l'Empereur se répandirent bientôt dans Paris, et de Paris dans la France entière. Ce fut le thème de tous les entretiens, et je ne crois pas convenable de m'étendre davantage sur ce sujet.»

III

Napoléon songeait alors à séduire les cardinaux afin d'élever autel contre autel, par un concile soumis à ses inspirations. Les manœuvres hostiles du cardinal Fesch contre Consalvi dans cette circonstance se combinent avec la tentative avortée du concile pour exaspérer de plus en plus l'Empereur contre l'ami de Pie VII.

Jusqu'aux désastres de 1813 et de 1814, l'histoire de Consalvi n'est que le martyrologe volontaire de ses exils, de ses misères et de ses persécutions. Avant la dernière campagne de Napoléon en France, il sentit la nécessité de se réconcilier avec Pie VII, captif à Fontainebleau. Il s'y rendit avec la jeune impératrice, sous prétexte d'une partie de chasse. Il promit tout au Pape à condition de certaines concessions innocentes, au moyen desquelles il lui restituait ses États. Le Pape, si fidèle quand ses intérêts seuls étaient en question, fut doux et conciliant devant les caresses de l'Empereur. Il consentit et signa tout, au premier moment. L'Empereur repartit pour Paris avec la signature de ce nouveau traité; mais les cardinaux, conseillers du Pape, lui ayant été rendus, ils l'alarmèrent sur ses concessions et le firent regretter sa complaisance. Tout fut rompu et s'envenima. Pie VII reprit le rôle de martyr.

Après l'abdication de 1814, le consentement de l'Empereur et la force des événements le rendirent libre. Il reprit la route de Rome. Arrivé à Bologne, il y trouva le roi de Naples Murat, dont l'équivoque intervention hésitait entre la soumission au Saint-Siége et l'appel à l'insurrection de toute l'Italie contre l'Autriche et contre la France elle-même. En présence du pape Murat n'osa pas se prononcer. Il le laissa passer pour se donner du temps; Pie VII passa et arriva à Rome porté sur les bras et sur le cœur du peuple. Il reprit les rênes et rappela son ami Consalvi au gouvernement.

Pendant cette indécision, Murat se déclara, livra bataille aux Autrichiens, fut défait et se réfugia à Naples d'où il s'embarqua pour Toulon, puis pour la Calabre, où la mort l'attendait; mort cruelle où un roi héroïque tombait sous la balle d'un roi à peine restauré; tache de sang sur deux couronnes, qui tuait le vainqueur autant que le vaincu!

IV

Le Pape reconquit sans peine au congrès de Vienne tout ce que Napoléon avait dérobé par la force au domaine de l'Église. Les souverains ne pouvaient pas se porter héritiers des violences de la France vaincue et dépossédée. Le prince de Talleyrand, qui y représentait la France, avait intérêt à y faire prévaloir le Pape pour mériter sa propre réconciliation à force de services. L'Angleterre elle-même personnifiée dans lord Castelreagh, et servie par la duchesse de Devonshire, amie de Consalvi, favorisait de tout son pouvoir en Italie le rétablissement du pouvoir le plus irréconciliable avec Bonaparte son persécuteur. Le 19 mai 1814, le Pape rappelait Consalvi au ministère par le décret suivant daté de Foligno, écrit de sa propre main et qui respire l'amitié autant que l'estime:

«Ayant dû céder aux impérieuses circonstances dans lesquelles nous nous trouvions, et mû par le seul espoir d'amoindrir les maux qui nous menaçaient, nous avions été obligé de subir la volonté du gouvernement français déchu, qui ne voulait pas souffrir, dans la charge de notre secrétaire d'État, le cardinal Hercule Consalvi. Rentré maintenant en possession de notre liberté, et nous souvenant de la fidélité, de la dignité et du zèle avec lesquels il nous prodigua, à notre plus grande satisfaction, ses utiles et empressés services, nous croyons qu'il importe non moins à notre justice qu'aux intérêts de l'État de le rétablir dans cette même charge de notre secrétaire d'État, autant pour lui donner un public témoignage de notre estime particulière et de notre amour, que pour mettre de nouveau à profit ses qualités et ses lumières qui nous sont si connues.

«Donné à Foligno, du palais de notre habitation, le 19 mai 1814, de notre pontificat l'an XVe.

«Pius P. P. VII.»

V

Le premier acte de Consalvi fut d'offrir un asile à toute la famille de son persécuteur. «Nous ne trouvons d'appui et d'asile que dans le gouvernement pontifical, et notre reconnaissance est aussi grande que les bienfaits,» lui écrit Madame, mère de l'Empereur, en son nom et au nom de tous ses enfants proscrits.

LE COMTE DE SAINT-LEU (LOUIS BONAPARTE, EX-ROI DE HOLLANDE), AU CARDINAL CONSALVI.

«Éminence,

«Suivant les conseils du Très-Saint Père et de Votre Éminence, j'ai vu Mgr Bernetti, spécialement chargé de l'affaire en question, et, avec sa franchise bien connue, il m'a expliqué ce que les puissances étrangères semblaient reprocher à la famille de l'empereur Napoléon. Les grandes puissances, et l'Angleterre principalement, nous reprochent de conspirer toujours. On nous accuse d'être mêlés implicitement ou explicitement à tous les complots qui se trament; on prétend même que nous abusons de l'hospitalité que le Pape nous accorde pour fomenter dans l'intérieur des États pontificaux la division et la haine contre la personne auguste du Souverain.

«J'ai été assez heureux pour fournir à Mgr Bernetti toutes les preuves du contraire, et il vous dira lui-même l'effet que mes paroles ont produit sur son esprit. Si la famille de l'Empereur, qui doit tant au pape Pie VII et à Votre Éminence, avait conçu le détestable projet de troubler l'Europe, et si elle en avait les moyens, la reconnaissance que nous devons tous au Saint-Siége nous arrêterait évidemment dans cette voie. Ma mère, mes frères, mes sœurs et mon oncle doivent une trop respectueuse gratitude au Souverain Pontife et à Votre Éminence pour attirer de nouveaux désastres sur cette ville où, proscrits de l'Europe entière, nous avons été accueillis et recueillis avec une bonté paternelle que les injustices passées n'ont rendue que plus touchante. Nous ne conspirons contre personne, encore moins contre le représentant de Dieu sur la terre. Nous jouissons à Rome de tous les droits de cité, et quand ma mère a appris de quelle manière si chrétienne le Pape et Votre Éminence se vengeaient de la prison de Fontainebleau et de l'exil de Reims, elle n'a pu que vous bénir au nom de son grand et malheureux mort, en versant de douces larmes pour la première fois depuis les désastres de 1814.

«Conspirer contre notre auguste et seul bienfaiteur serait une infamie sans nom. La famille des Bonaparte n'aura jamais ce reproche à s'adresser. J'en ai convaincu Mgr Bernetti, et il a voulu lui-même nous servir de caution auprès de Votre Éminence. Qu'elle daigne donc entendre sa voix et nous continuer ses bonnes grâces et la protection du Très-Saint-Père. C'est dans cette espérance que je suis, de Votre Éminence, le très-respectueux et très-dévoué serviteur et ami,

«L. de Saint-Leu.

«Rome, 30 septembre 1821.»

VI

Le duc d'Orléans, plus tard Louis-Philippe, lui écrit peu de temps après:

«Éminence,

«Le prince de Talleyrand, qui garde de vous le plus tendre souvenir, me disait dernièrement que votre seul plaisir était la culture des fleurs, et votre noble amie la duchesse de Devonshire a bien voulu me confirmer le fait.

«Votre Éminence doit savoir que depuis longtemps déjà je m'honore d'être l'un de ses plus dévoués serviteurs, et que dans les diverses phases de ma carrière, je me suis toujours fait un devoir de vénérer l'auguste Pontife qui a tant souffert pour la sainte cause. Ces sentiments de piété envers le Siége de Pierre, que ma femme et moi sommes si heureux d'inculquer à notre jeune famille, sont invariables dans mon cœur. Je prie donc Votre Éminence de vouloir bien déposer mon plus humble hommage aux pieds du Très-Saint Père.

«Voulant me rappeler à votre bon souvenir, j'ai pris la liberté de faire adresser à Votre Éminence quelques échantillons de nos serres françaises. Je joins à ce très-modeste envoi, qui n'aura peut-être de prix à vos yeux que l'intention, la manière de les soigner telle que nos horticulteurs l'ont formulée. J'espère que cette caisse ne déplaira pas trop à Votre Éminence, et qu'en respirant le parfum de ces fleurs, qui se développeront peut-être encore davantage sous l'heureux climat et dans la chaude atmosphère de Rome, vous daignerez songer quelquefois à un homme qui sera toujours reconnaissant des services rendus. Ma femme et ma sœur se joignent à moi pour vous offrir leurs plus affectueux respects. Elles me chargent de tous leurs vœux pour la santé du Pape, qu'il faut conserver le plus longtemps possible à la chrétienté, car, avec lui et avec vous, la paix de l'Église et la paix du monde sont assurées.

«Je prie Votre Éminence d'accueillir avec bonté mon petit envoi et toutes les amitiés respectueuses de son tout dévoué

«Louis-Philippe d'Orléans.

«Neuilly, lundi..... 1822.»

VII

Le duc de Montmorency-Laval, ambassadeur près le Saint-Siége, lui écrit le jour de la mort de Pie VII.

«Monseigneur,

«Je n'ai pas osé interrompre les premiers moments de votre douleur. Personne ne sent plus que moi, je l'atteste à Votre Éminence, et ne partage davantage tous les sentiments dont son cœur doit être déchiré. Votre Éminence a perdu un père, un ami de vingt-quatre ans, à qui elle a rendu plus de services qu'elle n'en a reçu de confiance et de bonté. C'est un ange dans le Ciel qui prie à présent pour la conservation des jours de Votre Éminence. Ces jours sont nécessaires pour le bien de ce pays, et vos lumières, Monseigneur, rendront encore de grands et d'éminents services à la patrie.

«C'est ainsi que je le pense, que je me plais à le déclarer ici et à Paris.

«De grâce, Monseigneur, par bonté pour vos amis, par attachement pour votre patrie, épargnez votre santé, soignez-vous, modérez votre douleur, et croyez qu'elle est dans le cœur de vos amis; et je m'honore de ce titre.

«Je supplie Votre Éminence de ne me point répondre, je l'exige comme une marque d'amitié. Mais lorsque ma visite ne pourra pas l'importuner, elle me fera prévenir, et je me rendrai chez elle avec empressement.

«Agréez, Monseigneur, l'hommage de mes plus sensibles et respectueux sentiments,

«Montmorency-Laval.»

VIII

L'amitié personnelle éclate partout dans ces témoignages. Le nouveau pape Léon XII della Gonga était brouillé de longue date avec Consalvi. Il se réconcilia avec lui au moment où les ennemis du cardinal s'acharnèrent sur lui. Léon XII l'appela à Rome pour prendre la tradition du règne en présence de Jurla, son propre ministre. Consalvi se fit porter au Vatican. L'entretien fut long et intime. Il légua verbalement sa sagesse à Léon XII. «Quelle conversation! Jamais, dit le Pape, nous n'avons eu avec personne de communications plus instructives, plus substantielles, plus utiles à l'Église et à l'État; Consalvi a été sublime. Nous y reviendrons souvent, seulement il faut aujourd'hui ne pas mourir.»—Ce vœu ne devait pas être entendu. Consalvi mourut peu de temps après ce dernier entretien. Léon XII le pleura.

En annonçant au gouvernement français la perte que le monde venait de faire, le duc de Laval-Montmorency, ambassadeur du Roi Très-Chrétien près le Saint-Siége, écrivit: «Il ne faut aujourd'hui que célébrer cette mémoire honorée par les pleurs de Léon XII, par le silence des ennemis, enfin par la profonde douleur dont la ville est remplie, et par les regrets des étrangers et surtout de ceux qui, comme moi, ont eu le bonheur de connaître ce ministre, si agréable dans ses rapports politiques, et si attachant par le charme de son commerce particulier.»

IX

C'était le 24 janvier 1824.

L'Église perdit son premier ministre, l'État son premier politique, la papauté son premier ami; le même coup tua Pie VII et son ami. Il n'avait plus rien à faire sur la terre: il s'était préparé à la mort par un long testament pour une médiocre fortune. En voici les principales dispositions. Un testament, c'est un homme!

«Au nom de la très-sainte Trinité, ce 1er jour du mois d'août de l'année 1822;

«Moi, Hercule Consalvi, cardinal de la sainte Église romaine, diacre de Sainte-Marie ad Martyres, après avoir fait mon testament plus d'une fois, à diverses époques de ma vie, tant pour désigner mon héritier, qu'afin de pourvoir aux besoins de mes serviteurs et légataires, ainsi qu'à plusieurs affaires d'importance, considérant que, vu la mort de mon bien-aimé frère André et celle d'autres personnes qui m'étaient chères, vu encore le changement des circonstances, mes dispositions précédentes ne peuvent plus subsister dans la manière et la forme qu'elles ont, je me suis décidé à les révoquer, à les annuler et à faire un nouveau testament avec les changements opportuns. Me prévalant donc du privilége que je possède, en qualité de cardinal de la sainte Église romaine, de pouvoir tester sur simple feuille, profitant aussi de l'indult que Sa Sainteté le pape Pie VII m'a communiqué par bref, maintenant que je suis sain d'esprit et de corps, je fais mon dernier testament (à moins que je ne me décide à le changer en un autre postérieur, dans le courant de la vie qu'il plaira encore à Dieu de m'accorder), avec l'expresse déclaration que toutes les autres feuilles de même date ou de date postérieure au testament, écrites de ma main et signées par moi, et contenant une disposition quelconque à exécuter après ma mort, font partie intégrante de mon testament.

«Et d'abord je recommande humblement et chaleureusement mon âme au Seigneur très-clément, en le priant, par les mérites de son divin Fils Notre-Seigneur Jésus-Christ, qui m'a racheté au prix immense de son très-précieux sang, par l'intercession de la très-sainte Vierge Marie et des Saints, mes patrons, de la conduire en un lieu de salut, et de me pardonner dans sa miséricorde infinie mes très-graves péchés.

«Je veux qu'on fasse célébrer pour le repos de mon âme, dans le plus bref espace de temps qu'il sera possible, deux mille messes, destinant une aumône de cinq paoli pour chaque messe célébrée en présence de mon corps, soit à la maison, soit à l'église, et de trois paoli pour chacune des autres messes à célébrer à Saint-Laurent hors des murs, à Saint-Grégoire et dans d'autres églises où se trouvent des autels privilégiés avec indulgence spéciale, selon l'indication de mon héritier.

«En expiation de mes péchés, je laisse à distribuer en aumônes la somme de trois mille écus. Cette distribution sera faite avec la plus grande sollicitude possible par mon héritier mentionné ci-dessous. Il aura soin, avec l'aide de M. Jean Giorgi, mon trésorier, et Jean Luelli, mon majordome, personnes qui me sont très-attachées, de consulter les curés et de vérifier quels sont ceux qui ont vraiment besoin de secours. Les pauvres de ma paroisse seront spécialement préférés à tous les autres.

«Sa Sainteté Notre Seigneur le Pape le permettant, mes obsèques auront lieu, avec la décence convenable, dans l'église Saint-Marcel au Corso, où se trouve la sépulture de ma famille. Me souvenant de la promesse que j'ai faite à mon bien-aimé frère André au lit de mort, lorsque, dans les derniers moments de sa vie, il me demanda qu'en signe du très-tendre amour qui nous avait unis dans la vie, nos corps fussent unis dans la mort et renfermés dans le même sépulcre, je veux que si, à ma mort, ce sépulcre ne se trouve pas déjà préparé par moi, mon héritier en fasse faire un très-modeste, et qui contiendra le cercueil de mon frère et le mien.»

Après avoir pourvu aux besoins de son âme, réglé sa sépulture et spécifié avec une attention toute particulière les prières qu'il exige pour son salut, le cardinal Consalvi détermine les legs qu'il accorde à ses serviteurs. Aucun d'eux n'est oublié; ils trouvent tous dans la gratitude de leur maître une aisance assurée pour le reste de leurs jours. Il s'occupe du payement de ses dettes; puis, par un touchant souvenir, le cardinal pense aux âmes des personnes qui lui furent chères et qui le précédèrent dans la tombe, et il écrit:

«Dans ce feuillet, qui fait partie de mon testament, je laisse à prendre sur mon héritage la somme nécessaire à la célébration de:

«Cinquante messes chaque année, pour le repos de l'âme de ma mère, la marquise Claudia Consalvi, née Carandini, à célébrer dans l'église de Saint-Marcel au Corso, le 29 avril, jour anniversaire de sa mort, avec l'aumône de trois paoli;

«Cinquante messes chaque année, pour le repos de l'âme de la princesse Isabelle Ruspoli, née Justiniani, à célébrer dans l'église de Saint-Laurent in Lucina, le 25 août, jour anniversaire de sa mort, avec l'aumône de trois paoli;

«Cinquante messes chaque année, pour le repos de l'âme de la duchesse de Ceri, Catherine Odescalchi, née Justiniani, à célébrer dans l'église des Saints-Apôtres, le 24 novembre, jour anniversaire de sa mort, avec l'aumône de trois paoli;

«Cinquante messes chaque année, pour le repos de l'âme de la marquise Porzia Patrizi, à célébrer dans l'église de Sainte-Marie-Majeure, le..... jour anniversaire de sa mort (puisse Dieu prolonger longtemps ses jours!), avec l'aumône de trois paoli;

«Cinquante messes chaque année, pour le repos de l'âme de la duchesse Constance Braschi, née Falconieri, à célébrer dans l'église de Saint-Marcel au Corso, le 17 juin, jour anniversaire de sa mort, avec l'aumône de trois paoli;

«Cinquante messes chaque année, pour le repos de l'âme de D. Albert Parisani, à célébrer dans l'église de Saint-Marcel au Corso, le 26 novembre, jour anniversaire de sa mort, avec l'aumône de trois paoli;

«Cinquante messes chaque année, pour le repos de l'âme du célèbre maëstro Dominique Cimarosa, à dire dans l'église de la Rotonde, le 11 janvier, jour anniversaire de sa mort, avec l'aumône de trois paoli;

«Trente messes chaque année, pour le repos de l'âme de Philippe Monti, mon domestique, à célébrer dans l'église de Sainte-Cécile in Transtevere, le 1er mars, jour anniversaire de sa mort, avec l'aumône de trois paoli.

«Désirant donner un soutenir à tous les membres de la secrétairerie d'État, et ne pouvant disposer d'assez d'objets pour tant de personnes, je me propose de laisser à chacun d'eux quelques ouvrages de ma bibliothèque, qui leur seront remis (ainsi qu'à M. le comte Celano) par mon héritier fiduciaire, d'après les instructions que je lui en laisserai, dès que j'en aurai moi-même fait le choix.

«Ayant dans mon testament, écrit tout entier et de ma propre main et daté de ce même jour, nommé et institué mon héritier fiduciaire Mgr Alexandre Buttaoni, promoteur de la foi, avec charge de remettre en temps et lieu l'héritage à mon héritier propriétaire, je déclare par ce feuillet, qui fait partie de mon testament, ne rien posséder qui, en vigueur du motu proprio du 6 juillet de l'année 1816, ne soit parfaitement libre de toute charge et de tout fidéicommis; et je nomme, institue, déclare mon héritier universel de tous et chacun de mes biens, crédits, droits, la Sacrée Congrégation de la Propagande de la foi, à laquelle néanmoins j'interdis formellement et de la manière la plus expresse, la détraction de la quatrième Falcidia, de quelque manière et à quelque titre que ce soit.

«J'entends, je veux, je déclare que, tant que vivra un seul de mes serviteurs gratifiés par mon testament, ou de ceux qui ont reçu un legs annuel à vie, la Sacrée Congrégation ci-dessus nommée ne puisse jouir (excepté de ce qui sera indiqué plus bas) de mon héritage, ni en prendre en aucune manière l'administration, voulant que cette administration soit laissée entière et libre aux mains de mon héritier fiduciaire, Mgr Alexandre Buttaoni (ainsi qu'aux mains de celui ou de ceux qui lui succéderont dans son administration). Non-seulement je le dispense de faire un inventaire légal, mais, pour éviter les frais voulus pour cela, je le lui défends; il suffit qu'il dresse une simple liste des biens tant immeubles que meubles (quoique pourtant ces derniers doivent être aliénés et convertis en espèces, pour satisfaire aux charges indiquées au feuillet, lettre E, annexé à mon testament, ou dans mon testament même), liste qui, vu la probité reconnue dudit héritier fiduciaire, devra faire pleine foi.

«Afin que la susdite Congrégation de la Propagande commence dès ma mort à ressentir quelque effet de mon héritage, je veux qu'à partir de mon décès elle jouisse d'une somme annuelle de 600 écus, qui lui seront payés par mon héritier fiduciaire, administrateur de mon héritage, par échéance mensuelle ou tous les trois mois, si le manque de fonds ne lui permettait pas d'effectuer les payements mensuels aux serviteurs légataires et d'acquitter les 50 écus par mois, correspondant à la somme de 600 écus assignés plus haut à la Sacrée Congrégation.

«Quand, par la mort successive de la majeure partie de mes serviteurs et légataires annuels, les fonds de mon héritage permettront d'accroître la somme de 600 écus déterminée plus haut mon héritier fiduciaire pourra (sans pourtant y être positivement obligé) verser dans la caisse de la Sacrée Congrégation la nouvelle augmentation qu'il jugera pouvoir remettre, après avoir satisfait aux charges accessoires et aux dispositions reçues de vive voix.

«Après la mort de tous ceux qui dans mon testament ont été gratifiés et des annuels légataires, mon héritier fiduciaire devra consigner à la Sacrée Congrégation l'héritage alors existant.

«Je déclare en outre que la susdite Congrégation ne pourra jamais obliger l'héritier fiduciaire, ou celui qui lui succédera, à donner la fidéjussion; comme aussi elle ne pourra le contraindre à rendre compte de sa gestion, ni à révéler les dispositions reçues de vive voix ou par écrit de moi, confirmant même dans ce feuillet ce que j'ai plus amplement dit sur ce sujet dans mon testament.

«À peine entré en possession de son titre, mon héritier fiduciaire, pour prévenir le cas possible (puisse Dieu conserver longtemps ses jours!) d'une mort qui ne lui laisserait pas le temps de nommer son successeur dans l'administration de mon héritage, devra, en vertu du mandat reçu, nommer son successeur dans un écrit qui sera déposé clos et scellé dans un office caméral, pour être ouvert après sa mort; et j'entends imposer successivement la même obligation aux autres administrateurs. Si les premiers venaient à manquer avant la mort de mes serviteurs et autres légataires, et dans le cas où quelqu'un de ces administrateurs eût négligé ou eût manqué de faire la nomination de son successeur, prescrite plus haut, je prie le doyen du tribunal de la Rote, dont j'ai eu l'honneur d'être membre, de prendre lui-même cette administration, et d'accepter l'annuelle rétribution destinée à l'administrateur, et ainsi successivement jusqu'à l'époque indiquée plus haut.

«Je ne crois pas pouvoir mieux disposer des tabatières précieuses qui, durant le cours de mon ministère, m'ont été données par divers souverains, et que j'ai conservées par respect et reconnaissance envers les augustes donateurs, qu'en en faisant autant de legs en faveur des maisons et établissements qui sont le plus dans la nécessité. Je suis à chercher une meilleure distribution de ces objets; mais dans le cas où je viendrais à mourir avant de l'avoir définitivement arrêtée, je maintiens celle-ci, qui, dans le moment, me paraît la plus convenable.

«Considérant qu'il serait grandement inconvenant qu'un Pontife de tant de célébrité, qui a si bien mérité de l'Église et de l'État, comme Pie VII, n'eût point après sa mort (puisse Dieu prolonger ses jours!) un tombeau dans la basilique Vaticane, comme semble l'indiquer la médiocrité des revenus qu'il laisse à ses neveux; mû par mon dévouement et mon attachement à sa Personne sacrée, inspiré par la reconnaissance que je lui dois comme premier cardinal de sa création, comblé des bienfaits de sa souveraine bonté, j'ai résolu de lui faire ériger un mausolée à mes frais dans la susdite basilique.

«Dans ce but, j'ai tâché de faire des économies, sur les dépenses annuelles destinées à mon entretien, et de réunir une somme de 20,000 écus romains. Si je mourais avant Sa Sainteté, comme je le désire, mon héritier fiduciaire reste chargé de consacrer la somme fixée à l'érection de ce tombeau, dont l'exécution sera confiée au ciseau du célèbre marquis Canova, et, à son défaut, au célèbre chevalier Thorwaldsen, et, si celui-ci ne pouvait l'exécuter, à un des meilleurs sculpteurs de Rome.

«L'inscription suivante sera gravée sur le tombeau:

PIO VII, CHARAMONTIO, COESENATI,
PONTIFICI MAXIMO, HERCULES, CARDINALIS CONSALVI,
ROMANUS, AB ILLO CREATUS.

X

Voilà la vie d'homme d'État de ce modèle des amis et des hommes de bien; nous ne disons pas des prêtres: il ne l'était pas; il n'avait jamais voulu l'être; ce n'était ni sa vocation ni son ambition.

L'Église romaine, à Rome, reconnaît trois classes d'hommes parmi lesquels elle choisit ses serviteurs:

Les laïques;

Les ecclésiastiques;

Et les prélats ou monseigneurs.

Les laïques sont ceux qu'elle emploie soit dans le civil, dans la diplomatie, dans les finances ou dans le militaire, pour les besoins de son administration ou de sa défense;

Les ecclésiastiques sont les moines ou les prêtres de tout ordre, dont elle dispose pour tous les services dans le monde chrétien.

Mais il y a de plus un ordre neutre qui porte le costume sacerdotal et qui en reçoit les titres sans néanmoins en contracter les engagements ni en assumer les obligations, sorte de long et quelquefois d'éternel noviciat. Ceux qui en font partie s'appellent prélats ou monseigneurs, et, depuis les dignités inférieures jusqu'au rang de cardinaux, sont en quelque sorte les ministres libres de l'Église. Il y a peu de grande famille à Rome ou dans les légations qui n'aient des fils dans cette classe. Ils sont à Rome ce que les Narseis étaient au sein des cours et du gouvernement asiatique dans l'antiquité. Race éminemment politique qui tient à l'État sans être l'État lui-même, qui se dévoue sans retour à ses fonctions préparatoires, qui se retire de ses emplois sans les compromettre ou qui les continue, et qui peut même se marier avant d'en avoir fait les vœux, sans préjudice pour l'Église ou eux-mêmes. Cette troisième catégorie, dépendante et volontaire du Saint-Siége, a l'immense avantage de se former de bonne heure aux affaires sans que ses fautes puissent nuire au gouvernement, et de s'en retirer sans apostasie. Nous connaissons plusieurs de ces prélats ou monseigneurs qui sont sortis de ces noviciats pour contracter des unions licites et respectées, avec l'approbation du Pape. On les essaye, ils s'essayent eux-mêmes, et, si la carrière ne leur convient pas, ils rentrent honorablement dans le monde, sans scandale et sans reproche; ils ont de plus pour le Saint-Siége ces avantages, que ses affaires purement mondaines sont traitées avec les hommes du monde par des hommes du monde, et que l'Église, par eux, participant de deux natures, est sacerdotale avec ses prélats et laïque avec ses ministres. Le respect et l'habileté y gagnent. Ces hommes commencent en général très-jeunes par être des secrétaires du Pape, des novices, des ambassadeurs et des cardinaux; ils s'élèvent par des grades réguliers de fonction en fonction jusqu'aux premières charges de l'État. «Le Pape voulut, dit Consalvi, me créer cardinal de l'ordre des prêtres; je préférai être cardinal diacre.»

XI

Voilà ce que fut dès son enfance Consalvi; mais, quand Pie VII le fit cardinal, il refusa d'être prêtre. Il se consacra non à sa propre sanctification, mais à bien comprendre et à bien faire les affaires du Pape et de son gouvernement. Il voulut être dévoué, mais nullement enchaîné à ses devoirs. On peut même entrevoir, d'après un passage de ses mémoires relatifs à son affection intime pour les familles Patrizzi et Giustiniani, dans sa jeunesse, que la mort prématurée d'une jeune princesse de dix-huit ans, à la main de laquelle il aurait pu peut-être prétendre, et dont l'amitié lui laissa d'éternels regrets, fut un coup déchirant porté à son cœur. La vivacité pathétique de ses expressions laisse voir l'ardeur de ses sentiments pour cette jeune et charmante princesse. Il ne lui était défendu ni d'aimer ni de pleurer ce qu'il aurait pu chérir: il avait alors vingt-deux ans.

XII

Dès son enfance il était remarquablement beau; non de cette beauté ostentative qui s'étale et qui s'affiche sur la physionomie, mais de cette beauté modeste, pleine de pensée et voilée de réticences, qui s'insinue dans l'âme par le regard. Sa taille, naturellement élevée, mais légèrement inclinée par la modestie, cette convenance de son âge, était mince et élégante; ses yeux sincères, son front délicat, sa bouche accentuée d'une grâce sévère. Il était impossible de le voir sans attrait; le son de sa voix avait toute la délicatesse de son âme; il n'y avait jamais eu ni un geste faux dans sa main féminine, ni un ton affecté dans sa voix. Tout était naturel dans cette franche nature. Sa démarche lente et rhythmique, sans bruit comme sans précipitation, résumait son corps merveilleusement cadencé. Sa physionomie convaincue portait la conviction où portait son regard. Il n'avait aucune coquetterie où Fénelon en laissait trop percer; son désir de plaire ne s'affectait pas, il plaisait en se montrant; c'était un être persuasif, politique sans le savoir, diplomate sans le vouloir; il parlait peu et à demi-voix; ce n'était pas sa voix, c'était sa personne qui était éloquente. Tel était tout jeune le cardinal Consalvi. Il avait des envieux, mais point d'ennemis.

On peut dire qu'il était resté jeune jusqu'à soixante-sept ans, âge où un chagrin de son cœur fut plus fort que la fermeté de son esprit, et où la mort de son ami le tua. Je l'ai connu peu d'années avant sa fin; le portrait que je fais de ses années pleines et mûres serait certainement le portrait vivant de ses premières. Je crois le voir encore et je crois le revoir à vingt ans. L'âge des sens change avec les années, l'âge de la physionomie ne change pas; c'est l'âge de l'âme. Quand je le connus, il touchait à la vieillesse; mais cette vieillesse avait toute la grâce même de la jeunesse, la douceur, la sérénité, l'accueil souriant des belles années. Le pressentiment du repos définitif se faisait place à travers les dernières fatigues du jour; il jouissait à moitié de l'apaisement que sa politique, si conforme au génie de son maître, avait assuré à l'Europe.

XIII

Sa vie était celle d'un sage qui a semé dans les agitations et qui a récolté ce qu'il a semé, la paix. Je ne sais pas s'il était dévot, mais il était honnête homme. La tolérance la plus large était plus que sa loi, c'était son instinct, son caractère. Les longs rapports qu'il avait eus dès sa jeunesse avec les hommes d'État de tous les gouvernements, à commencer par le prince régent, avec Canning, Stuart, Castelreagh, en Angleterre; Talleyrand, Fouché, Napoléon, en France; Gentz, Hiebluer, dans le Nord; l'empereur Alexandre, de Maistre, en Russie; Capo d'Istria, en Grèce; Cimarosa, à Naples, le grand musicien, ami et successeur de Mozart, prédécesseur de Rossini; Pozzo di Borgo, Decazes, sous la restauration; Matthieu de Montmorency, le duc de Laval, Chateaubriand, Marcellus, dans l'ambassade de France à Rome; Metternich et son école, en Autriche; Hardenberg, en Prusse: lui avaient enseigné que le vrai christianisme se compose, sans acception, de ces idées générales qui, sans se formaliser pour ou contre tel ou tel dogme, généralisent le bien, la civilisation, la paix sous un nom commun, et font marcher le monde pacifié non dans l'étroit sentier des sectes, mais dans la large et libre voie du progrès incontesté sous toutes ces dénominations. Le plus chrétien de ces gouvernements, à ses yeux, était le plus honnête. Il n'en haïssait aucun, il les aimait tous. Le Pape pour lui était le père commun de la civilisation chrétienne. Il n'excluait pas même les gouvernements de l'Inde, de la Perse, de la Turquie, de la Chine, de ces égards et de ces assistances politiques. Partout où ces gouvernements lui montraient une vertu, il disait et il faisait dire au Pape: «C'est une partie de mon Église, et c'est ainsi que je la reçois et que je la conserve universelle.» Aussi ne peut-on, malgré tous les efforts contraires, montrer sous Pie VII la semence d'un schisme qui ait fructifié dans le monde. Les schismes sont étroits; la tolérance, mère de la bienveillance, les tue en les laissant respirer en liberté. Cet embrassement universel du cœur était toute sa politique. Elle avait résisté dans le Pape et dans lui à toutes les iniquités et à toutes les persécutions; elle avait triomphé par toute la terre, et le calme des consciences était son fruit. Quel est le souverain, quel est le grand ministre en Europe qui eût pu dire: «Je ne suis pas de la religion de Pie VII et de Consalvi?» L'amitié était sa nature, l'amitié était sa doctrine, l'amitié était l'unique charme de sa vie.

XIV

On ne peut douter qu'il n'eût tous les jours de rudes assauts à soutenir contre les partis, les ordres ecclésiastiques et les hommes du parti de la haine. Il y a et il y a eu en tout temps des esprits contentieux, ambitieux, impolitiques, mal nés, et qui ne connaissent les doctrines auxquelles ils se prétendent attachés, que par la haine que les partis contraires leur inspirent. Ce ne sont ni les hommes de la religion, ni les hommes de la liberté: ce sont les hommes de la personnalité jalouse; l'amour même n'est chez eux qu'une réaction. Si vous vous refusez à vous laisser persécuter, vous êtes des factieux; si vous ne haïssez pas ce qu'ils haïssent, vous êtes des impies. Ils ne sentent le feu sacré des religions qu'à la chaleur des bûchers qu'elles allument. Il y avait beaucoup de ces hommes en ce temps-là à Rome; résumés dans ce qu'on appelait le parti de la congrégation jésuitique, à tort ou à raison, et résumés plus éloquemment alors par quelques faux prophètes, tels que Lamennais, dans son Essai sur l'indifférence religieuse, dans le comte de Maistre, plus sincère, mais plus fanatique, et par quelques-uns de leurs disciples, brûlant de se donner la grâce du bourreau, à la suite de ces forcenés de doctrines. Ils n'aimaient ni le pape Pie VII, ni son ministre; il fallait leur complaire et les réprimer. L'œuvre était délicate et difficile, car ces hommes se faisaient soutenir par leur gouvernement. Ce fut l'œuvre du cardinal Consalvi; il fit aimer le gouvernement de Pie VII, sans jamais l'induire envers aucune puissance dans la moindre aigreur ou dans la moindre animadversion contre lui.

XV

Sa vie privée, depuis sa plus tendre jeunesse jusqu'à sa mort, fut l'exemple de la plus touchante et de la plus constante amitié. On en retrouve des preuves dans ce testament écrit à loisir où nul n'est oublié ni devant Dieu, ni devant les hommes, de tous ceux qu'il a aimés sans acception de rangs, de professions, de situations plus ou moins profanes, en contraste avec sa profession de cardinal ministre; il fait un signe de l'autre côté de la tombe, pour dire: «Je vous aime comme je vous ai aimés.» Nous n'en citerons que deux exemples: Cimarosa, le fameux musicien de Naples, qui par ses opéras égala au commencement du siècle ce messie de la musique, Mozart, et qui ne chercha dans la musique que l'organe le plus pénétrant de son cœur. Consalvi, jeune encore, avait le délire de la musique, cette langue sans parole qui vient du ciel et qui exprime sans mots ce que l'âme rêve et ce qui est le plus inexprimable aux langues humaines; la musique, langue des anges, quand elle avait touché son âme, y restait à jamais comme le souvenir d'un autre monde, comme une apparition à l'âme d'un sens supérieur aux sens d'ici-bas. Il ne pouvait s'empêcher de regarder, comme un inspiré du ciel, celui qui trouvait ces chants inaccoutumés des hommes. Il entendit pour la première fois à Naples les plus beaux morceaux du jeune Cimarosa; il en reçut une telle impression qu'elle s'immobilisa dans son cœur. La musique est la plus immaculée et la plus pure des sensations humaines. Elle fait jouir de tout ce que la religion ascétique défend de rêver, même à ses saints. Consalvi se sentit pris pour jamais de la plus tendre affection pour Cimarosa; il parvint à le connaître; ils contractèrent ensemble la plus impérissable affection. Le futur cardinal et l'immortel compositeur ne firent plus qu'un cœur; il s'attacha à la femme et à la fille de Cimarosa, il s'incorpora à ce génie, et ne cessa, pendant toute sa vie, de prodiguer aux divers artistes les occasions et les faveurs que son rang dans l'Église lui permettait de prodiguer à son ami.

On voit après trente ans, dans son testament, qu'il légua (tout ce qu'il pouvait léguer) des sacrifices et des prières pour la famille de cet homme qui lui faisait aimer toujours ce qu'il avait aimé une fois. Il n'eut point le respect humain de l'amitié. Les dons de Dieu lui parurent aussi sacrés que les titres des hommes, le nom de Cimarosa lui parut digne d'honorer la dernière pensée de Consalvi.

XVI

Le second de ces exemples est une femme dont il ne prononça le nom en apparence que par nécessité, comme pour éviter les interprétations hasardées du monde: c'est celui de la duchesse de Devonshire.

La seconde duchesse de Devonshire jouissait de l'immense domaine de cette maison, et le duc l'avait épousée après la mort de sa première et célèbre épouse. Elle menait à Londres, à Paris, et surtout dans son palais de Rome et à Naples, la vie somptueuse d'une femme célèbre par sa beauté, par son esprit et par ses richesses; elle s'était faite cosmopolite, mais surtout Italienne par passion pour le soleil et pour les arts. Elle était en réalité la reine de l'Italie; son palais sur la place de la colonne Trajane était le palais des artistes et l'hospice de tous les voyageurs illustres. Son goût exquis dispensait la faveur, et sa faveur était celle du gouvernement romain. Elle était déjà d'un certain âge, et l'on voyait dans toute sa personne, aussi délicate que majestueuse, les traces plutôt que l'éclat de sa grande beauté. Mais sa bonté et sa grâce n'avaient pas vieilli d'un jour.

Libre de choisir parmi les plus grands hommes d'État des gouvernements d'Italie l'homme qu'elle distinguerait de son amitié, elle avait distingué, il y avait plusieurs années, le cardinal, déjà connu d'elle en 1814 à Londres. Cette connaissance l'avait attirée à Rome, où elle faisait son principal séjour. Le cardinal, tel que nous venons de le dépeindre, quoiqu'il eût à cette époque soixante ans, avait mieux que la beauté: il avait tout le charme que la renommée, le génie, l'attrait physique et moral pouvaient inspirer à une femme lasse d'amour, mais non d'empire. On disait à Rome, à cette époque, qu'un mariage secret autorisé par les règles, les traditions de l'Église et l'autorisation du Pape pour les cardinaux diacres, les unissait; d'autres pensaient que le prince royal et le gouvernement anglais, ne pouvant avoir d'ambassadeur accrédité auprès du souverain pontife, mais très-intéressés cependant à s'y faire représenter, avaient choisi pour agent confidentiel la duchesse de Devonshire, pour protéger les intérêts britanniques, par l'intermédiaire d'une Anglaise sincèrement catholique et liée intimement avec le premier ministre de Pie VII. Les habitudes de vie de Consalvi confirmant l'une ou l'autre de ces interprétations, je n'oserais pas affirmer laquelle est la plus vraie.

Ce qui est certain et ce qui était public à Rome, c'est l'intimité avouée de la duchesse et du premier ministre. Aussitôt que le cardinal avait accompli auprès du Pape ses devoirs du matin, il se rendait régulièrement auprès de son amie et s'entretenait confidentiellement avec elle dans sa chambre, assis à côté de son lit couvert de papiers et de correspondances examinés en commun. Après cette première séance, le cardinal se retirait pour aller vaquer à ses nombreuses affaires de la journée. Le soir, quand le Pape était couché et que les heures de loisir avaient sonné pour lui, sa voiture le ramenait régulièrement, de dix à onze heures, chez la duchesse environnée alors d'une étroite société d'artistes ou d'hommes politiques étrangers, composée de cinq ou six personnes agréables au cardinal. Il s'y reposait encore une heure des fatigues du jour dans un doux et libre entretien, avec l'abandon de l'intimité et de la confiance. J'y allais presque tous les jours; c'est ainsi que j'ai pu le connaître et l'aimer; sa bonté pour moi était si grande que, bien que l'étiquette diplomatique pour les dîners du jeudi saint chez le Pape n'autorisât pour ces invitations que les souverains et les ministres étrangers, il fit une exception en ma faveur, et il m'invita, malgré ma jeunesse et mon rang secondaire, à dîner avec le vice-roi de Naples Ferdinand et la duchesse de Floridia, son épouse, à ce banquet de têtes couronnées ou augustes. «Les écrivains, répondit-il à mon modeste refus de cette faveur, n'ont point de rangs que ceux que l'opinion leur donne. Venez toujours; je ne vous fais point inviter comme diplomate, mais comme ami.»

XVII

Indépendamment de ces deux visites de chaque jour chez la duchesse, le peu d'instants qu'il pouvait dérober aux affaires étaient consacrés à la culture d'un petit jardin d'Alcinoüs qu'il avait acheté sur la rive du Tibre, auprès des ruines de Pont-Riltoa; il y cultivait, comme un chartreux, quelques fruits et quelques fleurs: ainsi la culture de ses devoirs assidus auprès du Pape, la culture de l'amitié auprès d'une femme respectée et aimée, et la culture des orangers et des œillets de Rome arrosés des eaux du Tibre, étaient les seuls délassements de cet homme de la nature et de la religion.

XVIII

C'est ainsi qu'il vivait, c'est ainsi qu'il mourut. Quand les infirmités de Pie VII, aggravées accidentellement par un accident dans sa chambre qui lui rompit la clavicule, eurent précipité sa mort sainte comme sa vie, il sentit le flot des ambitions ajournées monter rapidement autour de lui dans le sacré collège pour le submerger; il se retira, pour ne pas le voir, dans une petite et pauvre maison de campagne aux bords de la mer, non loin d'Anzio et de Rome. L'ingratitude l'avertit, il l'attendait, il dédaigna de se défendre contre elle; il ne pouvait lui opposer que vingt ans d'heureux et fort gouvernement, la tranquillité à Rome, sa pauvreté volontaire et l'amitié de son maître. Il ne demandait à la Providence que de survivre assez de temps pour lui élever un tombeau qu'ombragerait le sien; il en confia le dessin et l'exécution à Canova, qu'il aimait comme il avait aimé Cimarosa. Le Pape son ami étant mort, et avec lui son défenseur, il se laissa mourir.

Bel exemple pour les ministres d'une institution dont le présent se détache et qui ne peut vivre que d'honnêtes et habiles ajournements de la fatalité; heureuse condition des pouvoirs résignés qui ne peuvent vivre que de leur innocence!

Lamartine.

CXIIe ENTRETIEN.

LA SCIENCE OU LE COSMOS, PAR M. DE HUMBOLDT. (PREMIÈRE PARTIE.) LITTÉRATURE SCIENTIFIQUE.

I

Je vais aujourd'hui vous entretenir d'un livre séculaire, le Cosmos, de M. de Humboldt. Cosmos veut dire l'univers, le monde, le tout. Je me suis dit, en ouvrant ce procès-verbal de la science universelle: Enfin je vais tout savoir. Je rends grâce au ciel de m'avoir fait vivre jusqu'à ce jour, où, par la main d'un grand homme, le voile du sanctuaire a été déchiré et les secrets de Dieu révélés au grand jour, car cet homme, enflammé d'une si immense ambition, cet homme dont le nom retentit depuis ma naissance dans le monde lettré, cet homme devant qui les savants de tous les pays s'inclinent en lui rendant hommage, ne peut pas être un homme ordinaire, un jongleur, un charlatan, un joueur de gobelets pleins de vide, un nomenclateur spirituel prenant les noms pour des choses; il doit savoir mieux que moi qu'un dictionnaire n'est pas un livre, qu'un procès-verbal n'est pas une logique, qu'en nommant les phénomènes on ne les définit pas, qu'on recule la difficulté sans la résoudre par des dénominations savantes, et qu'en réalité la vraie science ne consiste pas à connaître, mais à comprendre l'œuvre du Créateur. Je vais donc lire, je comprendrai davantage après avoir lu cette magnifique théologie naturelle de la science par laquelle l'auteur des choses permet à ses créatures d'élite telles que Newton, Leibniz, les deux Herschel, d'admirer sa puissance et de conjecturer sa sagesse par la perception plus claire de ses magnificences infinies; le doigt savant de l'enthousiasme va m'approcher de lui, et je dirai, quoique ignorant, l'hosanna de la science, les premiers versets du moins de l'hymne à l'infini.

J'achetai les quatre volumes du prophète scientifique de Berlin, et je passai quatre mois de l'été à lire. Je vous dirai plus loin ce que j'éprouvai après avoir lu.

Mais, avant, disons ce que c'était que M. de Humboldt. L'homme sert beaucoup à expliquer le livre.

II

Il y avait, vers la fin du dix-septième siècle, dans les environs de Stettin, en Poméranie, une famille d'antique origine de ce nom qui servait l'électeur de Brandebourg, plus tard roi de Prusse, dans les armes et dans la diplomatie. Georges de Humboldt fut le dernier rejeton de cette illustre lignée. Il fut nommé, à la fin de la guerre de Sept ans, chambellan du grand Frédéric. C'était en 1765; il avait vaillamment combattu pour la cause du roi comme officier de dragons. Vers la fin de sa vie il désira se reposer dans un château plus près de Berlin; il quitta ses terres de Poméranie et acheta le manoir champêtre de Tégel, ancienne résidence de chasse de la maison royale de Prusse, et il s'y établit avec la veuve du baron d'Holwede, qu'il avait récemment épousée. Le vrai nom de Mme d'Holwede était Mlle de Colomel, du nom d'une famille française de la Bourgogne réfugiée en Allemagne après la révocation de l'édit de Nantes. Les Colomel étaient des gentilshommes verriers, qui transportèrent leur noblesse industrielle en Prusse.

Georges de Humboldt en eut deux fils: l'aîné, que j'ai connu dans ma première jeunesse, était Guillaume de Humboldt; le cadet fut Alexandre de Humboldt, l'auteur du Cosmos. Il naquit à Tégel, le 14 septembre 1769. Les deux frères passèrent leur heureuse enfance dans ce château. Plus tard, Guillaume de Humboldt, le diplomate, le fit réédifier sous la forme d'une immense tour qui portait aux quatre angles d'autres tourelles, et qui conservait au manoir royal sa physionomie féodale.

Le prince de Prusse venait chaque année faire visite à la famille de Humboldt, ses successeurs dans le domaine de ses pères. Goethe en immortalisa les traditions romantiques dans une de ses ballades.

Une forêt de pins sauvages et ténébreux environne le château de Tégel, et le sépare de Berlin. Il a pour horizon, au midi, de beaux jardins, des vergers, et la citadelle de Spandau. L'Homère de l'Allemagne, Goethe, y vint à pied pendant l'enfance des deux frères, et son sourire caressant bénit leur avenir. Leur première éducation était alors confiée à Campe, ancien aumônier du régiment de dragons de leur père. Campe était devenu l'ami de la maison; c'était un homme d'élite, très-capable et très-digne d'élever un savant et un homme d'État, tels que furent Guillaume et Alexandre de Humboldt, deux frères éclos du même nid, pour une double célébrité.

En 1789, Campe accompagna à Paris l'aîné de ses élèves, Guillaume de Humboldt, et lui fit entrevoir le grand mouvement de la révolution européenne qui allait modifier le monde. À son retour, il quitta le château de Tégel, pour aller fonder à Hambourg l'institut d'enseignement qui a rendu son nom populaire. Kimth, homme distingué, le remplaça, devint l'ami de la noble famille, et, après la dispersion des deux frères, fut chargé par eux de gouverner leur terre de Tégel.

Les premiers maîtres de toutes les sciences les achevèrent à l'université de Berlin. Guillaume, doué d'une sensibilité plus mûre, dépassa son frère Alexandre, et le livre de Werther par Goethe, qui parut alors et qui fanatisa l'Allemagne et l'Europe, communiqua à Guillaume de Humboldt un sentiment comparable à ce que créa plus tard parmi nous le roman de Paul et Virginie, par Bernardin de Saint-Pierre, ou René, par Chateaubriand. Alexandre resta froid. Il y a des délices qui annoncent les grands hommes, et qui commencent le festin de la vie, au lieu des ivresses qui ne viennent qu'après le banquet: ce sont les meilleures. Guillaume était fait pour les éprouver; son âme pleine de combustible était prête à l'incendie; la première étincelle devait y allumer le feu des passions, et ces passions devaient y laisser la cendre féconde d'une précoce sagesse.

III

Les deux frères, quoique cordialement unis, suivaient des voies différentes à leur entrée dans la vie: Guillaume, la voie large et universelle de l'homme destiné aux actions vives et généreuses de la vie publique; Alexandre, les études spéciales et concentrées de la vie scientifique. L'un, sensible à la séduction des femmes, lié avec les plus belles actrices des théâtres de Berlin; l'autre, absorbé dans les livres, et ne recherchant que les savants. La même diversité de penchants les suivit à l'université de Francfort. L'Anglais Forster, compagnon de Cook dans ses voyages, lui en donna le goût, pour rivaliser avec Cook. C'est dans ses entretiens avec Forster qu'il conçut la première idée de son voyage terrestre dans l'Amérique du sud. Alexandre, au contraire, se livra aux élucubrations religieuses, poétiques et philosophiques des Allemands de distinction qui habitaient Francfort. Guillaume, ayant rejoint Campe, son premier instituteur, à Brunswick, alla avec lui assister avec une joie sérieuse, à Paris, à l'éclosion d'une philosophie politique, en 1789. Alexandre partit avec Forster et sa femme pour les bords du Rhin et la Hollande, afin d'y étudier les phénomènes de la nature purement matérielle. Guillaume, de retour en Allemagne, se lia à Weimar avec le poëte Schiller, et avec la jeune et spirituelle fille du président de Dawscherode, à Erfurth. Il fut nommé, bientôt après, conseiller d'ambassade. Tous ses désirs tendaient à amener chez lui, en qualité d'épouse, la belle Caroline Dawscherode. Alexandre brigua et obtint une place d'inspecteur des mines. Il adopta alors les théories neptuniennes des naturalistes allemands, et écrivit des opuscules dans ce sens. La mort de leur mère les surprit alors; ils la pleurèrent tous deux comme la racine commune de leur existence. Guillaume prit le château et la terre de Tégel, où il continua de vivre avec sa charmante femme. Alexandre vendit les autres domaines de la succession, pour fournir aux frais de son voyage en Amérique, projeté depuis son enfance. L'amitié des deux frères ne fut nullement altérée; leur amitié fraternelle s'enrichit au contraire de l'affection de la femme aimée d'Alexandre. Il en avait déjà deux enfants.

IV

Cependant Alexandre, ayant tout préparé en Prusse pour son immense pensée, alla, en 1799, à Paris, enrôler avec lui un Français distingué, Amédée Bonpland, et partit avec lui pour l'Espagne, afin d'y solliciter de la cour de Madrid les faveurs nécessaires à l'accueil qu'il désirait obtenir des vice-royautés de l'Amérique, et d'y saisir l'occasion d'un passage que la France, en guerre avec l'Angleterre, ne lui offrait pas. Le roi d'Espagne le reçut avec bonté, et se prêta à tous ses désirs. Il obtint un passage avec sa suite sur la corvette le Pizarro, et s'embarqua à la Corogne, sous les auspices de la reconnaissance pour la royauté espagnole. Le roi lui avait accordé les instructions les plus bienveillantes pour tous les dépositaires de son pouvoir en mer et en Amérique.

V

Il mit à la voile le 5 juin 1799; en approchant de Ténériffe, les voyageurs reçurent un dernier salut de l'Europe.

Une hirondelle domestique, accablée de fatigue, se posa sur une voile, assez près pour être prise à la main; c'était un dernier, un tardif message de la patrie, inattendu dans un pareil moment, et qui, comme eux, avait été porté sur les mers par un penchant invincible. Mais les nouvelles impressions de magnifiques tableaux de la nature se renchérirent à l'approche des îles que l'on voyait s'élever à l'horizon, par une mer tranquille et un ciel pur. Humboldt passa souvent, avec son ami, une bonne partie de la nuit sur le pont. Ils y contemplaient les pics volcaniques de l'île de Lancerote, une des Canaries, éclairée par les rayons de la lune, au-dessus desquels apparaissait la belle constellation du Scorpion, qui parfois se dérobait aux yeux, voilée par les brouillards de la nuit surgissant derrière le volcan éclairé par la lune. Là ils virent des feux qui glissaient çà et là, à des distances incertaines, dans la direction du rivage noyé dans le lointain; c'étaient apparemment des pêcheurs qui, se préparant à leurs travaux, parcouraient le rivage, et cela conduisit Humboldt à se rappeler la légende des feux mobiles qui apparurent aux anciens Espagnols et aux compagnons de Christophe Colomb sur l'île de Guanahani, dans cette nuit remarquable qui précéda la découverte de l'Amérique. Mais cette fois encore ces feux mobiles furent un présage pour Humboldt, ce Colomb scientifique des temps modernes.

Nos voyageurs atteignirent les petites îles du groupe des Canaries. Le tableau que forment ces rivages, ces rochers aux cônes émoussés, ces volcans élevés, réjouit leur âme. La mer leur offrit là d'intéressants végétaux marins, et, de plus, l'erreur de leur capitaine qui prit un rocher basaltique pour un fort, et y envoya un officier, leur fournit l'occasion de visiter la petite île la Gracieuse. C'était la première terre que Humboldt foulait depuis son départ d'Europe, et il rend compte en ces termes de l'impression qu'il en ressentit: «Rien ne peut exprimer la joie qu'éprouve le naturaliste quand, pour la première fois, il touche une terre qui n'est pas l'Europe. L'attention se porte sur tant d'objets, que l'on a de la peine à se rendre compte des émotions que l'on ressent. À chaque pas on croit trouver un produit nouveau, et, dans le trouble de son esprit, il arrive souvent que l'on ne reconnaît pas ceux qui sont le plus communément dans nos jardins botaniques et nos collections historiques.»

Le brouillard de l'atmosphère lui voilait le fameux pic de Teyde à Ténériffe, que de loin déjà Humboldt s'était réjoui de contempler, et, comme ce rocher n'est pas couvert de neiges éternelles, il est visible à une distance prodigieuse, lors même que son sommet en pain de sucre reflète la couleur blanche de la pierre ponce qui le recouvre, d'autant plus qu'il est en même temps entouré de blocs de lave noire et d'une vigoureuse végétation.

Humboldt et son compagnon étant arrivés à Sainte-Croix de Ténériffe, et ayant obtenu du gouverneur, sur la recommandation de la cour de Madrid, l'autorisation de faire une excursion dans l'île, ils en profitèrent le jour même, après avoir trouvé dans la maison du colonel Armiage, chef d'un régiment d'infanterie, l'accueil le plus gracieux et le plus bienveillant. C'est dans le jardin de son aimable hôte que Humboldt vit pour la première fois le bananier, que jusque-là il n'avait trouvé que dans les serres chaudes, le papaya (ou arbre à melons) et d'autres plantes tropicales qui croissent en liberté.

Comme, à cause du blocus anglais, le vaisseau sur lequel voyageait Humboldt ne pouvait s'arrêter plus de quatre ou cinq jours, Humboldt devait se hâter d'arriver avec Bonpland au port d'Orotava, d'où il prendrait un guide pour le conduire au pic. Ils rencontrèrent en chemin un troupeau de chameaux blancs que l'on emploie dans le pays comme bêtes de somme. Mais, avant tout, il s'agissait de gravir ce fameux pic. C'était la première des espérances de Humboldt qu'il voulait réaliser.

Une route charmante le conduisit de Laguna, ville située à 1,620 pieds au-dessous de la mer, au port d'Orotava. Il y fut émerveillé de l'aspect d'un paysage d'une incomparable beauté. Des dattiers et des cocotiers couvrent le rivage; plus haut, sur la montagne, brillent des dragonniers; les flancs sont garnis de vignes, qui tapissent les chapelles répandues çà et là, au milieu des orangers, des myrtes et des cyprès; tous les murs sont chargés de fougères et de mousses, et, tandis que plus haut le volcan est couvert de neige et de glace, il règne, dans ces vallées, un printemps perpétuel. C'est au milieu des impressions produites par cette nature de paradis que Humboldt et ses compagnons arrivèrent à Orotava. Ils suivirent en sortant de là une belle forêt de châtaigniers, sur un chemin étroit et pierreux qui se dirige vers les hauteurs du volcan.

Par le fait, Ténériffe, première région tropicale dont Humboldt faisait la connaissance, était de nature à développer son goût pour les voyages, à soutenir son courage et à le fortifier. Lorsque le naturaliste Anderson, qui accompagna le capitaine Cook dans son troisième voyage autour du monde, recommandait à tous les médecins de l'Europe d'envoyer leurs malades à Ténériffe, pour y recouvrer le calme et la santé au sein de la belle nature, au milieu du tableau toujours vert d'une végétation luxuriante qui séduit l'âme, ce n'était pas une exagération, car Humboldt représente aussi cette île comme un jardin enchanté. Il fut impressionné par ce magnifique tableau de la nature et l'exprima hautement, quoique, aux yeux des géologues, cette île ne soit qu'une montagne intéressante d'origine volcanique et formée à différentes époques.

Humboldt gravit le pic avec ses compagnons, et se livra là-haut à d'intéressantes observations sur sa formation, son histoire géologique, et sur les différentes zones successives de végétaux qui lui forment une ceinture. Il en déduisit une observation commune à tout le groupe des îles Canaries, à savoir que les produits inorganiques de la nature (montagnes et rochers) restent semblables à eux-mêmes jusque dans les régions les plus éloignées; mais que les produits organiques (plantes et animaux) ne se ressemblent pas.

En passant le long des côtes des îles Canaries, Humboldt croyait voir des formes de montagnes depuis longtemps connues et situées sur les bords du Rhin, près de Bonn, tandis que les espèces de plantes et d'animaux changent avec le climat et varient encore d'après l'élévation ou l'abaissement des lieux. Les rochers, plus vieux apparemment que la cause des climats, se montrent les mêmes sur les deux hémisphères. Mais cette différence dans les plantes et les animaux, qui dépend du climat et de l'élévation du sol au-dessus de la surface de la mer, réveilla chez Humboldt le besoin d'étendre encore ses recherches sur le développement géographique des plantes et des animaux, et ses recherches ultérieures en Amérique firent de lui le premier fondateur de cette science. En gravissant le fameux pic de Ténériffe, il vit déjà la preuve évidente de l'influence exercée par les hauteurs sur cette progression du développement des plantes.

Il parcourut, immédiatement après, la région des bruyères arborescentes, puis il rencontra une zone de fougères; plus haut un bois de genévriers et de sapins; plus loin encore un plateau couvert de genêts, large de deux lieues et demie, par lequel il arriva enfin sur le sol de pierre ponce du cratère volcanique où le beau Retama, arbuste aux fleurs odorantes, et la chèvre sauvage qui habite le pic, lui souhaitèrent la bienvenue.

On devait espérer qu'au sommet du cratère d'un volcan, Humboldt poursuivrait plus particulièrement ses recherches géologiques, et il le fit avec grand succès, car il rassembla dans cette occasion de nouveaux matériaux pour les observations et les explications qu'il devait produire plus tard sur l'influence des volcans dans la forme du globe et la production des tremblements de terre. En jetant un regard vers la mer et ses rivages, Humboldt et Bonpland s'aperçurent que leur navire, le Pizarro, était sous voiles, et cela les inquiéta fort, parce qu'ils craignaient que le bâtiment ne partît sans eux. Ils quittèrent en toute hâte les montagnes, cherchant à gagner leur navire qui louvoyait en les attendant.

Mais, dans cette courte excursion, Humboldt avait gagné de riches observations pour ses recherches à venir. Le groupe des îles Canaries était devenu pour lui un livre instructif d'une richesse infinie, dont la variété, quoique dans un cercle étroit, devait conduire un génie comme celui de Humboldt à l'intelligence de choses plus étendues, plus générales. Il vit quelle était la véritable mission du naturaliste et l'importance des recherches spéculatives. Le sol sur lequel, nous, hommes, nous voyageons dans la joie et dans la peine, est ce qu'il y a de plus variable; c'est la destruction et la reproduction qui se succèdent avec une incessante activité; il est régi par une force qui organise et moule la matière informe, qui enchaîne la planète à son soleil, qui donne à la masse froide et inerte le souffle vivifiant de la chaleur, qui renverse violemment ce qui a l'apparence de la perfection et que l'homme, dans l'étroitesse de sa portée, est obligé d'appeler grand; enfin qui substitue incessamment les nouvelles formes aux anciennes. Quelle est donc cette force? Comment crée-t-elle, comment détruit-elle? Telles sont les premières grandes questions qui se présentèrent à Humboldt, et il voulut consacrer toute sa vie scientifique à y répondre.—Que signifie un jour de la création? s'écria-t-il. Ce jour indique-t-il la révolution de la terre autour de son axe, ou bien est-ce le produit d'une série de siècles? La terre ferme a-t-elle surgi hors des eaux, ou bien les eaux ont-elles jailli des profondeurs de la terre? Est-ce la puissance du feu ou celle de l'eau qui a fait élever les montagnes, qui a nivelé les plaines, qui a limité la mer et ses rivages? Qu'est-ce que les volcans, comment sont-ils nés, comment fonctionnent-ils? À ces questions que s'adressait Humboldt, Ténériffe fournit une première réponse. Il reconnut la vérité du principe qu'il avait déjà suivi précédemment dans ses recherches: de ne considérer les faits isolés que comme une partie de la chaîne des grandes causes et des grands effets généraux qui sont en rapports intimes et découlent les uns des autres, dans les seuls laboratoires de la nature; il reconnut qu'il faut trouver le fil conducteur dans cette sorte de labyrinthe d'une variété infinie, et que, partant, il ne faut pas regarder avec indifférence le fait isolé et ce qui nous paraît petit, mais plutôt apprendre à voir le grand dans le petit, le tout dans la partie. C'est dans cet esprit que le volcan de Ténériffe fut pour Humboldt la clef des grands mystères de la vie générale; il découvrit les différents moyens que la nature emploie pour créer et pour détruire, il apprit ainsi à faire d'un fait isolé la mesure des faits généraux.

Le feu du volcan qu'il gravit à Ténériffe était depuis longtemps éteint, mais ses vestiges furent pour Humboldt des lettres grandioses qui lui firent comprendre la puissance de cet élément qui mit jadis le globe en ignition, fit éclater sa surface, ensevelit dans des tremblements de terre hommes, animaux, plantes et villes, et qui, faisant encore pénétrer ses artères dans les profondeurs du globe, ébranle çà et là le sol, ou produit par l'ouverture des cratères, sortes de soupapes de sûreté, ces explosions de flammes et de lave bouillante qui viennent au jour. Voilà ce que Humboldt nous fit comprendre.

VI

Mais suivons le navire qui porte Humboldt et son ami, et qui fend les flots dans la direction de l'Amérique centrale.

Nos voyageurs s'occupaient particulièrement, dans leur marche, des vents de mer qui règnent dans ces parages et qui deviennent de plus en plus constants à mesure que l'on approche des côtes d'Afrique. La douceur du climat, le calme habituel de la nature, doublaient le charme de ce voyage, et, lorsque Humboldt fut arrivé dans la région septentrionale des îles du cap Vert, son attention fut attirée par d'immenses plantes marines qui surnageaient et qui, formant en quelque sorte un banc de végétaux aquatiques, plongeaient apparemment leurs racines jusque dans les profondeurs de la terre, puisqu'on en a trouvé des tiges de huit cents pieds de longueur. Un nouveau tableau de la nature qu'il rencontra encore, ce furent les poissons volants dont il étudia l'anatomie et la propriété de voler. Mais la pensée humaine fait aussi valoir ses droits, dans un voyage à travers le vaste océan; partout où l'œil se porte, il voit les flots, les nuages, ou la clarté du ciel, et cette contemplation le reporte aux événements familiers d'autrefois. Les habitants d'un vaisseau recherchent la vue d'un homme étranger; ils voudraient entendre le son de la parole d'une bouche étrangère, venant d'un autre pays... c'est donc un événement qui saisit de joie, quand vient à passer un autre navire; on se précipite sur le pont, on s'appelle, on se demande son nom, son pays, on se salue et bientôt on se voit réciproquement disparaître à l'horizon.

Les travaux scientifiques de Humboldt et de son compagnon, malgré la richesse des matériaux où chaque jour apportait à leur ardeur quelque chose de neuf et de rare, ne pouvaient apaiser les mouvements de leur cœur; aussi Humboldt se réjouissait-il de voir briller une voile à l'horizon lointain. Mais la première douleur qu'éprouva le navigateur, ce fut lorsqu'il découvrit un jour, au loin, le corps et les débris d'un malheureux navire que les plantes marines enlaçaient de toutes parts. L'épave s'élevait comme une tombe couverte de gazon—où devaient être les restes de ceux que la cruelle tempête avait vus exhaler leur vie dans une suprême lutte contre la mort!... Involontairement nos voyageurs se sentirent le cœur attristé de ces pensées.

Mais un spectacle plus beau, plus agréable, s'offrit à Humboldt, dans la nuit du 4 au 5 juillet. Sous le seizième degré de latitude, il aperçut pour la première fois la brillante constellation de la Croix du sud, et l'apparition de ce signe d'un monde nouveau lui fit voir avec émotion l'accomplissement des rêves de son enfance. L'émotion qu'il ressentit à cette heure de sa vie, ses propres paroles nous la révèlent: «Quand on commence à jeter les yeux sur les cartes géographiques, et à lire les descriptions des voyageurs, on éprouve pour certains pays, pour certains climats, une sorte de prédilection dont, arrivé à un âge mûr, on ne peut pas trop bien se rendre compte. Ces impressions ont une influence remarquable sur nos résolutions, et nous cherchons comme instinctivement à nous mettre en rapport avec les circonstances qui, depuis longues années, ont pour nous un attrait particulier. Jadis, lorsque j'étudiais les étoiles, je fus saisi d'un mouvement de crainte, inconnu de ceux qui mènent une vie sédentaire; il m'était douloureux de penser qu'il faudrait renoncer à l'espoir de contempler les belles constellations qui se trouvent au voisinage du pôle sud. Impatient de parcourir les régions de l'équateur, je ne pouvais porter mes yeux vers la voûte étoilée du ciel, sans penser à la Croix du sud, et sans me rappeler en mémoire le sublime passage du Dante[1].»—Tous les passagers, notamment ceux qui avaient déjà habité les colonies d'Amérique, partagèrent la joie que Humboldt ressentit à la vue de cette constellation. Dans la solitude de l'océan on salue une étoile comme un ami dont on est séparé depuis longtemps, et surtout pour les Espagnols et les Portugais, une religieuse croyance leur rend chère cette constellation. Était-ce cette même étoile que les navigateurs du quinzième siècle, lorsqu'ils voyaient s'abaisser dans le nord l'étoile du ciel de la patrie, saluaient comme un signe d'heureux augure pour continuer joyeusement leur route?

Dans les derniers jours de son voyage, Humboldt devait encore apprendre à connaître les douloureuses angoisses de la maladie à bord. Une fièvre maligne éclata, dont la gravité fit des progrès à mesure que le navire approchait des Antilles. Un jeune Asturien de dix-neuf ans, le plus jeune des passagers, mourut, et sa mort impressionna péniblement Humboldt à cause des circonstances qui avaient motivé le voyage; le jeune homme allait chercher fortune, pour soutenir une mère chérie qui attendait son retour. Humboldt, livré à de pénibles réflexions, se trouva sur le pont avec Bonpland (la fièvre sévissait à fond de cale); son œil était fixé sur une montagne ou sur une côte que la lune éclairait par intervalle, en traversant d'épais nuages. La mer doucement agitée brillait d'un faible éclat phosphorescent, on n'entendait que le cri monotone de quelques oiseaux de mer qui gagnaient le rivage. Il régnait un profond silence; l'âme de Humboldt était émue de douloureux sentiments. Alors (il était huit heures) on sonna lentement la cloche des morts, les matelots se jetèrent à genoux pour dire une courte prière; le cadavre de ce jeune homme, peu de jours auparavant si robuste, si plein de santé, allait recevoir, pendant la nuit, la bénédiction du culte catholique, pour être jeté à la mer, dès le lever du soleil.

C'est au milieu de ces tristes pensées que Humboldt aborda les rivages du pays qui lui avait déjà souri dans ses rêves de jeunesse, qu'il avait adopté pour but de tous les projets de sa vie, et vers lequel il avait été si joyeux de naviguer pour y trouver l'image fidèle de la nature tropicale. Mais le destin, qui depuis avait suscité dans la vie de Humboldt des retards et des déceptions, en le forçant à attendre des occasions plus favorables, voulut mettre à profit pour lui la maladie qui avait éclaté sur le navire, en apportant à ses plans de voyage une diversion fertile en résultats. Les passagers que le fléau n'avait pas atteints, effrayés de la contagion, avaient pris la résolution de s'arrêter au plus prochain lieu de relâche favorable, pour attendre un autre navire qui les porterait au terme de leur voyage, Cuba ou Mexico. On conseilla au capitaine de se diriger sur Cumana, port situé sur la côte au nord-ouest de Venezuela, et d'y déposer les passagers à terre. Cela détermina aussi Alexandre de Humboldt à modifier provisoirement son itinéraire, à visiter d'abord les côtes de Venezuela et de Paria, qui étaient peu connues, et à ne gagner que plus tard la Nouvelle Espagne. Les beaux végétaux que jadis il avait admirés dans les serres chaudes de Vienne et de Schœnbrunn, il les trouvait là, luxuriants, dans leur sauvage liberté, sur le sol qui les avait vus naître. Avec quelle indicible volupté il pénétra dans l'intérieur de ce pays qui était encore un mystère pour les sciences naturelles! Humboldt et Bonpland descendirent à Cumana, laissèrent le navire qui jusqu'alors les avait portés continuer sa route, et c'est ainsi que l'épidémie survenue sur le bâtiment fut la cause des grandes découvertes de Humboldt dans ces régions de l'Orénoque jusqu'aux frontières des possessions portugaises au Rio Negro.

Cette circonstance a aussi pu être la cause accidentelle de la santé et de la sécurité dont ils jouirent pendant leur long séjour dans ces régions équinoxiales, car, à la Havane, où ils auraient dans tous les cas pris terre, s'ils n'avaient pas quitté prématurément le navire, et où ils se seraient trouvés depuis longtemps, régnait une grave maladie qui avait déjà enlevé beaucoup de leurs compagnons.

VII

Débarqué à Cumana et recueilli par les métis espagnols, avec l'empressement que les Européens dépaysés témoignent à leurs compatriotes de notre hémisphère, il se hâta de faire une excursion passagère dans les pays voisins. Il reçut l'hospitalité dans des couvents de missionnaires indiens; il les décrit avec amour:

«Le 12 août, dit-il, après une longue ascension, les voyageurs atteignirent le siége principal de la mission, le couvent de Caripe, où Humboldt passa ces belles nuits de calme et de silence qui, dans ses années de vieillesse, revenaient encore à sa pensée. «Rien, disait-il, n'est comparable à l'impression de calme profond que produit la contemplation d'un ciel étoile dans ces solitudes.»—«Là, quand, à l'approche de la nuit, il jetait les yeux sur la vallée qui bornait l'horizon, sur ce plateau couvert de gazon et doucement ondulé, il croyait voir la voûte étoilée du ciel supportée par la plaine de l'Océan. L'arbre sous l'ombre duquel il était assis, les insectes reluisants qui voltigeaient dans l'air, les constellations qui brillaient vers le Sud, tout lui rappelait vivement l'éloignement de la patrie, et, lorsque, au milieu de cette nature étrangère, s'élevait tout à coup du sein de la vallée le bruit du grelot d'une vache ou le mugissement d'un taureau, la pensée se reportait aussitôt vers le sol natal. Humboldt consacra là de saints loisirs au souvenir de la patrie.»

Il étudia tout en marchant les phénomènes locaux nouveaux pour lui, hauteur des montagnes, mœurs des Indiens demi-civilisés par les moines; volcans, tremblements de terre, grottes, forêts, et revint à Cumana sans avoir fait aucune découverte.

De Cumana, une barque le transporta à Caracas; il gravit le sommet peu accessible du Silosa avec un vieux moine, professeur de mathématiques à Caracas. Il le mesure, et en général son voyage ressemble beaucoup à une visite d'amateur dans un cabinet de physique. La pompe des noms relève l'inanité des découvertes: major e longinquo, c'est son seul résultat. Il remonte l'Orénoque sur une barque indienne jusqu'aux cataractes d'Aturès. Ses plus grands dangers furent les Mosquitos. Revenu à Cuba, il y passe plusieurs mois en repos et expédie en Europe les premiers fruits de ses courses. Un navire espagnol le transporte à Carthagène et à Bogota. Neuf mois passés dans ces régions sont employés par Bonpland à herboriser, par Humboldt à mesurer et à décrire. Il franchit ensuite le Chimborazo, séjourne à Quito, franchit les Andes, revient au Pérou, visite les mines d'argent, parcourt le Mexique, s'extasie devant Mexico, véritable capitale de l'Europe transplantée en Amérique. Il revient encore une fois à la Havane, renonce à d'autres excursions sur le continent américain, se rembarque et rentre à Bordeaux, ne rapportant de ce voyage soi-disant autour du monde que quelques calculs trigonométriques vulgaires, quelques études insignifiantes sur des phénomènes étudiés mille fois avant lui, et quelques phrases prétentieuses où la légèreté des aperçus et la brièveté des excursions étaient déguisées avec art par la sonorité grandiose des mots.

VIII

Mais l'artifice habile du voyageur et la flatterie de l'écrivain lui préparaient une renommée qui dure encore. Il s'étudia à mériter des savants et des écrivains célèbres en France et en Allemagne des enthousiasmes et des adulations qu'il avait mérités d'avance par ses propres citations intéressées. En réalité, qu'apprenait au monde ce voyage déclaré classique en naissant? Rien, absolument rien, si ce n'est qu'un gentilhomme prussien avait eu la pensée de visiter l'univers, et que son voyage trigonométrique s'était borné à parcourir, le compas et le baromètre à la main, deux ou trois moitiés des dix-sept vice-royautés de l'Espagne dans le nouveau monde.

IX

M. de Humboldt n'était pas un savant, dans le sens légitime du mot, car il n'avait ni découvert, ni inventé quoi que ce fût au monde; il n'était pas un écrivain de premier ordre, car il n'avait rien écrit d'original. Chateaubriand, sans avoir voyagé officiellement en Amérique avec ces appareils scientifiques, et Bernardin de Saint-Pierre, en passant seulement quelques jours à l'île Maurice, avaient rapporté, comme par hasard, de ces délicieux climats des trésors nouveaux de style, de mœurs et de sentiment qui ne périront jamais. Qu'y avait-il donc dans le voyage plus pompeux qu'intéressant de M. de Humboldt pour en assurer le succès? Une habileté très-spirituelle de mise en œuvre, un artifice de popularité, une combinaison de diplomatie, une entente de décorations qui en assuraient le succès en Europe. La naissance de l'auteur, sa richesse, ses relations de famille avec les principaux représentants des différentes branches de la science dans les pays de l'ancien continent, et un certain appareil scientifique propre à appuyer auprès du vulgaire les pompes fastueuses de son style pour simuler le génie absent, en faisaient et en font encore tout le mérite. Nous avons plusieurs fois essayé de lire ce voyage tant vanté, sans pouvoir y découvrir autre chose que des prétentions pénibles:

l'effort d'un savant réel pour atteindre le génie, et la volonté constante, infatigable, acharnée, de mériter, à force de flatteries, des flatteurs. Il y réussit pendant qu'il vivait; personne n'avait intérêt à s'inscrire en faux contre cette renommée un peu surfaite, et il jouit pendant quatre-vingt-dix ans de cette gloire convenue et en apparence inviolable. Mais en étudiant d'un peu près ce grand homme cosmopolite, cet Anacharsis prussien s'imposant à la France, on devinait facilement le subterfuge de cette fausse grandeur. Il n'avait qu'un vrai mérite, il étudiait consciencieusement ce que les autres avaient découvert; il savait, dans le sens borné du mot science, et il préparait dans l'ombre le procès-verbal à peu près complet de tout ce que le monde savait ou croyait savoir de son temps pour écrire un jour son Cosmos.

X

Je n'ai jamais été lié d'amitié avec M. de Humboldt, mais je l'ai fréquemment rencontré dans le monde de Paris, à l'époque où j'y jetais moi-même un certain lustre. Sa figure, éminemment prussienne, m'avait frappé, sans m'inspirer ni attrait ni prestige. Il se courbait très-bas devant moi et devant tout le monde, en m'adressant quelques faux compliments auxquels je répondais par une fausse modestie, en passant pour aller vite à des célébrités plus sympathiques. Sa physionomie, très-fine et très-évidemment étudiée, n'avait rien qui fût de nature à séduire une âme franche. Sa taille était petite, fluette, comme pour se glisser entre les personnages, un peu courbée par l'habitude courtisanesque d'un homme accoutumé aux prosternations dans les cours et dans les académies; quelque chose de subalterne et d'en dessous était le caractère de cette physionomie. Un sourire sculpté sur ses lèvres était toujours prêt au salut; il allait d'un groupe à l'autre donner ou recevoir des banalités obséquieuses, ombre d'un grand homme à la suite des véritables hommes supérieurs, cherchant à être confondu avec eux. Je l'ai vu avec la même attitude auprès de Chateaubriand qu'il caressait d'en bas, d'Arago dont l'amitié faisait sa gloire, des hommes politiques les plus dissemblables, royalistes, constitutionnels, républicains, affectant auprès de chacun d'eux une déférence suspecte, et laissant croire que chacun d'eux avait en secret sa préférence. Omnis homo de tout le monde. Aussi avait-il soin dans ses ouvrages d'effacer complétement toutes les différences essentielles d'opinions sur lesquelles les hommes entiers et sincères ne peuvent pas transiger sans cesser d'être eux-mêmes. Une réticence suprême était sa loi. Dieu lui-même aurait pu faire scandale, s'il en eût proféré tout haut le nom. Il ne le prononçait pas dans ses œuvres; il était du nombre de ces savants issus du matérialisme le plus pur qui, n'osant pas le nier, le passent sous silence, ou qui disent: Dieu est une hypothèse dont je n'ai jamais eu besoin pour la solution de mes problèmes. Insensés qui ne voient pas que l'être est le premier problème de toute philosophie, que l'existence du dernier des êtres est un effet évident qui proclame une cause, et que Dieu est la cause de tous les effets.

Si j'étais savant ou philosophe, je proclamerais plutôt autant de dieux qu'il y a d'êtres existant dans les mondes. Passer Dieu sous silence, c'est le blasphème du sens commun. Les vérités géométriques sont des vérités de dernier ordre, des axiomes de fait qui n'ont besoin que de l'œil matériel pour être aperçus, mais que l'œil intellectuel, la raison, ne peut reconnaître.

Telle était, après ce premier ouvrage, la réticence suspecte de M. de Humboldt, disciple de ces maîtres dans l'art de se taire, ou d'étudier les effets sans remonter jamais aux causes.

XI

À cela près, il entra dans la science avec tous les heureux priviléges de son aristocratie, riche, libre, au niveau ou au-dessus de tout le monde, se consacrant exclusivement, non aux vains plaisirs de son âge, mais aux sérieuses études de la vie scientifique: véritable savant allemand transporté dans Paris.

Il retrouva sa belle-sœur, femme de Guillaume de Humboldt, dans cette capitale. C'était dans l'été de 1804. Guillaume, promu de grade en grade à de hauts postes diplomatiques, avait laissé sa femme enceinte à Paris, et il vivait à Rome attaché à la légation de Prusse. Alexandre, après avoir préparé la rédaction de son grand voyage avec Arago, Cuvier, Vauquelin, Gay-Lussac, et autres savants avec lesquels il s'était lié, partit pour aller voir son frère à Rome. Le Vésuve semblait l'attendre en Europe pour éclater et se soumettre à ses investigations. Une société d'Allemands et de Français illustres réunis autour de Guillaume le suivirent au pied du volcan. Il quitte son frère. En 1805, 1806 et 1807, il publie à Berlin ses Tableaux de la nature américaine, base de son Cosmos déjà conçu. La Prusse, alors en guerre avec la France, subissait le choc des plus douloureux événements. Alexandre les déplorait sans se laisser distraire. La science est une patrie.

Mais Guillaume, nommé ambassadeur de Prusse auprès de la cour de Rome, retiré à Albano et plongé dans des travaux poétiques, lui écrivait alors des vers fraternels dignes de Cicéron à Atticus:

«Hélas! ceux qui t'avaient ici accueilli avec tant d'amour, ne t'ont confié qu'avec regret aux sentiers de l'Océan, lorsque tu fuyais loin des rivages de l'Ibérie.—Ô vent, disaient-ils dans leur prière, que ton haleine soit favorable à celui que de lointains rivages convient à plonger son œil pénétrant dans un monde inconnu, pour en faire jaillir un monde nouveau! Ô mer, permets à son navire de se balancer sur tes flots tranquilles; et toi, sois-lui favorable, pays lointain, où la mort est plus à redouter que les flots et l'orage auxquels il se sera soustrait. .... Tu as heureusement regagné le sol natal, quittant les campagnes lointaines et les flots de l'Orénoque. Puisse le destin, que notre affection implore en tremblant pour toi, t'accorder toujours la même faveur, toutes les fois que l'autre hémisphère attirera tes pas; puisse-t-il te ramener toujours heureusement aux rivages de ta patrie, le front ceint d'une nouvelle couronne..... Pour moi, dans le sein de l'amitié, je ne demande qu'une maison tranquille, où ton nom réveille dans mon fils le désir d'atteindre ta renommée, une tombe qui me recouvre, un jour, avec ses frères..... Allez maintenant, mes vers, allez dire à celui que j'aime que ces chants vont timidement à lui, des collines d'Albano; d'autres porteront plus haut sa gloire, sur les ailes de la poésie.....»

Pendant qu'Alexandre de Humboldt, faisant collaborer à son œuvre tous les savants français, par un concours de travaux spéciaux dont il leur donnait les sujets, et dont il payait les frais de sa fortune, formait une œuvre sur les régions équinoxiales, dont le prix dépassait déjà 5 ou 6 mille francs l'exemplaire, monument plus digne d'une nation que d'un particulier, Guillaume, chassé de Rome par Bonaparte, rentrait attristé dans sa patrie. Il y perdit sa femme adorée. Alexandre, à la chute de l'empire français, reçut du roi de Prusse, indépendamment des sommes nécessaires à solder les préparatifs d'un voyage en Perse, en Chine, au Thibet, vingt-quatre mille livres de rente pendant la durée de ce grand voyage. Son frère Guillaume assistait aux congrès où se réglait le sort du monde.

XII

J'avais eu, tout jeune, à Rome, l'occasion de connaître ce diplomate éminent, bien différent, selon moi, de son frère. Je me trouvais logé en 1811, avec le duc de Riario, mon compagnon de voyage, dans un hôtel, à Rome, où logeait aussi Guillaume de Humboldt et plusieurs Allemands de distinction, voyageant comme nous, et mangeant à la même table d'hôte. Le duc de Riario me présenta à eux; ma jeunesse ou plutôt mon enfance les intéressa; ils me permirent de les accompagner dans leurs excursions à travers la ville, et de passer la soirée avec eux. Je fus particulièrement frappé de la majesté calme et pensive de M. Guillaume de Humboldt. Sa physionomie disait l'homme d'État, dont la patrie déchirée et opprimée criait tout bas dans son âme. Il avait pour moi, encore presque enfant, l'indulgence d'un homme mûr et supérieur pour un jeune homme qui essaye la vie et la pensée. Les quinze jours que je passai dans cette société me permirent d'étudier en silence ce véritable grand homme, et de sortir de cette demi-intimité d'occasion plein de vénération pour lui. Aucun trait de sa figure ne rappelait son frère: la dignité sans orgueil, la franchise grave, la science des pensées, contrastaient chez Guillaume avec cette fausse bonhomie caressante, mais peu sûre, d'Alexandre. Je me serais défié des serments de l'un, j'aurais cru au serrement de main de l'autre. Le seul son de la voix de Guillaume portait dans l'âme la conviction; la voie grêle et fêlée du savant masquait des pensées toutes personnelles. Le savant était un diplomate, et le diplomate était un homme. J'en ai peu rencontré depuis qui m'aient laissé une impression plus pénétrante et plus agréable. On sentait en lui un homme digne d'étudier les hommes; on sentait, dans l'autre, un artiste capable de leur faire jouer les rôles légers, divers, personnels d'une existence à tiroirs. Je n'ai jamais rencontré depuis Alexandre, sans regretter Guillaume.

XIII

Quelques mois plus tard, me trouvant à Naples au moment où le Vésuve faisait sa mémorable explosion de 1811, je retrouvai le ministre prussien dans cette ville. Je sollicitai la permission de me joindre à lui pour aller observer de près, pendant une de ces nuits solennelles, le phénomène du volcan en éruption, pour entendre, de sa bouche savante et éloquente, les observations du Pline allemand sur cette illumination du volcan; il eut la bonté de me l'accorder. Nous partîmes de Naples à la nuit tombante; nous quittâmes nos voitures à Portici, dont le fleuve de lave coupait la route; nous nous avançâmes à travers les vignes crépitantes et les arbres incendiés par l'haleine de feu; nous passâmes la nuit et la matinée du jour suivant en présence de l'incendie de la terre. Guillaume écrivait, comme autrefois Pline, des notes sur l'éruption pour les envoyer à son frère; quant à lui, il parlait peu, il frissonnait comme nous aux secousses du sol, et à la chute des peupliers enveloppés de leurs treillages de flammes. Nous revînmes en silence à Naples au milieu du jour. Je ne le revis plus; il fut nommé ambassadeur à Londres, puis au congrès de Vienne, et mourut peu d'années après à Tégel, où il avait passé son enfance. Homme naturel, grand de sa propre grandeur, modeste, paisible, et ne demandant à personne une grandeur supérieure à celle que Dieu lui avait permis de développer pour sa patrie.

XIV

Quant à Alexandre de Humboldt, sa vie, dispersée comme sa pensée, continua à se répandre sur une multitude de sujets scientifiques adressés aux académies comme autant de notices destinées à être recueillies plus tard dans son œuvre capitale: pierres plus ou moins taillées pour élever son monument. Il n'en soignait pas moins attentivement les hommes, dont il voulait accaparer le suffrage pour le moment de sa publication, la science et l'habile artifice marchant en lui du même pas. C'est ce qui nuit aujourd'hui à sa gloire: elle était trop préparée de main d'homme.

Il revint à Paris en 1819, et accompagna le roi de Prusse au congrès de Vérone en 1822. Il cessa d'affecter alors avec le roi le libéralisme bonapartiste qu'il affectait à Paris avec ses amis les libéraux de France. Il passa quelques mois à Tégel, dans la famille de son frère, qui vivait encore. Il eût été très-difficile de dire, à cette époque, quelle était sa véritable opinion, et s'il en avait une en dehors de son amour-propre. Mais il prit auprès du roi de Prusse la place de favori savant, presque ministre des sciences naturelles. Il professait publiquement un cours irrégulier de ces sciences, comme si le roi eût voulu être à la fois le philosophe et le souverain de son peuple. Son extrême timidité et son extrême prétention nuisaient au succès de sa parole. Il allait partir, sur l'invitation de l'empereur de Russie, pour un voyage d'exploration dans ce vaste empire, quand la maladie de sa belle-sœur, Mme Guillaume de Humboldt, l'arrêta à Tégel. Il ne voulait pas abandonner son frère tête à tête avec la mort, il aimait sa belle-sœur.

Mais la catastrophe n'arriva pas aussi rapidement qu'on le craignait. La malade resta moribonde jusqu'en janvier 1829, et le dimanche 22 janvier, Alexandre, étant près d'elle à Tégel, avait ainsi dépeint la mourante à son amie Rachel, en quelques mots qui expriment bien la douleur de son âme: «Elle était mourante, disait-il; elle ouvrit les yeux et dit à son mari: C'en est fait de moi! Elle attendait la mort, mais en vain. Elle reprit ses sens et put assister à tout ce qui se passait autour d'elle. Elle priait beaucoup...»

La mourante resta dans cet état jusqu'au 26 mars 1829. Ce fut avec un sentiment de sympathie et de vénération générale que Berlin apprit, ce jour-là, que la mort avait fini ses souffrances. La mort de cette femme fut un événement, car, dans ses voyages, Mme de Humboldt s'était mise en rapports intimes avec les notabilités de la science et des arts. Sa maison était devenue, à Rome, à Vienne, à Paris et à Berlin, le centre de la société la plus agréable et la plus spirituelle. Nous comprendrons la douleur d'Alexandre à cette perte, en voyant celle de son frère. Tous deux, enchaînés si étroitement d'amitié, dans une vie de communs travaux, avaient, de tout temps, partagé peines et plaisir. L'amour de Guillaume pour sa femme avait grandi avec les années, et cette mort réveilla de nouveau dans son cœur cette tendance naturelle à la mélancolie et à la rêverie. Sa pensée accompagna son épouse dans un monde plus élevé; l'image de celle qu'il avait perdue ne cessa d'être présente à son âme, elle se mêla à toutes ses pensées, elle ennoblit sa propre existence.

Le roi le nomma alors à peu près ministre et appela son frère à Berlin pour lui confier la direction des musées. Son voyage en Russie ne fut qu'une rapide répétition de son voyage en Amérique. Même appareil et même inanité. Ses considérations sur la température de l'Europe parurent conjecturales plus qu'expérimentales. Il ne rapporta de Russie que des problèmes sans solutions.

Il vit s'éteindre son frère, à Tégel, peu après son retour. Guillaume mourut, heureux de mourir pour rejoindre ce qu'il avait aimé. Alexandre écrivit, le 5 avril 1835, le billet qui rend compte de cet événement à son ami Varnhagen, de Berlin.

«Berlin, dimanche, 6 heures du matin, le 5 avril 1835.

«Mon cher Varnhagen,

«Vous qui ne craignez pas la douleur et la cherchez mentalement dans la profondeur des sentiments, recevez, dans ces moments pleins de tristesse, quelques mots de la part de cette affection que les deux frères vous ont vouée. Le malade n'est pas encore délivré de ses souffrances. Je l'ai quitté hier soir à onze heures, et j'y recours en hâte. La journée d'hier a été moins pénible. Un état de demi-sommeil, c'est-à-dire un sommeil long mais très-agité, et à chaque réveil des paroles d'affection, de consolation, et toujours cette grande clarté d'esprit qui saisit et distingue tout et qui observe son état. La voix était très-faible, rauque et délicate comme celle d'un enfant, c'est pourquoi on lui a encore posé des sangsues au larynx.—Il a sa parfaite connaissance.—«Pensez souvent à moi, disait-il avant-hier, avec beaucoup de lucidité.—J'étais très-heureux, ce jour a été bien beau pour moi, car rien n'est plus sublime que l'amitié. Bientôt je serai près de notre mère, je jouirai de l'aspect d'un monde d'un ordre supérieur.»—«Je n'ai pas l'ombre d'espoir, je ne croyais pas que mes vieilles paupières continssent tant de larmes. Il y a huit jours que cela dure.»

XV

L'avénement du nouveau roi au trône ne changea rien à la situation culminante de Humboldt: les princes regardaient ce vieillard comme une pierre précieuse dont ils ornaient leur trône.

«Nous avons parlé plus haut de sa promotion au conseil privé du roi, avec le titre d'excellence, et nous ajoutions que non-seulement en général toutes les Académies célèbres des sciences et des arts, ainsi que toutes les sociétés éminentes du monde, recherchaient comme un grand honneur de compter Humboldt parmi leurs membres, mais que les princes de tous les pays s'empressaient de lui payer le tribut de leur considération, ce qui était en même temps un hommage rendu à la science, en lui conférant leurs ordres les plus élevés. Mais, à propos de Humboldt, toutes les manifestations extérieures sont ce dont on s'occupe le moins, car l'éclat de son génie et de sa renommée surpasse celui de toutes les décorations, que l'on ne voit que très-rarement briller sur sa poitrine. Humboldt vit maintenant dans les localités qu'habite son royal ami. À Potsdam, à Berlin, dans tous les châteaux royaux, une demeure lui est ouverte, et il ne se passe pas un jour, quand sa santé le lui permet, sans qu'il aille voir le roi. Malgré ses quatre-vingt-un ans, il travaille encore sans relâche dans les heures de liberté que lui laisse son existence à la cour; il est vif et ponctuel dans son énorme correspondance, et répond avec la plus aimable modestie aux lettres du savant le plus obscur. Les habitants de Berlin et de Potsdam le connaissent tous personnellement; ils lui témoignent autant de respect qu'au roi lui-même. Marchant d'un pas sûr et prudent, la tête un peu penchée en avant, et d'un air pensif, d'une figure bienveillante et d'une grande expression de dignité et de noble douceur, ou bien il baisse les yeux, ou bien il répond avec une politesse, avec une amabilité dépouillées de tout orgueil, aux témoignages d'affection et de respect des passants. Vêtu simplement et sans recherche, portant quelquefois une brochure dans ses mains qu'il tient derrière le dos, c'est ainsi qu'il chemine souvent à travers les rues de Berlin et de Potsdam, et dans les promenades, seul et sans prétention (charmante image d'un riche épi courbé sous le poids de ses nombreuses graines dorées). Mais partout où il se montre, il reçoit les témoignages de la considération générale; souvent le passant s'écarte avec précaution, dans la crainte de troubler les pensées de cet homme vénéré; l'homme vulgaire lui-même le regarde attentivement, et dit à l'autre: «C'est Humboldt qui passe.»

«Son accueil était toujours poli, quelquefois gracieux; il s'asseyait à sa table de travail en face de l'étranger. Sa stature était de moyenne taille; ses pieds et ses mains étaient petits et admirablement faits; sa tête, au front haut et large, était garnie de cheveux d'un blanc d'argent; ses yeux bleus étaient vifs, pleins d'expression et de jeunesse. Sur sa bouche se jouait un sourire qui lui était propre, à la fois bienveillant et sarcastique, comme une expression involontaire de la finesse et de la supériorité de son esprit. Il marchait d'un pas rapide et inégal, la tête légèrement penchée. Quand il était assis, il paraissait courbé et parlait en regardant à terre, ou bien il levait les yeux pour attendre la réponse des personnes auxquelles il s'adressait. Une bienveillance inexprimable brillait sur sa physionomie, quand il reconnaissait dans une personne étrangère un homme d'esprit. Alors sa conversation devenait ouverte et pétillante d'esprit; néanmoins ses jugements étaient pleins de réserve et il était toujours maître de sa parole. Il possédait plusieurs langues. L'Anglais s'étonnait de la pureté et de la douceur avec laquelle il parlait l'anglais; le Français, de son côté, trouvait la langue française très-agréable dans sa bouche.

«Depuis trente ans il se levait régulièrement, en été, à quatre heures du matin, et recevait les visiteurs à partir de huit heures. Il y a huit ans qu'il disait encore qu'il avait besoin de prolonger, la plupart du temps, ses travaux littéraires jusqu'à une heure où les autres dorment, parce qu'il passait les heures habituelles du travail en grande partie auprès du roi. Ordinairement, il pouvait parfaitement se contenter de quatre heures de sommeil.

«Mais, dans les derniers temps, les années de l'illustre octogénaire avaient réclamé leurs droits naturels. À cette époque, il ne se levait plus qu'à huit heures et demie du matin, lisait, en faisant un frugal déjeuner, les lettres qu'il avait reçues, et s'occupait de faire les réponses les plus pressantes. Il s'habillait alors, avec l'aide de son valet de chambre, pour recevoir les visites qu'on lui avait annoncées, ou pour aller en faire lui-même. Il avait soin de rentrer chez lui à deux heures, et de se faire conduire en voiture vers trois heures, à la table royale, où il dînait habituellement, quand il ne s'était pas lui-même invité dans quelque famille amie, et de préférence chez le banquier Mendelssohn. Vers sept heures du soir, il rentrait au logis où, jusqu'à neuf heures, il passait son temps à lire ou à écrire. Ensuite il retournait à la cour, ou allait dans quelque société, pour n'en sortir que vers minuit. Alors, dans le silence de la nuit, le vieillard, plein d'une vigueur surprenante, reprenait cette activité toute particulière qu'il avait vouée à son grand ouvrage, et ce n'était qu'à trois heures du matin, quand, pendant l'été, la clarté du jour venait le saluer, qu'il s'accordait le sommeil de courte durée dont avait besoin ce corps tyrannisé par le travail de l'esprit. Toutefois les nombreuses infirmités survenues dans les dernières années avaient plus ou moins modifié cette distribution habituelle du temps.

«Humboldt ne s'est pas créé de famille propre; il a voué toute son affection aux fils et aux filles de son frère et à la mémoire de feu les parents de ceux-ci. Le 14 septembre, anniversaire de sa naissance, était chaque année, dans le château de Tégel, habité par sa nièce, Mme de Bülow, une fête de famille à laquelle étaient conviés ses amis, et où l'amitié, la science et les arts lui apportaient un franc et cordial hommage. Quoique menant en apparence la calme existence d'un savant, Humboldt n'en était pas moins un aimant qui dirigeait sur Berlin tous les résultats scientifiques de l'époque et les esprits de tous les peuples dont il était le centre intellectuel. Jusqu'à la fin, ce fut à sa maison que vinrent se réunir toutes les voies de la science et tous les efforts du progrès; il était en rapports fréquents avec tout ce qui était bon, noble, spirituel, et en outre avec l'austère science.»

XVI

Ses panégyristes allemands le dépeignent ainsi: nous ne l'avons pas connu à cet âge. Nous ne pouvons pas savoir ce que l'âge avancé de la vie pouvait avoir ajouté à cette physionomie complexe et multiple, qui exprimait jadis toute autre chose que la candeur et la sincérité qui conviennent au vieillard.

Mais il pensa enfin, en 1844 et 1845, à rédiger pour le monde le Cosmos, ce testament de sa science universelle, où il espérait immortaliser son nom. L'œuvre, déjà plusieurs fois entreprise, n'était pas facile même à lui. Nous allons l'examiner tout à l'heure. Mais, en attendant, regardons-le vivre les longs jours que Dieu lui avait destinés.

XVII

Pendant qu'il travaillait au Cosmos, et jusqu'au jour de sa mort il demeurait à Berlin, dans un appartement d'une maison écartée de la rue habitée par le banquier Mendelssohn, son ancien ami. Mendelssohn finit par acheter la maison pour éviter à son ami un déplacement possible. Un vieux serviteur de sa jeunesse, nommé Seiffert, payé par le roi, l'habitait avec lui. Seiffert introduisait les visiteurs dans une vaste salle encombrée avec ordre des reliques de la nature pendant le voyage de son maître.

«Humboldt était insensible à la charlatanerie, même quand elle se présentait parée des vêtements les plus brillants. Mais là où il avait reconnu le bon et le vrai, il s'y sentait porté à encourager, à conseiller, à venir en aide, et, des points les plus éloignés de l'univers, se concentrèrent auprès de lui les demandes, les confidences, les sollicitations de secours, non-seulement pour des intérêts scientifiques, mais pour une foule d'intérêts publics. Il se faisait un devoir de soutenir le vrai talent. Il ne connaissait ni jalousie ni politesse, là où d'autres opinions le blessaient, pourvu qu'elles fussent guidées par le désir d'arriver à la vraie science.

«Ainsi vivait Humboldt, suivant une règle extérieure uniforme, mais, au dedans, en relations avec tout l'univers, et les jours de sa vieillesse s'écoulaient doués d'une vigueur de facultés toute juvénile. Une pension importante du roi et l'argent que ses écrits rapportaient en librairie lui fournissaient plus de ressources matérielles que n'en exigeait sa vie d'une si grande simplicité, et ce qu'il économisait était consacré par lui à la science et à la bienfaisance. Dans les derniers temps, il éprouva de nombreuses indispositions, surtout des refroidissements, qui prirent chez lui le caractère de la grippe, et, toutes les fois que la nouvelle de sa maladie se répandait, tout le monde savant y prenait la part la plus affectueuse, les journaux en donnaient des bulletins, et les princes et les princesses s'informaient, ou par le télégraphe ou en personne, de l'état de sa santé. Quoique lié avec des rois, vivant au sein de l'éclat de la monarchie, lui-même homme de cour et baron, honoré de la faveur des cours princières, il était toujours resté un homme libéral, un ami de la liberté publique et des droits individuels, un vaillant défenseur de tout libre développement du vrai, du beau, du juste, des droits légitimes de l'homme. Jamais il ne prit part aux menées obscures des cœurs étroits dont il se trouva souvent entouré; il réservait à leur adresse, dans l'occasion favorable, quelques mots sarcastiques, pour manifester le fond de sa pensée, ou bien se prononçait nettement et sans voiles. Comme on lui disait que le journal d'un parti orthodoxe alors dominant avait traité son Cosmos de livre de piété, il répondit avec un sourire sardonique: «Cela pourra m'être utile.» Il y a bien des sentiments qui ont été répétés de bouche en bouche et qui témoignent des convictions éclairées que souvent il a publiquement exprimées ou écrites. Le sentiment du droit à la liberté individuelle l'emportait chez lui sur tout, car il savait que le bonheur parfait et la liberté sont deux idées inséparables dans la nature et dans l'espèce humaine. Dans les dernières années de sa calme existence de savant, Humboldt s'occupa de préférence de son ouvrage du Cosmos, qui parut en 1858, jusqu'aux premières parties du quatrième volume. Sans parler de l'exécution progressive de son Cosmos, Humboldt avait eu à remplir le pieux devoir d'enrichir d'une préface les œuvres de son ami Arago, que la mort lui enleva, comme elle en ravit tant d'autres, et, tout dernièrement, ses amis intimes, Léopold de Buch et le statuaire Rauch. Il devait, hélas! à l'occasion d'une supposition fondée sur ses relations personnelles, qui lui attribuait une opinion qui lui était étrangère, avec Arago faire une pénible expérience. Dans une lettre rendue publique et qu'il écrivait au beau-frère d'Arago, il se plaignait avec raison en ces termes: «Me voilà tristement payé de mon zèle et de ma bonne volonté.»

XVIII

On voit par le sourire sarcastique que l'ami de Berlin lui prête dans ses dernières années, que son caractère, tempéré par les dernières années, n'avait pas changé. Convive assidu d'un roi, et ami demi-déclaré des libéraux, il continuait son vrai rôle:—capter la faveur des deux partis.—Goethe, envers lequel il était respectueux comme envers les puissances, écrivit de lui le 1er décembre 1826:

«Alexandre de Humboldt a passé quelques heures, ce matin, avec moi. Quel homme! Je le connais depuis longtemps, et néanmoins mon admiration pour lui se renouvelle. On peut dire qu'en fait de connaissances vivantes il n'a pas son pareil. Il y a là une variété comme je n'en ai jamais rencontré. Partout où on touche, il est toujours chez lui, et nous déverse ses trésors intellectuels. Il ressemble à une fontaine munie de plusieurs tuyaux près desquels on n'a besoin que de placer des vases sous les flots qui s'écoulent frais et inépuisables. Il restera quelques jours ici, et je sens déjà que ce sera pour moi comme si j'avais vécu plusieurs années avec lui.»

Son caractère politique paraissait aussi éminemment propre à la diplomatie qu'à la science. Dans sa première jeunesse, employé à l'armée prussienne, il rendit quelques légers services à sa cour dans les négociations qui succédèrent à la guerre, et qui firent congédier l'armée de Condé.

Après son retour d'Amérique, il accompagna le prince de Prusse, envoyé à Paris après la paix de Tilsitt pour tâcher de fléchir Bonaparte, et de le disposer, à force de caresses, à se désister de ses rigueurs envers la malheureuse cour de Berlin; il aida vainement le prince diplomate par l'intercession de ses illustres amis, il n'obtint que des politesses. Il résida à Paris à ce double titre jusqu'à la fin de 1809. Il tenta alors d'obtenir de la cour de Prusse trop obérée les subventions nécessaires à la publication de son premier voyage. Il fallut ajourner. En 1814 il suivit son roi à Londres; en 1830 ses liaisons avec la famille d'Orléans le firent envoyer à Paris, pour féliciter ce prince de son avénement. Il eut alors, pendant deux ans et plus, une correspondance secrète mais avouée avec sa cour sur l'état des affaires de France. Ces rapports équivoques et mixtes lui valurent des décorations, des honneurs et des appointements des deux parts.

En 1848, j'envoyai M. le comte de Circourt à Berlin, pour expliquer, dans un sens inoffensif et favorable, la révolution inopinée qui renversait la famille d'Orléans de son trône mal assis et mal défendu, pour lui substituer une république conservatrice de la paix de l'Europe. Je lui conseillai de voir M. de Humboldt. M. de Humboldt était trop habile pour se déclarer ennemi des peuples triomphants. Le roi de Prusse n'hésita pas à reconnaître la république et à se déclarer au moins neutre. Après cette mission très-habile et très-heureuse de M. de Circourt, des nécessités motivées par des circonstances intérieures m'engagèrent à lui préparer un autre poste plus important et à le rappeler à Paris. Sachant l'amitié que M. de Humboldt professait pour M. Arago, j'envoyai à Berlin le fils de ce savant illustre, M. Emmanuel Arago, qui venait de montrer beaucoup de courage et beaucoup de modération dans le proconsulat de Lyon.

Une fausse démarche du jeune homme, néanmoins, dans une question de libre circulation des capitaux, ayant été mal interprétée, quoique immédiatement révoquée, donna des inquiétudes et des prétextes à Berlin. On craignait de voir dans le jeune et sage ministre un envoyé démagogue du socialisme français. Le ministre de Prusse vint, au nom de sa cour, en porter quelques plaintes à M. Bastide, à qui j'avais laissé ma place de ministre des affaires étrangères de France, pour continuer à siéger dans la commission exécutive du gouvernement pendant les premiers mois de la république. M. Bastide communiqua cette injustice de la cour de Prusse à M. Arago, père du jeune diplomate de mon choix. Voici la lettre que ce savant écrivit à l'instant à M. de Humboldt pour écarter de son nom ces suspicions offensantes.

ARAGO À HUMBOLDT.
(Lettre écrite en français.)

Paris, ce 3 juin 1848.

Mon cher et illustre ami,

Mon fils est parti ces jours derniers pour Berlin, en qualité de ministre plénipotentiaire. Il est parti animé des meilleurs sentiments, d'idées de paix et de conciliation les plus décidées. Et voilà qu'aujourd'hui votre chargé d'affaires s'est rendu chez notre ministre des affaires étrangères, pour lui rendre compte des inquiétudes que la mission de mon fils a excitées dans votre cabinet et parmi la population berlinoise. Me voilà bien récompensé, en vérité, des efforts que j'ai faits, depuis mon arrivée au pouvoir, pour maintenir la concorde entre les deux gouvernements, pour éloigner tout prétexte de guerre! À qui persuadera-t-on, qu'animé des sentiments dont je fais publiquement profession, j'aurais consenti à laisser investir Emmanuel d'une mission diplomatique importante, s'il avait été en désaccord avec moi, s'il appartenait à une secte socialiste hideuse, au communisme; car, j'ai honte de le dire, les accusations ont été jusque la! Au reste, j'en appelle à l'avenir: toutes les préventions disparaîtront lorsque Emmanuel aura fonctionné. Votre chargé d'affaires regrettera alors la réclamation intempestive qu'il a adressée à M. Bastide.

J'ai reçu, mon cher ami, avec bonheur ton aimable lettre. Rien au monde ne peut m'être plus agréable que d'apprendre que tu me conserves ton amitié. J'en suis digne par le prix que j'y mets. J'ai la confiance que ma conduite dans les trois derniers mois (j'ai presque dit dans les trois derniers siècles) ne doit me rien faire perdre dans ton esprit.

Tout à toi de cœur et d'âme,

F. Arago.

Humboldt rétablit les caractères à la cour de Berlin, et le jeune et honnête diplomate y resta justifié et honoré comme il le méritait.

Lamartine.

(La suite au prochain entretien.)

CXIIIe ENTRETIEN.

LA SCIENCE OU LE COSMOS, PAR M. DE HUMBOLDT. (DEUXIÈME PARTIE.) LITTÉRATURE DE L'ALLEMAGNE.

I

Humboldt vécut ainsi, plein de vie, jusqu'en 1858, où ses forces commencent à défaillir. Un de ses disciples de Berlin, témoin de sa longue défaillance, nous y fait assister. «Nous remarquions, dit-il, cependant, en 1858, que la force et la résistance physique diminuaient visiblement, que ce corps si remarquablement privilégié devenait infirme, de sorte qu'il ne pouvait plus obéir à la juvénilité de l'esprit et suivre ses impulsions. Nous apprîmes directement et indirectement que l'esprit avait un secret pressentiment qu'il allait bientôt abandonner ce corps épuisé de fatigue et qu'il l'abandonnerait, plein de confiance, à sa vieille amie la Nature. Souvent ce vieillard, autrefois énergique, brillant et laborieux, se laissa aller à de sérieuses contemplations qui prirent chez lui la douceur d'émouvantes sensations. On connaît l'anecdote recueillie partout avec une muette sympathie et qui date de l'automne de 1858. Il revenait un jour d'un cercle d'amis et trouva son vieil oiseau favori blotti dans sa cage avec les plumes gonflées et le regardant tristement; Humboldt lui adressa ces mélancoliques paroles: «Quel est celui de nous deux qui le premier fermera les yeux à jamais?» La tristesse de ces paroles doit avoir été bien expressive, puisque son vieux valet de chambre Seiffert, effrayé dans son affection, s'empressa de détourner de semblables pensées. Encore, à la mort de Bonpland, Humboldt s'était considéré comme un ami qui prend congé pour un temps très-court de son compagnon, et l'on raconte de lui des conversations qu'il tint dans de petites réunions d'amis, où il désignait, avec une sorte de pressentiment prophétique, l'année 1859 comme devant être la dernière de sa vie. Trois signes indiquaient déjà que ses forces physiques avaient rapidement décliné, peut-être plus que son esprit ferme et soutenu par l'ardeur de l'étude n'en avait lui-même conscience ou ne voulait se l'avouer. Un jour il témoigna un ardent désir de repos, d'un entier éloignement du monde, au déclin de sa vie. De quelle manière touchante il prévint encore, au printemps de 1859, dans les journaux, le public de tous les continents de s'abstenir désormais, au moment du déclin de ses jours, de ces nombreux envois de toutes sortes, de ces invitations à critiquer, à conseiller, à recommander les choses les plus hétérogènes; enfin de ne pas regarder sa maison comme un comptoir public d'adresses! Avec quel serrement de cœur il dut voir qu'une correspondance obligée de plus de 2,000 lettres par an ne lui laissait plus le temps de se livrer à son travail particulier! Lorsqu'un esprit aussi énergique, aussi dispos, ne se plaint que de l'abaissement de cette activité à laquelle il a été habitué pendant plus d'un demi-siècle et qui a progressé d'elle-même, c'est qu'il doit sentir qu'il lui reste encore bien peu de temps.

«Un second phénomène qui provoquait nos muettes observations, ce fut la forme et le contenu de ses dernières lettres; elles étaient plus courtes, plus décousues, plus illisibles que jamais; les lignes inclinées commençaient tout près du bord du papier, serrées les unes contre les autres et formant un lien qui se dirigeait en bas vers sa signature, comme si elles étaient une image de sa vie pleine d'activité sur le bord, mais qui se perd par une pente rapide, à son illustre nom. Lui qui, lors des premières éditions de cette biographie, les accueillit d'une façon si amicale, si chaleureuse, et fit l'éloge répété du soin, de la fidélité, de la discrétion de formes de l'ouvrage, exprime encore à l'auteur la plus grande satisfaction, lorsqu'il apprit, au commencement de 1859, qu'une nouvelle édition, la troisième, était sous presse; il nous fournit de nouvelles notices sur Bonpland, nous exprima le vœu sincère que cette nouvelle édition fût adoptée dans les États Argentins comme un souvenir de Bonpland, et s'adressa, pour nous recommander à cet effet, à ses amis qui résidaient et gouvernaient dans le pays. Mais son écriture tremblante, incertaine, surchargée de corrections, nous disait que peut-être nous aurions bientôt à sceller d'une pierre solide et pesante la biographie du vivant.

«Un troisième signe de forme inquiétante fut le grand épuisement et le caractère de la maladie que de petits refroidissements produisaient en lui. Déjà, au commencement de l'hiver de 1858, ses amis s'étaient inquiétés de le voir alité pendant un accès de grippe, et plus tard, lorsqu'il se releva et renoua ses pleines relations avec le monde, il nous écrivit, le 8 décembre 1858: «Je suis toujours très-désagréablement grippé.» Et quand il se plaignait, il devait se sentir plus faible qu'il ne le paraissait aux autres.»

II

«Nous apprîmes tout à coup, avec frayeur, au commencement de mai 1859, que Humboldt, sortant à la fin d'avril d'une réunion pour revenir à la maison de Mendelssohn, avait éprouvé un refroidissement qui le tenait au lit. Hélas! le bulletin publié, le 2 mai, par les deux médecins Romberg et Traube faisait prévoir une issue funeste. Il y avait douze jours qu'il gardait le lit, avant la publication de ces bulletins médicaux; ses forces physiques avaient visiblement décliné, mais sa vigueur d'esprit avait toute sa puissance, quoique la voix fût un peu plus fatiguée. Le 1er mai au soir, d'après le bulletin des médecins, la fièvre s'était un peu calmée, le catarrhe avait diminué, mais l'état d'affaissement des forces était toujours alarmant. Pendant que son esprit était maître de lui-même et qu'il reconnaissait son entourage, la somnolence se joignit à l'abattement des forces, la respiration devint courte et irrégulière; les médecins constatèrent dans leur bulletin une faiblesse croissante. Jusque vers la dernière heure, son intelligence resta nette, ses dernières pensées se reportèrent avec lucidité vers ce roi éloigné de lui, ce roi malade aussi et qui l'avait tant aimé. Il répondit encore clairement aux questions faites à voix basse par les membres de la famille réunis avec sollicitude autour de son lit, et surtout de sa chère nièce l'épouse du ministre de Bülow et de son neveu le général de Hedemann, enfin de son fidèle serviteur Seiffert... Alors il se tut et ferma les yeux, sans souffrance, le 6 mai, à deux heures et demie de l'après-midi, à l'âge de quatre-vingt-neuf ans, sept mois et quelques jours.»

III

«Tout Berlin ressentit, à la nouvelle de cette mort, la même émotion que si l'on avait perdu le père le plus chéri. Avec la rapidité de l'éclair, l'étincelle électrique communiqua la triste nouvelle de la mort de Humboldt, leur ami commun, à toutes les nations civilisées, de pays en pays, d'un hémisphère à l'autre. Il était l'Alexandre le Grand de la science, le plus grand héros de génie de ce siècle, dans la recherche des phénomènes de la nature et des signes sensibles de l'âme. Son héritage prouva la simplicité de sa vie. Cet homme laissait à son fidèle serviteur Seiffert, par acte de donation, presque toute sa succession, bibliothèque, objets précieux, mobilier. Il ne laissait ni fortune, ni disposition testamentaire.

«On le conduisit à la dernière demeure comme un prince; il avait été longtemps l'ami de la maison royale de Prusse, un haut fonctionnaire distingué, un grand génie qui s'était livré aux travaux et aux recherches pendant la durée de plus de deux générations, pour développer et éclairer l'esprit humain. D'après les dispositions prises par le régent, on lui accorda des funérailles officielles; mais ce ne fut pas l'éclat des funérailles dont la pompe accompagne publiquement le simple cercueil de chêne qui fit accourir toute la population de Berlin, jusqu'au plus modeste ouvrier, sur le trajet du cortége et leur fit attendre la tête découverte le passage du défunt; non, c'était le sentiment unanime que l'illustre mort était un homme auquel le genre humain était redevable d'une grande partie du progrès de son intelligence.

«Dès l'heure la plus matinale, les flots du peuple s'assemblèrent sous les tilleuls et dans la rue de Frédéric. La rue d'Oranienbourg fut interdite à la masse du public; la plupart des maisons de cette rue étaient pavoisées de draperies de velours et de bannières de deuil. Le cortége funèbre se réunit devant la maison no 67 et dans l'intérieur. Au milieu du laboratoire de ses pensées et de ses écrits, dans ce cabinet de travail que le tableau de Hildebrandt avait fait partout connaître, se trouvait une simple bière renfermant la dépouille mortelle. Bien des personnes gravirent en hâte les escaliers pour jeter encore un dernier regard sur ce visage muet. De gracieux palmiers à éventail et des plantes tropicales en fleurs entouraient le cercueil et rappelaient l'époque de sa vie où Humboldt ouvrit, dans leur lointaine patrie, un nouveau monde à la science.

«Aussitôt après huit heures, le cercueil, fermé pour toujours, fut apporté sur le char funèbre attelé de six chevaux. La foule attentive le reçut, la tête découverte. Le cortége s'ouvrit par les serviteurs du défunt et ceux du reste de la famille de Humboldt. Venaient ensuite environ 600 étudiants de l'Université de Berlin, conduits par leurs maréchaux qui portaient des bannières de deuil. Ensuite un corps de musique, huit membres du clergé de Berlin et, devant le char funèbre, trois gentilshommes de la chambre, le comte de Fürstenberg-Stammheim, le comte de Dœnnhoff, le baron de Zedlitz; ils étaient assistés d'un quatrième qui portait, sur un coussin de velours rouge, les insignes de l'ordre de l'Aigle noir, de l'ordre du Mérite et des autres ordres nombreux dont Humboldt était décoré. Six piqueurs du roi conduisaient les chevaux du char funèbre, à côté duquel se trouvaient cinq laquais de la cour, un chasseur de la cour et vingt députés de la société des étudiants, avec des branches de palmier. Le modeste cercueil de chêne était orné de branches de palmier, de couronnes de laurier et d'une couronne de blanches azalées. Derrière le cercueil marchaient les plus proches parents du mort, conduits par les chevaliers de l'ordre de l'Aigle noir; à leur tête, le gouverneur de l'ordre, général feld-maréchal de Wrangel, le général prince G. de Radziwil, le général comte de Grœben. Venaient avec eux les ministres d'État en grand uniforme, l'état-major général, les fonctionnaires de la cour, les conseillers privés, bien des étrangers de distinction, entre autres, l'ambassadeur de Turquie; après eux suivaient les membres des deux assemblées des États, les hauts fonctionnaires publics, les officiers de l'état-major, les membres de l'Académie des sciences dont Humboldt était le doyen, les professeurs de l'Université conduits par le recteur Dove et le doyen en costume officiel, les membres de l'Académie des beaux-arts, l'ensemble du corps enseignant des écoles de Berlin, les magistrats et les conseillers municipaux, conduits par le premier bourgmestre Krausnick, le bourgmestre Raunyn, le commissaire Esse et le prince Radziwil, pour rendre les derniers honneurs au citoyen adoptif de la ville.

«Un long cortége de personnes de toutes conditions suivait immédiatement, puis, aussitôt, les équipages d'honneur et, en tête, les voitures de gala du roi et de la reine, attelées de huit chevaux, puis les voitures du prince régent, de tous les princes, de la diplomatie, etc., puis le cortége se prolongeait à l'infini.

«Dans la grande rue de Frédéric, devant le gymnase de Frédéric, se tenaient les élèves avec leur directeur; ils saluèrent le passage du mort de chants religieux; en passant devant l'Université, au son des cloches, au bruit des chants de la société chorale des hommes de Berlin, le cercueil arriva devant le dôme où l'attendaient, sous le portail, la tête découverte, le prince régent, les princes Frédéric-Guillaume, Albert, Albert fils, Frédéric, Georges, Adalbert de Prusse, Auguste de Würtemberg et Frédéric de Hesse-Cassel; puis, à l'entrée principale de l'église, les chapelains de la cour, conduits par Strauss, reçurent le cercueil et l'accompagnèrent devant l'autel, où il fut déposé sur une estrade entourée de palmes et de plantes en fleurs, d'innombrables cierges portés par quatre immenses candélabres, et enfin des coussins sur lesquels reposaient les ordres du défunt. Près du cercueil prirent place les proches parents du mort et les princes de la famille royale; dans une loge se trouvaient plusieurs princesses. Le surintendant général Hoffmann prononça le discours funèbre. Un court cantique chanté par la paroisse et un autre chœur de la cathédrale terminèrent la cérémonie officielle.

«Le soir, le corps de Humboldt fut transporté à Tégel, pour reposer dans le caveau de famille, à côté de son frère Guillaume qui l'y avait précédé de vingt-quatre ans, à cet endroit où, sur une colonne sombre, s'élève comme une amie la statue de l'Espérance, sortie des mains de Thorwaldsen.»

IV

«Aussitôt qu'il apprit la nouvelle de la mort de Humboldt, Napoléon III, au milieu des troubles de la guerre, ordonna d'élever une statue à l'illustre savant dans la galerie du château de Versailles.

«Humboldt avait sans doute regardé les rechutes fréquentes qu'il éprouvait dans les derniers temps comme un avertissement de prendre quelques dispositions de sûreté concernant son héritage littéraire. Ses manuscrits et ses journaux furent trouvés classés et attachés, et la deuxième partie du 4e volume du Cosmos, dont, jusqu'à sa mort, il avait déjà fait imprimer sept feuilles, et qui devait en même temps renfermer une table détaillée des matières de tous les volumes, sera, nous en avons le ferme espoir, bientôt achevée par la main expérimentée d'un ami......

«Puisse ce livre, monument biographique commencé du vivant de Humboldt et pour lequel nous avons mis à profit ses actes et les œuvres de sa pensée, puisse ce livre, dont il a cordialement accueilli la troisième édition avec son complément nouveau, et qu'il a payé d'un mot de reconnaissance, ne pas être, aux yeux du monde, au-dessous du grand nom de Humboldt!

«Nous donnons dans ce monument l'image fidèle de son génie qui a exercé une si puissante influence sur notre époque que mille de ses contemporains ont longtemps vécu et se sont développés sous ses rayons, sans jamais le savoir; car c'était un soleil d'intelligence qui éclairait toutes les branches de la vie et qui faisait éprouver son action bienfaisante à tous ceux qui ont senti et pensé par elle, même dans les limites les plus étroites de leur être.

«Ce n'est pas le marbre qui rappelle sa mémoire; mais partout où les lumières, l'amour de la nature, l'intelligence du monde et de notre propre espèce, comme membres de la création, réjouissent notre âme, là nous sommes en présence de son monument, là nous nous sentons pénétrés d'un doux sentiment de reconnaissance pour lui, là nous rendons hommage au nom de Alexandre de Humboldt!»

V

Aucune préoccupation religieuse ne se manifesta en lui à ses derniers moments. Il ne parla que de la nature qui allait bientôt fermer ses yeux pour jamais. Il entendait par nature ces ensembles et lois générales relatives à la matière par qui le monde est gouverné. On remarque à peine dans sa correspondance une certaine honte de son ignorance des phénomènes évidemment intellectuels des hommes.

«Hier, écrit son confident Varnhagen, hier Humboldt a parlé avec beaucoup d'enjouement des lettres qu'il a reçues; un certain nombre de dames d'Elberfeld se sont engagées à travailler à sa conversion au moyen de lettres anonymes, et lui ont annoncé leur intention; ces lettres arrivent de temps en temps. Il a reçu de Nebraska une lettre dans laquelle on lui demande où les hirondelles passent l'hiver.—«Cette question n'est-elle pas encore pendante?» ai-je repris.—«Sans doute, a répondu Humboldt; je suis là-dessus aussi ignorant que qui que ce soit.» Puis, prenant un air comique d'importance: «Je n'ai pas écrit à Nebraska. Ce sont là de ces choses qu'un savant ne doit pas avouer.»

Une dernière lettre de lui à Mlle Ludmilla Assing, nièce chérie de son ami Varnhagen, témoigne que l'ombre de la mort n'avait point atteint le cœur. Varnhagen venait de rendre le dernier soupir. Humboldt arrive de Potsdam et ne le retrouve plus.

Il écrit alors à Ludmilla:

Berlin, 12 octobre 1858.

«Quel jour d'émotions, de deuil, de malheur pour moi que celui d'hier! J'avais été mandé par la reine à Potsdam pour prendre congé du roi. Il avait les larmes aux yeux, tant il était ému. Je reviens chez moi à six heures du soir, j'ouvre votre lettre et j'apprends la douloureuse nouvelle, bien chère et spirituelle amie! Il a donc dû être enlevé à cette terre avant moi, qui suis nonagénaire, avant le Vieux de la montagne. Ce n'est pas assez de dire que l'Allemagne a perdu un grand écrivain qui savait adapter toutes les nuances du plus noble style aux sentiments les plus délicats; qu'est-ce que la forme à côté de tant de pénétration, d'esprit, de noblesse d'âme, de sagesse et d'expérience! Vous seule savez et pouvez apprécier ce qu'il était pour moi, l'isolement complet dans lequel me plonge sa perte. J'irai bientôt vous voir et vous parler de lui.

«Al. de Humboldt.»

Ainsi l'instinct de l'amitié se fait sentir dans ceux-là même qui n'en ont pas l'intelligence. Mais la mort de Varnhagen jeta une ombre sur Humboldt. Berlin se repentit de son enthousiasme pour un bonhomme qui n'était qu'en apparence habile, mais qui dévoilait dans sa correspondance secrète une malignité offensive pour ses meilleurs amis. Humboldt était prodigieusement soucieux de sa mémoire dans la postérité. Non content de conserver, en les numérotant, toutes les lettres qu'il recevait à sa propre louange et la plupart de ses propres billets, il écrivait plus confidentiellement à son ami Varnhagen, en le faisant dépositaire de ses sentiments secrets envers ses correspondants.

Beaucoup de ces billets étaient pleins de malice et d'allusions offensantes à ceux qu'il honorait en public et qu'il égratignait en secret. Telle était, par exemple, sa lettre au sujet du prince Albert, époux de la reine Victoria d'Angleterre, qu'il traitait avec une odieuse injustice, quoique ce prince, excessivement distingué, lui eût témoigné et écrit à lui-même des lettres aussi pleines de convenance que d'affection. Il en était de même de plusieurs personnages notables de Berlin.

Ces billets de Humboldt, mis au jour par la nièce de Varnhagen, après la mort de son oncle, dévoilèrent des secrets qui parurent des noirceurs, et qui n'étaient que des imprudences de la vanité. L'opinion publique y vit un scandale de duplicité et d'ingratitude. La mémoire de Humboldt en fut ternie. On se reprocha d'avoir été la dupe de la fausse conduite d'un homme qui n'avait de sacré que lui-même, et, si sa réputation de savant resta la même, sa réputation de bonhomme déclina peu de jours après sa mort. Je n'en fus point surpris.

La nature ne trompe jamais: la physionomie de Humboldt, seul langage par lequel le caractère d'un homme voilé se révèle à ceux qui savent y lire, n'avait de la véritable candeur que l'affectation. Son faux sourire, expression habituelle de sa bouche, devait éclater quand il était seul, et ses confidences ouvertes devaient démentir ses prétentions cachées.

Telle est l'impression que ce double caractère de ses traits avait toujours produite involontairement sur moi: un savant véritable, enclin au mépris de la race humaine et dans lequel la science seule était vraie; mais une science bornée, comme une science moderne, qui faisait calculer, mais qui ne faisait point penser, et qu'on pouvait écrire en chiffres au lieu de l'écrire en enthousiasme et en contemplation.

VI

Cosmos, en grec, est un terme qui veut dire le monde, l'univers, le tout.

Hors du cosmos il n'y a rien.

L'homme qui prend ce titre et qui ose dire à ses lecteurs: «Je vais écrire ma pensée cosmique,» dit par là même: «Je vais vous donner le livre universel, l'Évangile de l'univers. Après moi, il n'y a rien.»

Cet homme s'est trouvé.

C'est M. Alexandre de Humboldt;

Un Allemand, un Prussien, un homme d'une prodigieuse instruction, un voyageur en Amérique et en Europe, un écrivain, non pas de premier ordre, car sans âme il n'y a pas d'écrivain, mais un homme d'un talent froid et suffisant à se faire lire; un homme, de plus, qui, par son industrieuse habileté dans le monde, par ses amitiés intéressées avec tous les savants étrangers, et par l'art de les flatter tous, est parvenu à les coïntéresser à sa gloire par la leur, et à se faire ainsi une immense réputation sur parole: réputation scientifique, spéciale, occulte, mathématique, sur des sujets inconnus du vulgaire; réputation que tout le monde aime mieux croire qu'examiner; gloire en chiffres, qui se compose d'une innombrable quantité de mesures géométriques, barométriques, thermométriques, astronomiques, de hauteurs, de niveau, d'équations, de faits, qui font la charpente de la science, et dont on se débarrasse comme de cintres importuns quand on a construit ses ponts sur le vide d'une étoile à l'autre; espèce de voyageur gratuit, non pour le commerce, mais pour la science, au profit des savants pauvres et sédentaires à qui il ne demandait pour tout salaire que de le citer.

Qu'est-ce que la gloire? ai-je dit un jour: C'est un nom souvent répété.—Jamais nom ne fut ainsi plus répété que celui de M. Alexandre de Humboldt.

VII

La première qualité d'un livre et d'un homme qui s'intitule Cosmos, c'est d'être infini. «Ab Jove principium!» car le cosmos ou le monde étant l'œuvre de Dieu, il doit être divin.

«Que m'importe cet être que vous appelez Dicu? Je ne l'ai jamais rencontré dans mes recherches; Dieu est une hypothèse dont je n'ai jamais eu besoin dans mes calculs.» Aucun homme, qui a reçu ce résumé de nos sens qu'on nomme logique, ne peut se contenter de cette négation: quant à moi, dans les effets, c'est la cause seule que je cherche; une pensée de Socrate, une idée d'Aristote, une conception de Descartes, m'importent plus que ces milliers de faits sans conclusion de vos Cosmos sans âme et sans Dieu. Mon âme n'a de sympathie que pour les âmes, et d'adoration que pour l'âme des âmes, l'auteur voilé dans son ouvrage, Dieu. Autant une pensée infinie est au-dessus d'un fait brutal, autant mes contemplations et mes prières sont au-dessus d'un Cosmos chimique ou géométrique. Qu'est-ce qu'une réticence qui cache tout en prétendant tout enseigner?

Comment M. de Humboldt a-t-il été amené à écrire son Cosmos en dehors de Dieu, et à décrire le plus magnifique des poëmes sans crier hosanna à son divin poëte? Disons-le hardiment: c'est qu'au fond il était matérialiste. Or qu'est-ce que la matière? La matière, c'est ce vil composé de fange durcie ou liquéfiée, terre, argile, sable, feu, fer, soufre, dont les astres sont pétris, petit nombre d'éléments abjects qui se combinent ou se combattent dans leur juxtaposition pour produire ces phénomènes de la voûte céleste. Relativement à l'infini, cela n'a point d'intérêt, ou cela ne peut avoir d'autre intérêt que l'étendue, l'espace, et les différentes impulsions que Dieu leur imprime et qui leur commandent le mouvement. Leur masse même et leur distance importent peu, car l'auteur de ces ouvrages n'a qu'à ajouter, comme la marchande d'herbes dans le bassin de sa balance, un brin à un brin, une once de fer ou une pincée de charbon, et, brin à brin, once par once, il finira par produire une étoile un million de fois plus grosse que la terre, sans que cette masse multipliée par l'infini acquière autre chose que du poids de plus. Renouvelez cette opération des milliards de fois dans les cieux, ce sera toujours la même chose, et sa grandeur ou sa petitesse relative à nous n'atteint que deux forces: une force increéée qui donne, une force créée qui reçoit. Voilà tout.

Mais l'âme ou la pensée de cette organisation, où est-elle? Nulle part.

VIII

Le véritable titre de ce livre, qui n'est que chimie, géométrie, nombres et mesures, c'était le Mécanisme de la matière dont le monde est composé. Cela a son intérêt sans doute, mais l'intérêt des mondes ou du Cosmos est bien différent et infiniment supérieur. La première question que M. de Humboldt se fût adressée eût été: D'où vient le monde? qu'est-ce qui l'a créé, mesuré, organisé, balancé sur ses pôles? Le premier mot de Job poussait l'esprit de l'homme mille et mille fois plus loin et plus haut que tout le savant verbiage du philosophe prussien: Ubi est Deus?

Toutefois prenons ce Cosmos matérialiste pour ce qu'il est, nous le raisonnerons ensuite. Tâchons d'abord, malgré notre ignorance, d'en donner une idée à nos lecteurs.

Pour cela, lisons et analysons.

IX

L'auteur ouvre son livre par une courte préface que nous donnons ici. Elle est modeste et grave comme l'ombre qui jaillit d'un portique avant de pénétrer dans le temple:

«J'offre à mes compatriotes, au déclin de ma vie, un ouvrage dont les premiers aperçus ont occupé mon esprit depuis un demi-siècle. Souvent, je l'ai abandonné, doutant de la possibilité de réaliser une entreprise trop téméraire; toujours, et imprudemment peut-être, j'y suis revenu, et j'ai persisté dans mon premier dessein. J'offre le Cosmos, qui est une description physique du monde, avec la timidité que m'inspire la juste défiance de mes forces. J'ai tâché d'oublier que les ouvrages longtemps attendus sont généralement ceux que le public accueille avec le moins d'indulgence.

«Par les vicissitudes de ma vie et une ardeur d'instruction dirigée sur des objets très-variés, je me suis trouvé engagé à m'occuper, en apparence presque exclusivement et pendant plusieurs années, de sciences spéciales, de botanique, de géologie, de chimie, de positions astronomiques et de magnétisme terrestre. C'étaient des études préparatoires pour exécuter avec utilité des voyages lointains; j'avais cependant dans ces études un but plus élevé. Je désirais saisir le monde des phénomènes et des forces physiques dans leur connexité et leur influence mutuelles. Jouissant, dès ma première jeunesse, des conseils et de la bienveillance d'hommes supérieurs, je m'étais pénétré de bonne heure de la persuasion intime que, sans le désir d'acquérir une instruction solide dans les parties spéciales des sciences naturelles, toute contemplation de la nature en grand, tout essai de comprendre les lois qui composent la physique du monde, ne seraient qu'une vaine et chimérique entreprise.

«Les connaissances spéciales, par l'enchaînement même des choses, s'assimilent et se fécondent mutuellement. Lorsque la botanique descriptive ne reste pas circonscrite dans les étroites limites de l'étude des formes et de leur réunion en genres et en espèces, elle conduit l'observateur qui parcourt, sous différents climats, de vastes étendues continentales, des montagnes et des plateaux, aux notions fondamentales de la géographie des plantes, à l'exposé de la distribution des végétaux selon la distance à l'équateur et l'élévation au-dessus du niveau des mers. Or, pour comprendre les causes compliquées des lois qui règlent cette distribution, il faut approfondir les variations de température du sol rayonnant et de l'océan aérien qui enveloppe le globe. C'est ainsi que le naturaliste avide d'instruction est conduit d'une sphère de phénomènes à une autre sphère qui en limite les effets. La géographie des plantes, dont le nom même était presque inconnu il y a un demi-siècle, offrirait une nomenclature aride et dépourvue d'intérêt, si elle ne s'éclairait des études météorologiques.

«Dans des expéditions scientifiques, peu de voyageurs ont eu, au même degré que moi, l'avantage de n'avoir pas seulement vu des côtes, comme c'est le cas dans les voyages autour du monde, mais d'avoir parcouru l'intérieur de deux grands continents dans des étendues très-considérables, et là où ces continents présentent les plus frappants contrastes, à savoir, le paysage tropical et alpin du Mexique ou de l'Amérique du Sud, et le paysage des steppes de l'Asie boréale. Des entreprises de cette nature devaient, d'après la tendance de mon esprit vers des essais de généralisation, vivifier mon courage, et m'exciter à rapprocher, dans un ouvrage à part, les phénomènes terrestres de ceux qu'embrassent les espaces célestes. La description physique de la terre, jusqu'ici assez mal limitée comme science, devint, selon ce plan, qui s'étendait à toutes les choses créées, une description physique du monde.

«La composition d'un tel ouvrage, s'il aspire à réunir au mérite du fond scientifique celui de la forme littéraire, présente de grandes difficultés. Il s'agit de porter l'ordre et la lumière dans l'immense richesse des matériaux qui s'offrent à la pensée, sans ôter aux tableaux de la nature le souffle qui les vivifie; car, si l'on se bornait à donner des résultats généraux, on risquerait d'être aussi aride, aussi monotone qu'on le serait par l'exposé d'une trop grande multitude de faits particuliers. Je n'ose me flatter d'avoir satisfait à des conditions si difficiles à remplir, et d'avoir évité des écueils dont je ne sais que signaler l'existence.»

X

«Le faible espoir que j'ai d'obtenir indulgence du public repose sur l'intérêt témoigné, depuis tant d'années, à un ouvrage publié peu de temps après mon retour du Mexique et des États-Unis, sous le titre de Tableaux de la nature. Ce petit livre, écrit originairement en allemand, et traduit en français, avec une rare connaissance des deux idiomes, par mon vieil ami M. Eyriès, traite quelques parties de la géographie physique, telles que la physionomie des végétaux, des savanes, des déserts, et l'aspect des cataractes, sous des points de vue généraux. S'il a eu quelque utilité, c'est moins par ce qu'il a pu offrir de son propre fonds, que par l'action qu'il a exercée sur l'esprit et l'imagination d'une jeunesse avide de savoir et prompte à se lancer dans des entreprises lointaines. J'ai tâché de faire voir dans le Cosmos, comme dans les Tableaux de la nature, que la description exacte et précise des phénomènes n'est pas absolument inconciliable avec la peinture animée et vivante des scènes imposantes de la création.

«Exposer dans des cours publics les idées qu'on croit nouvelles, m'a toujours paru le meilleur moyen de se rendre raison du degré de clarté qu'il est possible de répandre sur ces idées: aussi ai-je tenté ce moyen en deux langues différentes, à Paris et à Berlin. Des cahiers qui ont été rédigés à cette occasion par des auditeurs intelligents me sont restés inconnus. J'ai préféré ne pas les consulter. La rédaction d'un livre impose des obligations bien différentes de celles qu'entraîne l'exposition orale dans un cours public. À l'exception de quelques fragments de l'introduction du Cosmos, tout a été écrit dans les années 1843 et 1844. Le cours fait devant deux auditoires de Berlin, en soixante leçons, était antérieur à mon expédition dans le nord de l'Asie.

«Le premier volume de cet ouvrage renferme la partie la plus importante à mes yeux de toute mon entreprise, un tableau de la nature présentant l'ensemble des phénomènes de l'univers depuis les nébuleuses planétaires jusqu'à la géographie des plantes et des animaux, en terminant par les races d'hommes. Ce tableau est précédé de considérations sur les différents degrés de jouissance qu'offrent l'étude de la nature et la connaissance de ses lois. Les limites de la science du Cosmos et la méthode d'après laquelle j'essaye de l'exposer y sont également discutées. Tout ce qui tient au détail des observations des faits particuliers, et aux souvenirs de l'antiquité classique, source éternelle d'instruction et de vie, est concentré dans des notes placées à la fin de chaque volume.

«On a souvent fait la remarque, peu consolante en apparence, que tout ce qui n'a pas ses racines dans les profondeurs de la pensée, du sentiment et de l'imagination créatrice, que tout ce qui dépend du progrès de l'expérience, des révolutions que font subir aux théories physiques la perfection croissante des instruments, et la sphère sans cesse agrandie de l'observation, ne tarde pas à vieillir. Les ouvrages sur les sciences de la nature portent ainsi en eux-mêmes un germe de destruction, de telle sorte qu'en moins d'un quart de siècle, par la marche rapide des découvertes, ils sont condamnés à l'oubli, illisibles pour quiconque est à la hauteur du présent. Je suis loin de nier la justesse de ces réflexions, mais je pense que ceux qu'un long et intime commerce avec la nature a pénétrés du sentiment de sa grandeur, qui, dans ce commerce salutaire, ont fortifié à la fois leur caractère et leur esprit, ne sauraient s'affliger de la voir de mieux en mieux connue, de voir s'étendre incessamment l'horizon des idées comme celui des faits. Il y a plus encore: dans l'état actuel de nos connaissances, des parties très-importantes de la physique du monde sont assises sur des fondements solides. Un essai de réunir ce qui, à une époque donnée, a été découvert dans les espaces célestes, à la surface du globe, et à la faible distance où il nous est permis de lire dans ses profondeurs, pourrait, si je ne me trompe, quels que soient les progrès futurs de la science, offrir encore quelque intérêt, s'il parvenait à retracer avec vivacité une partie au moins de ce que l'esprit de l'homme aperçoit de général, de constant, d'éternel, parmi les apparentes fluctuations des phénomènes de l'univers.»

Potsdam, au mois de novembre 1844.

XI

Après cet humble portique, on entre, pendant tout le premier volume, dans une longue analyse, très-mal placée, mais très-bien rédigée, de ce qu'on peut appeler son cours de contemplation de la nature universelle.

C'est le Cosmos lui-même, c'est-à-dire l'analyse anticipée et abrégée des phénomènes et des principes que M. de Humboldt va successivement et largement développer.

Il commence, en remontant par la science l'échelle des temps inconnus, et jette ses regards de la terre qu'il foule au fond des cieux que le télescope et le calcul rapprochent de lui. C'est une description astronomique de l'espace infini dont notre globe est environné. Dix-huit millions d'étoiles, actuellement visibles, étoiles qui chacune sont un soleil et entraînent avec elles des systèmes de planètes et de mondes, en marquent les bords, quelques-unes à de telles distances qu'il faut des milliards de siècles pour que leur lumière parvienne seulement à la terre. Quelles lettres pour graver le nom de Dieu!

«Plusieurs traités de géographie physique, et des plus distingués, offrent dans leurs introductions une partie exclusivement astronomique, tendant à faire envisager d'abord la terre dans sa dépendance planétaire, et comme faisant partie du grand système qu'anime le corps central du soleil. Cette marche des idées est diamétralement opposée à celle que je me propose de suivre. Pour bien saisir la grandeur du Cosmos, il ne faut pas subordonner la partie sidérale, que Kant a appelée l'histoire naturelle du ciel, à la partie terrestre.

Dans le Cosmos, selon l'antique expression d'Aristarque de Samos, qui préludait au système de Copernic, le soleil (avec ses satellites) n'est qu'une des étoiles innombrables qui remplissent les espaces. La description de ces espaces, la physique du monde, ne peut commencer que par les corps célestes, par le tracé graphique de l'univers, je dirais presque par une véritable carte du monde, telle que, d'une main hardie, Herschel le père a osé la figurer. Si, malgré la petitesse de notre planète, ce qui la concerne exclusivement occupe dans cet ouvrage la place la plus considérable, et s'y trouve développé avec le plus de détail, cela tient uniquement à la disproportion de nos connaissances entre ce qui est accessible à l'observation et ce qui s'y refuse. Cette subordination de la partie céleste à la partie terrestre se rencontre déjà dans le grand ouvrage de Bernard Varenius, qui a paru au milieu du dix-septième siècle. Il distingua, le premier, la géographie en générale et spéciale, subdivisant celle-là en partie absolue, c'est-à-dire proprement terrestre, et en partie relative ou planétaire, selon qu'on envisage la surface de la terre dans ses différentes zones, ou bien les rapports de notre planète avec le soleil et la lune. C'est un beau titre de gloire pour Varenius, que sa Géographie générale et comparée ait pu fixer à un haut degré l'attention de Newton. L'état imparfait des sciences auxiliaires dans lesquelles il devait puiser ne pouvait pas répondre à la grandeur de l'entreprise. Il était réservé à notre temps et à ma patrie de voir tracer par Charles Ritter le tableau de la géographie comparée dans toute son étendue et dans son intime relation avec l'histoire de l'homme.»

Les nébuleuses, que l'on suppose être des entrepôts d'étoiles et de mondes, sont la vie lumineuse de ces océans de clarté. On les entrevoit comme autant de voies lactées où Dieu range ses créations matérielles avant de les lancer à leur place dans ses mondes. Les comètes, à la course inattendue et irrégulière, sont les courriers extraordinaires de cette armée des astres. Elles y portent la terreur, et cependant leurs retours annoncent qu'elles sont elles-mêmes réglées et qu'elles trouvent leur mission dans d'inaccessibles profondeurs.

«Considérons en premier lieu cette matière cosmique répartie dans le ciel sous des formes plus ou moins déterminées, et dans tous les états possibles d'agrégation. Lorsqu'elles ont de faibles dimensions apparentes, les nébuleuses présentent l'aspect de petits disques ronds ou elliptiques, soit isolés, soit disposés par couples et réunis alors quelquefois par un mince filet lumineux; sous de plus grands diamètres, la matière nébuleuse prend les formes les plus variées: elle envoie au loin, dans l'espace, de nombreuses ramifications; elle s'étend en éventail, ou bien elle affecte la figure annulaire aux contours nettement accusés, avec un espace central obscur. On croit que ces nébuleuses subissent graduellement des changements de forme, suivant que la matière, obéissant aux lois de gravitation, se condense autour d'un ou de plusieurs centres. Environ 2500 de ces nébuleuses, que les plus puissants télescopes n'ont pu résoudre en étoiles, sont maintenant classées et déterminées, quant aux lieux qu'elles occupent dans le ciel.

«De même on peut reconnaître, dans l'immensité des champs célestes, les diverses phases de la formation graduelle des étoiles. Cette condensation progressive, enseignée par Anaximène, et, avec lui, par toute l'école ionique, paraît ainsi se développer simultanément à nos yeux. Il faut le reconnaître, la tendance presque divinatrice de ces recherches et de ces efforts de l'esprit a toujours offert à l'imagination l'attrait le plus puissant; mais ce qui doit captiver, dans l'étude de la vie et des forces qui animent l'univers, c'est bien moins la connaissance des êtres dans leur essence que celle de la loi de leur développement, c'est-à-dire la succession des formes qu'ils revêtent; car, de l'acte même de la création, d'une origine des choses considérée comme la transition du néant à l'être, ni l'expérience, ni le raisonnement, ne sauraient nous en donner l'idée.»

XII

Nous sommes, nous, habitants de la terre, comme une île gouvernée par notre soleil, roi séparé de cet amas de 18 millions d'autres soleils.

«Dans l'état actuel de la science, le système solaire se compose de onze planètes principales, de dix-huit lunes ou satellites, et d'une myriade de comètes dont quelques-unes restent constamment dans les limites étroites du monde des planètes: ce sont les comètes planétaires. Nous pourrions encore, avec toute vraisemblance, ajouter au cortége de notre soleil, et placer dans la sphère où s'exerce immédiatement son action centrale, d'abord un anneau de matière nébuleuse et animé d'un mouvement de rotation; cet anneau est probablement situé entre l'orbite de Mars et celle de Vénus, du moins il est certain qu'il dépasse l'orbite de la terre: c'est lui qui produit cette apparence lumineuse, à forme pyramidale, connue sous le nom de lumière zodiacale; en second lieu, une multitude d'astéroïdes excessivement petits, dont les orbites coupent celle de la terre ou s'en écartent fort peu: c'est par eux qu'on explique les apparitions d'étoiles filantes et les chutes d'aérolithes.

«Les onze planètes qui composent le système solaire sont accompagnées de quelques planètes inférieures ou lunes.

«Les comètes, qui laissent quelquefois entrevoir les étoiles à travers leur queue, semblent être un composé de matière gazeuse plus apparente que dangereuse.»

Quant aux pierres tombantes ou étoiles filantes qui étonnent souvent nos yeux, Humboldt les considère comme des millions de petites planètes emportées par un mouvement de rotation autour du soleil, et qui frappent aveuglément la terre quand nous les rencontrons, comme des papillons aveugles. Ce système, qui est aussi celui d'autres astronomes, paraît peu digne, peu vraisemblable ou peu conforme à la loi générale des astres. Leur nature calcinée les ferait plutôt croire volcaniques: matière élevée dans les airs par la force démesurée de projection, et retombant du haut de l'atmosphère terrestre sur notre hémisphère. Elles sont composées identiquement des mêmes huit métaux terrestres analysés par Berzélius, fer, nikel, cobalt, manganèse, chrome, cuivre, arsenic, étain, et de cinq terres qu'on retrouve dans notre terre. La lumière zodiacale récemment découverte ne révèle pas sa nature et son origine. Humboldt, qui la reconnaît et qui l'admire, conjecture qu'elle est le reflet d'astres innombrables et lumineux noyés dans les espaces les plus rapprochés du soleil.

L'étendue, la pesanteur, la température du globe entier de la terre se déterminent facilement.

La force magnétique, dont M. de Humboldt s'est spécialement occupé, lui semble résider dans les espaces célestes et diriger de là ces phénomènes.

Il examine ensuite l'écorce de notre planète et la géographie des plantes vivantes ou fossiles: ce n'est plus qu'un naturaliste; puis la formation des montagnes par l'action du feu ou plutonium; puis les mers, les vents, les climats, l'électricité; puis la vie, puis les animaux, puis l'homme.

Ici il s'arrête et il pense:

XIII

«Le tableau général de la nature que j'essaye de dresser serait incomplet, si je n'entreprenais de décrire ici également, en quelques traits caractéristiques, l'espèce humaine considérée dans ses nuances physiques, dans la distribution géographique de ses types contemporains, dans l'influence que lui ont fait subir les forces terrestres, et qu'à son tour elle a exercée, quoique plus faiblement, sur celles-ci. Soumise, bien qu'à un moindre degré que les plantes et les animaux, aux circonstances du sol et aux conditions météorologiques de l'atmosphère, par l'activité de l'esprit, par le progrès de l'intelligence qui s'élève peu à peu, aussi bien que par cette merveilleuse flexibilité d'organisation qui se plie à tous les climats, notre espèce échappe plus aisément aux puissances de la nature; mais elle n'en participe pas moins d'une manière essentielle à la vie qui anime notre globe tout entier. C'est par ces secrets rapports que le problème si obscur et si controversé de la possibilité d'une origine commune pour différentes races humaines, rentre dans la sphère d'idées qu'embrasse la description physique du monde. L'examen de ce problème marquera, si je puis m'exprimer ainsi, d'un intérêt plus noble, de cet intérêt supérieur qui s'attache à l'humanité, le but final de mon ouvrage. L'immense domaine des langues, dans la structure si variée desquelles se réfléchissent mystérieusement les aptitudes des peuples, confine de très-près à celui de la parenté des races; et ce que sont capables de produire même les moindres diversités de race, nous l'apprenons par un grand exemple, celui de la culture intellectuelle si diversifiée de la nation grecque. Ainsi les questions les plus importantes que soulève l'histoire de la civilisation de l'espèce humaine, se rattachent aux notions capitales de l'origine des peuples, de la parenté des langues, de l'immutabilité d'une direction primordiale tant de l'âme que de l'esprit.

«Tant que l'on s'en tint aux extrêmes dans les variations de la couleur et de la figure, et qu'on se laissa prévenir à la vivacité des premières impressions, on fut porté à considérer les races, non comme de simples variétés, mais comme des souches humaines, originairement distinctes. La permanence de certains types, en dépit des influences les plus contraires des causes extérieures, surtout du climat, semblait favoriser cette manière de voir, quelque courtes que soient les périodes de temps dont la connaissance historique nous est parvenue. Mais, dans mon opinion, des raisons plus puissantes militent en faveur de l'unité de l'espèce humaine, savoir, les nombreuses gradations de la couleur de la peau et de la structure du crâne, que les progrès rapides de la science géographique ont fait connaître dans les temps modernes; l'analogie que suivent, en s'altérant, d'autres classes d'animaux, tant sauvages que privés; les observations positives que l'on a recueillies sur les limites prescrites à la fécondité des métis. La plus grande partie des contrastes dont on était si frappé jadis s'est évanouie devant le travail approfondi de Tiedemann sur le cerveau des Nègres et des Européens, devant les recherches anatomiques de Vrolik et de Weber sur la configuration du bassin. Si l'on embrasse dans leur généralité les nations africaines de couleur foncée, sur lesquelles l'ouvrage capital de Prichard a répandu tant de lumières, et si on les compare avec les tribus de l'archipel méridional de l'Inde et des îles de l'Australie occidentale, avec les Papous et les Alfourous (Harafores, Endamènes), on aperçoit clairement que la teinte noire de la peau, les cheveux crépus, et les traits de la physionomie nègre sont loin d'être toujours associés. Tant qu'une faible partie de la terre fut ouverte aux peuples de l'Occident, des vues exclusives dominèrent parmi eux. La chaleur brûlante des tropiques et la couleur noire du teint semblèrent inséparables. «Les Éthiopiens,» chantait l'ancien poëte tragique Théodecte de Phasélis, «doivent au dieu du soleil, qui s'approche d'eux dans sa course, le sombre éclat de la suie dont il colore leurs corps.» Il fallut les conquêtes d'Alexandre, qui éveillèrent tant d'idées de géographie physique, pour engager le débat relatif à cette problématique influence des climats sur les races d'hommes. «Les familles des animaux et des plantes,» dit un des plus grands anatomistes de notre âge, Jean Müller, dans sa Physiologie de l'homme, «se modifient durant leur propagation sur la face de la terre, entre les limites qui déterminent les espèces et les genres. Elles se perpétuent organiquement comme types de la variation des espèces. Du concours de différentes causes, de différentes conditions, tant intérieures qu'extérieures, qui ne sauraient être signalées en détail, sont nées les races présentes des animaux; et leurs variétés les plus frappantes se rencontrent chez ceux qui ont en partage la faculté d'extension la plus considérable sur la terre. Les races humaines sont les formes d'une espèce unique, qui s'accouplent en restant fécondes, et se perpétuent par la génération. Ce ne sont point les espèces d'un genre; car, si elles l'étaient, en se croisant, elles deviendraient stériles. De savoir si les races d'hommes existantes descendent d'un ou de plusieurs hommes primitifs, c'est ce qu'on ne saurait découvrir par l'expérience.»

XIV

Les recherches géographiques sur le siége primordial, ou, comme on dit, sur le berceau de l'espèce humaine, ont dans le fait un caractère purement mythique. «Nous ne connaissons,» dit Guillaume de Humboldt, dans un travail encore inédit sur la diversité des langues et des peuples, «nous ne connaissons, ni historiquement, ni par aucune tradition certaine, le moment où l'espèce humaine n'ait pas été séparée en groupes de peuples. Si cet état de choses a existé dès l'origine, ou s'il s'est produit plus tard, c'est ce qu'on ne saurait décider par l'histoire. Des légendes isolées se retrouvant sur des points très-divers du globe, sans communication apparente, sont en contradiction avec la première hypothèse, et font descendre le genre humain tout entier d'un couple unique. Cette tradition est si répandue, qu'on l'a quelquefois regardée comme un antique souvenir des hommes. Mais cette circonstance même prouverait plutôt qu'il n'y a là aucune transmission réelle d'un fait, aucun fondement vraiment historique, et que c'est tout simplement l'identité de la conception humaine, qui partout a conduit les hommes à une explication semblable d'un phénomène identique. Un grand nombre de mythes, sans liaison historique les uns avec les autres, doivent ainsi leur ressemblance et leur origine à la parité des imaginations ou des réflexions de l'esprit humain. Ce qui montre encore dans la tradition dont il s'agit le caractère manifeste de la fiction, c'est qu'elle prétend expliquer un phénomène en dehors de toute expérience, celui de la première origine de l'espèce humaine, d'une manière conforme à l'expérience de nos jours; la manière, par exemple, dont, à une époque où le genre humain tout entier comptait déjà des milliers d'années d'existence, une île déserte ou un vallon isolé dans les montagnes peut avoir été peuplé. En vain la pensée se plongerait dans la méditation du problème de cette première origine; l'homme est si étroitement lié à son espèce et au temps, que l'on ne saurait concevoir un être humain venant au monde sans une famille déjà existante .... Cette question donc ne pouvant être résolue ni par la voie du raisonnement ni par celle de l'expérience, faut-il penser que l'état primitif, tel que nous le décrit une prétendue tradition, est réellement historique, ou bien que l'espèce humaine, dès son principe, couvrit la terre en forme de peuplades? C'est ce que la science des langues ne saurait décider par elle-même, comme elle ne doit point non plus chercher une solution ailleurs pour en tirer des éclaircissements sur les problèmes qui l'occupent.

«L'humanité se distribue en simples variétés, que l'on désigne par le mot un peu indéterminé de races. De même que dans le règne végétal, dans l'histoire naturelle des oiseaux et des poissons, il est plus sûr de grouper les individus en un grand nombre de familles, que de les réunir en un petit nombre de sections embrassant des masses considérables; de même, dans la détermination des races, il me paraît préférable d'établir de petites familles de peuples. Que l'on suive la classification de mon maître Blumenbach en cinq races (Caucasique, Mongolique, Américaine, Éthiopique et Malaie), ou bien qu'avec Prichard on reconnaisse sept races (Iranienne, Touranienne, Américaine, des Hottentots et Bouschmans, des Nègres, des Papous et des Alfourous), il n'en est pas moins vrai qu'aucune différence radicale et typique, aucun principe de division naturel et rigoureux ne régit de tels groupes. On sépare ce qui semble former les extrêmes de la figure et de la couleur, sans s'inquiéter des familles de peuples qui échappent à ces grandes classes et que l'on a nommées, tantôt races scythiques, tantôt races allophyliques. Iraniens est, à la vérité, une dénomination mieux choisie pour les peuples d'Europe que celle de Caucasiens; et pourtant il faut bien avouer que les noms géographiques, pris comme désignations de races, sont extrêmement indéterminés, surtout quand le pays qui doit donner son nom à telle ou telle race se trouve, comme le Touran ou Mawerannahar, par exemple, avoir été habité, à différentes époques, par les souches de peuples les plus diverses, d'origine indo-germanique et finnoise, mais non pas mongolique.

«Les langues, créations intellectuelles de l'humanité, et qui tiennent de si près aux premiers développements de l'esprit, ont, par cette empreinte nationale qu'elles portent en elles-mêmes, une haute importance, pour aider à reconnaître la ressemblance ou la différence des races. Ce qui leur donne cette importance, c'est que la communauté de leur origine est un fil conducteur, au moyen duquel on pénètre dans le mystérieux labyrinthe, où l'union des dispositions physiques du corps avec les pouvoirs de l'intelligence se manifeste sous mille formes diverses. Les remarquables progrès que l'étude philosophique des langues a faits en Allemagne depuis moins d'un demi-siècle, facilitent les recherches sur leur caractère national, sur ce qu'elles paraissent devoir à la parenté des peuples qui les parlent. Mais, comme dans toutes les sphères de la spéculation idéale, à côté de l'espoir d'un butin riche et assuré, est ici le danger des illusions si fréquentes en pareille matière.

«Des études ethnographiques positives, soutenues par une connaissance approfondie de l'histoire, nous apprennent qu'il faut apporter de grandes précautions dans cette comparaison des peuples et des langues dont ils se sont servis à une époque déterminée. La conquête, une longue habitude de vivre ensemble, l'influence d'une religion étrangère, le mélange des races, lors même qu'il aurait eu lieu avec un petit nombre d'immigrants plus forts et plus civilisés, ont produit un phénomène qui se remarque à la fois dans les deux continents, savoir, que deux familles de langues entièrement différentes peuvent se trouver dans une seule et même race; que, d'un autre côté, chez des peuples très-divers d'origine peuvent se rencontrer des idiomes d'une même souche de langues. Ce sont les grands conquérants asiatiques qui, par la puissance de leurs armes, par le déplacement et le bouleversement des populations, ont surtout contribué à créer dans l'histoire ce double et singulier phénomène.

«Le langage est une partie intégrante de l'histoire naturelle de l'esprit; et bien que l'esprit, dans son heureuse indépendance, se fasse à lui-même des lois qu'il suit sous les influences les plus diverses, bien que la liberté qui lui est propre s'efforce constamment de le soustraire à ces influences, pourtant il ne saurait s'affranchir tout à fait des liens qui le retiennent à la terre. Toujours il reste quelque chose de ce que les dispositions naturelles empruntent au sol, au climat, à la sérénité d'un ciel d'azur, ou au sombre aspect d'une atmosphère chargée de vapeurs. Sans doute la richesse et la grâce dans la structure d'une langue sont l'œuvre de la pensée, dont elles naissent comme de la fleur la plus délicate de l'esprit; mais les deux sphères de la nature physique et de l'intelligence ou du sentiment n'en sont pas moins étroitement unies l'une à l'autre; et c'est ce qui fait que nous n'avons pas voulu ôter à notre tableau du monde ce que pouvaient lui communiquer de coloris et de lumière ces considérations, toutes rapides qu'elles sont, sur les rapports des races et des langues.

«En maintenant l'unité de l'espèce humaine, nous rejetons, par une conséquence nécessaire, la distinction désolante de races supérieures et de races inférieures. Sans doute il est des familles de peuples plus susceptibles de culture, plus civilisées, plus éclairées; mais il n'en est pas de plus nobles que les autres. Toutes sont également faites pour la liberté, pour cette liberté qui, dans un état de société peu avancé, n'appartient qu'à l'individu; mais qui, chez les nations appelées à la jouissance de véritables institutions politiques, est le droit de la communauté tout entière. Une idée qui se révèle à travers l'histoire en étendant chaque jour son salutaire empire, une idée qui, mieux que toute autre, prouve le fait si souvent contesté, mais plus encore incompris, de la perfectibilité générale de l'espèce, c'est l'idée de l'humanité. C'est elle qui tend à faire tomber les barrières que des préjugés et des vues intéressées de toute sorte ont élevées entre les hommes, et à faire envisager l'humanité dans son ensemble, sans distinction de religion, de nation, de couleur, comme une grande famille de frères, comme un corps unique, marchant vers un seul et même but, le libre développement des forces morales. Ce but est le but final, le but suprême de la sociabilité, et en même temps la direction imposée à l'homme par sa propre nature, pour l'agrandissement indéfini de son existence. Il regarde la terre, aussi loin qu'elle s'étend; le ciel, aussi loin qu'il le peut découvrir, illuminé d'étoiles, comme son intime propriété, comme un double champ ouvert à son activité physique et intellectuelle. Déjà l'enfant aspire à franchir les montagnes et les mers qui circonscrivent son étroite demeure; et puis, se repliant sur lui-même comme la plante, il soupire après le retour. C'est là, en effet, ce qu'il y a dans l'homme de touchant et de beau, cette double aspiration vers ce qu'il désire et vers ce qu'il a perdu; c'est elle qui le préserve du danger de s'attacher d'une manière exclusive au moment présent. Et de la sorte, enracinée dans les profondeurs de la nature humaine, commandée en même temps par ses instincts les plus sublimes, cette union bienveillante et fraternelle de l'espèce entière devient une des grandes idées qui président à l'histoire de l'humanité.

«Qu'il soit permis à un frère de terminer par ces paroles, qui puisent leur charme dans la profondeur des sentiments, la description générale des phénomènes de la nature au sein de l'univers. Depuis les nébuleuses lointaines, et depuis les étoiles doubles circulant dans les cieux, nous sommes descendus jusqu'aux corps organisés les plus petits du règne animal, dans la mer et sur la terre; jusqu'aux germes délicats de ces plantes qui tapissent la roche nue, sur la pente des monts couronnés de glaces. Des lois connues partiellement nous ont servi à classer tous ces phénomènes; d'autres lois, d'une nature plus mystérieuse, exercent leur empire dans les régions les plus élevées du monde organique, dans la sphère de l'espèce humaine avec ses conformations diverses, avec l'énergie créatrice de l'esprit dont elle est douée, avec les langues variées qui en sont le produit. Un tableau physique de la nature s'arrête à la limite où commence la sphère de l'intelligence, où le regard plonge dans un monde différent. Cette limite, il la marque et ne la franchit point.»

XV

Après ce savant aperçu sur l'astronomie de l'univers, j'ouvre le deuxième volume du Cosmos de M. de Humboldt, et je le trouve redescendu sans transition de ces mondes incommensurables à une espèce de littérature cosmique qui ne s'enchaîne en rien à ce tableau de l'univers. Je demeure anéanti de la petitesse des considérations littéraires, après ces divagations éthérées et infinies; c'était une vaste philosophie que j'attendais, je tombe dans des phrases sans fond et sans suite. Jugez-en vous-mêmes. Voici son début:

MOYENS PROPRES À RÉPANDRE L'ÉTUDE DE LA NATURE.

«Nous passons de la sphère des objets extérieurs à la sphère des sentiments. Dans le premier volume nous avons exposé, sous la forme d'un vaste tableau de la nature, ce que la science, fondée sur des observations rigoureuses et dégagée de fausses apparences, nous a appris à connaître des phénomènes et des lois de l'univers. Mais ce spectacle de la nature ne serait pas complet si nous ne considérions comment il se reflète dans la pensée et dans l'imagination disposée aux impressions poétiques. Un monde intérieur se révèle à nous. Nous ne l'explorerons pas, comme le fait la philosophie de l'art, pour distinguer ce qui dans nos émotions appartient à l'action des objets extérieurs sur les sens, et ce qui émane des facultés de l'âme ou tient aux dispositions natives des peuples divers. C'est assez d'indiquer la source de cette contemplation intelligente qui nous élève au pur sentiment de la nature, de rechercher les causes qui, surtout dans les temps modernes, ont contribué si puissamment, en éveillant l'imagination, à propager l'étude des sciences naturelles et le goût des voyages lointains.

«Les moyens propres à répandre l'étude de la nature consistent, comme nous l'avons dit déjà, dans trois formes particulières sous lesquelles se manifestent la pensée et l'imagination créatrice de l'homme: la description animée des scènes et des productions de la nature; la peinture de paysage, du moment où elle a commencé à saisir la physionomie des végétaux, leur sauvage abondance, et le caractère individuel du sol qui les produit; la culture plus répandue des plantes tropicales et les collections d'espèces exotiques dans les jardins et dans les serres. Chacun de ces procédés pourrait être l'objet de longs développements, si l'on voulait en faire l'histoire; mais il convient mieux, d'après l'esprit et le plan de cet ouvrage, de nous attacher à quelques idées essentielles et d'étudier en général comment la nature a diversement agi sur la pensée et l'imagination des hommes, suivant les époques et les races, jusqu'à ce que, par le progrès des esprits, la science et la poésie s'unissent et se pénétrassent de plus en plus. Pour embrasser l'ensemble de la nature, il ne faut pas s'en tenir aux phénomènes du dehors; il faut faire entrevoir du moins quelques-unes de ces analogies mystérieuses et de ces harmonies morales qui rattachent l'homme au monde extérieur; montrer comment la nature, en se reflétant dans l'homme, a été tantôt enveloppée d'un voile symbolique qui laissait entrevoir de gracieuses images, tantôt a fait éclore en lui le noble germe des arts.

«En énumérant les causes qui peuvent nous porter vers l'étude scientifique de la nature, nous devons rappeler aussi que des impressions fortuites et en apparence passagères ont souvent, dans la jeunesse, décidé de toute l'existence. Le plaisir naïf que fait éprouver la forme articulée de certains continents ou des mers intérieures sur les cartes géographiques, l'espoir de contempler ces belles constellations australes que n'offre jamais à nos yeux la voûte de notre ciel, les images des palmiers de la Palestine ou des cèdres du Liban que renferment les livres saints, peuvent faire germer au fond d'une âme d'enfant l'amour des expéditions lointaines. S'il m'était permis d'interroger ici mes plus anciens souvenirs de jeunesse, de signaler l'attrait qui m'inspira de bonne heure l'invincible désir de visiter les régions tropicales, je citerais: les descriptions pittoresques des îles de la mer du Sud, par George Forster; les tableaux de Hodges représentant les rives du Gange, dans la maison de Warren Hastings, à Londres; un dragonnier colossal dans une vieille tour du jardin botanique à Berlin. Ces exemples se rattachent aux trois classes signalées plus haut, au genre descriptif inspiré par une contemplation intelligente de la nature, à la peinture de paysage, enfin à l'observation directe des grandes formes du règne végétal. Il ne faut pas oublier que l'efficacité de ces moyens dépend en grande partie de l'état de la culture chez les modernes, et des dispositions de l'âme, qui, selon les races et les temps, est plus ou moins sensible aux impressions de la nature.»

XVI

Humboldt passe à la poésie descriptive, à Hésiode; il cite Homère et Pindare. On descend du millième ciel pour assister à un cours de littérature. Puis vient Lucrèce qui chante la nature, son dieu. Puis Cicéron, l'homme d'État malheureux, se réfugiant dans la nature, conserve dans son cœur, en proie aux passions politiques, un goût vif pour la nature et l'amour de la solitude. Il faut chercher la source de ces sentiments dans les profondeurs d'un grand et noble caractère. Les écrits de Cicéron prouvent la vérité de cette observation. On sait, il est vrai, qu'il a fait de nombreux emprunts au Phèdre de Platon, dans le traité des Lois et dans celui de l'Orateur; mais l'imitation n'a rien fait perdre de son individualité propre à la peinture du sol italique. Platon dépeint en quelques traits généraux «l'ombrage épais du haut platane, les parfums qui s'exhalent de l'Agnus-castus en fleur, la brise qui sent l'été et dont le murmure accompagne les chœurs des cigales.» Pour la description de Cicéron, elle est tellement fidèle, comme l'a remarqué récemment un observateur ingénieux, qu'aujourd'hui encore on en peut retrouver sur les lieux mêmes tous les traits............

À travers les terribles orages de l'an 708, Cicéron trouva quelques adoucissements dans ses villas, se rendant tour à tour de Tusculum à Arpinum, des environs d'Antium à ceux de Cumes.

«Rien de plus agréable, écrit-il à Atticus, que cette solitude, rien de plus gracieux que cette villa, le rivage qui est auprès et la vue de la mer.» Il écrit encore de l'île d'Astura, à l'embouchure du fleuve du même nom, sur la côte de la mer Tyrrhénienne. «Personne ici ne me dérange, et quand je vais dès le matin me cacher dans un bois épais et sauvage, je n'en sors plus avant le soir. Après mon bien-aimé Atticus, rien ne m'est plus cher que la solitude; là je n'ai de commerce qu'avec les lettres, et pourtant mes études sont souvent interrompues par mes larmes. Je combats contre la douleur autant que je le puis, mais la lutte est encore au-dessus de mes forces.» Plusieurs critiques ont cru retrouver par avance dans ces lettres, ainsi que dans celles de Pline, l'accent de la sentimentalité moderne; je n'y vois, pour moi, que l'accent d'une sensibilité profonde, qui, dans tous les temps et chez tous les peuples, s'échappe des cœurs douloureusement émus.

Horace, Virgile, Ovide, sont ensuite présentés en exemple.

«La connaissance des œuvres de Virgile et d'Horace est si généralement répandue parmi toutes les personnes un peu initiées à la littérature latine, qu'il serait superflu d'en extraire des passages pour rappeler le vif et tendre sentiment de la nature qui anime quelques-unes de leurs compositions. Dans l'épopée nationale de Virgile, la description du paysage, d'après la nature même de ce genre de poëme, devait être un simple accessoire, et ne pouvait occuper que peu de place. Nulle part on ne remarque que l'auteur se soit attaché à décrire des lieux déterminés; mais les couleurs harmonieuses de ses tableaux révèlent une profonde intelligence de la nature. Où le calme de la mer et le repos de la nuit ont-ils été plus heureusement retracés? Quel contraste entre ces images sereines et les énergiques peintures de l'orage, dans le premier livre des Géorgiques, de la tempête qui assaille les Troyens au milieu des Strophades, de l'écroulement des rochers et de l'éruption de l'Etna, dans l'Énéide! De la part d'Ovide, on eût pu attendre, comme fruit de son long séjour à Tomes, dans les plaines de la Mœsie inférieure, une description poétique de ces déserts sur lesquels l'antiquité est restée muette. L'exilé ne vit pas, il est vrai, cette partie des steppes qui, recouvertes dans l'été de plantes vigoureuses hautes de quatre à six pieds, offre, à chaque souffle du vent, la gracieuse image d'une mer de fleurs agitée. Le lieu où fut relégué Ovide était une lande marécageuse; accablé par une disgrâce au-dessus de ses forces, il était plus disposé à se reporter en souvenir aux jouissances du monde et aux événements politiques de Rome, qu'à contempler les vastes déserts qui l'entouraient. Comme compensation, et sans compter les descriptions, peut-être même un peu trop fréquentes, de grottes, de sources et de clairs de lune, ce poëte, qui possédait à un si haut degré le talent de peindre, nous a laissé un récit singulièrement exact et intéressant, même pour la géologie, d'une éruption volcanique près de Méthone, entre Épidaure et Trézène. Dans ce tableau que nous avons eu déjà l'occasion de signaler ailleurs, Ovide montre le sol se soulevant en forme de colline par la force des vapeurs intérieurement comprimées, comme une vessie gonflée, ou comme une outre formée de la peau d'un chevreau.»

XVII

Pline l'Ancien décrit en prose la nature; les Indes orientales et la Perse offrent des modèles de belles descriptions. La poésie biblique est un lyrisme pieux.

«Grâce à l'uniformité qui s'est conservée dans les mœurs et dans les habitudes de la vie nomade, les voyageurs modernes ont pu confirmer la vérité de ces tableaux. La poésie lyrique est plus ornée et déploie la vie de la nature dans toute sa plénitude. On peut dire que le 103e psaume est à lui seul une esquisse du monde. «Le Seigneur, revêtu de lumière, a étendu le ciel comme un tapis. Il a fondé la terre sur sa propre solidité, en sorte qu'elle ne vacillât pas dans toute la durée des siècles. Les eaux coulent du haut des montagnes dans les vallons, aux lieux qui leur ont été assignés, afin que jamais elles ne passent les bornes prescrites, mais qu'elles abreuvent tous les animaux des champs. Les oiseaux du ciel chantent sous le feuillage. Les arbres de l'Éternel, les cèdres que Dieu lui-même a plantés, se dressent pleins de séve; les oiseaux y font leur nid, et l'autour bâtit son habitation sur les sapins.» Dans le même psaume est décrite la mer «où s'agite la vie d'êtres sans nombre. Là passent les vaisseaux et se meuvent les monstres que tu as créés, ô Dieu, pour qu'ils s'y jouassent librement.» L'ensemencement des champs, la culture de la vigne, qui réjouit le cœur de l'homme, celle de l'olivier, y ont aussi trouvé place. Les corps célestes complètent ce tableau de la nature. «Le Seigneur a créé la lune pour mesurer le temps, et le soleil connaît le terme de sa course. Il fait nuit, les animaux se répandent sur la terre, les lionceaux rugissent après leur proie et demandent leur nourriture à Dieu. Le soleil paraît, ils se rassemblent et se réfugient dans leurs cavernes, tandis que l'homme se rend à son travail et fait sa journée jusqu'au soir.» On est surpris, dans un poëme lyrique aussi court, de voir le monde entier, la terre et le ciel, peints en quelques traits. À la vie confuse des éléments est opposée l'existence calme et laborieuse de l'homme, depuis le lever du soleil jusqu'au moment où le soir met fin à ses travaux. Ce contraste, ces vues générales sur l'action réciproque des phénomènes, ce retour à la puissance invisible et présente qui peut rajeunir la terre ou la réduire en poudre, tout est empreint d'un caractère sublime plus propre, il faut le dire, à étonner qu'à émouvoir.

«De semblables aperçus sur le monde sont souvent exposés dans les psaumes, mais nulle part d'une manière plus complète que dans le trente-septième chapitre du livre de Job, assurément fort ancien, bien qu'il ne remonte pas au-delà de Moïse. On sent que les accidents météorologiques qui se produisent dans la région des nuages, les vapeurs qui se condensent ou se dissipent, suivant la direction des vents, les jeux bizarres de la lumière, la formation de la grêle et du tonnerre, avaient été observés avant d'être décrits. Plusieurs questions aussi sont posées, que la physique moderne peut ramener sans doute à des formules plus scientifiques, mais pour lesquelles elle n'a pas trouvé encore de solution satisfaisante. On tient généralement le livre de Job pour l'œuvre la plus achevée de la poésie hébraïque. Il y a autant de charme pittoresque dans la peinture de chaque phénomène que d'art dans la composition didactique de l'ensemble. Chez tous les peuples qui possèdent une traduction du livre de Job, ces tableaux de la nature orientale ont produit une impression profonde. «Le Seigneur marche sur les sommets de la mer, sur le dos des vagues soulevées par la tempête.—L'aurore embrasse les contours de la terre et façonne diversement les nuages, comme la main de l'homme pétrit l'argile docile.» On trouve aussi décrites dans le livre de Job les mœurs des animaux, de l'âne sauvage et du cheval, du buffle, de l'hippopotame et du crocodile, de l'aigle et de l'autruche. Nous y voyons «l'air pur, quand viennent à souffler les vents dévorants du Sud, étendu comme un miroir poli sur les déserts altérés.» Là où la nature est plus avare de ses dons, elle aiguise les sens de l'homme, afin qu'attentif à tous les symptômes qui se manifestent dans l'atmosphère et dans la région des nuages, il puisse, au milieu de la solitude des déserts ou sur l'immensité de l'Océan, prévoir toutes les révolutions qui se préparent. C'est surtout dans la partie aride et montagneuse de la Palestine que le climat est de nature à provoquer ces observations. La variété ne manque pas non plus à la poésie des Hébreux. Tandis que, depuis Josué jusqu'à Samuel, elle respire l'ardeur des combats, le petit livre de Ruth la glaneuse offre un tableau de la simplicité la plus naïve et d'un charme inexprimable. Gœthe, à l'époque de son enthousiasme pour l'Orient, l'appelait le poëme le plus délicieux que nous eût transmis la muse de l'épopée et de l'idylle.»

XVIII

Dans des temps plus rapprochés de nous, les premiers monuments de la littérature des Arabes conservent encore un reflet affaibli de cette grande manière de contempler la nature, qui fut, à une époque si reculée, un trait distinctif de la race sémitique. Je rappellerai à ce sujet la description pittoresque de la vie des Bédouins au désert par le grammairien Asmai, qui a rattaché ce tableau au nom célèbre d'Antar, et l'a réuni dans un grand ouvrage avec d'autres légendes chevaleresques antérieures au mahométisme. Le héros de cette nouvelle romantique est le même Antar, de la tribu d'Abs, fils du favori Scheddad et d'une esclave noire, dont les vers sont au nombre des poëmes couronnés, suspendus dans la Kaaba (Moallakât). Le savant traducteur anglais, M. Terrick Hamilton, a déjà appelé l'attention sur les accents bibliques qui résonnent comme un écho dans les vers d'Antar. Asmai fait voyager le fils du désert à Constantinople; c'est pour lui une occasion d'opposer d'une manière pittoresque la civilisation grecque et la rudesse de la vie nomade. Que d'ailleurs, dans les plus anciennes poésies des Arabes, la description du sol n'ait tenu que peu de place, il n'y a pas là de quoi s'étonner, si l'on songe, ainsi que l'a remarqué un orientaliste très-versé dans cette littérature, M. Freitag, de Bonn, que l'objet principal des poëtes arabes est le récit des faits d'armes, l'éloge de l'hospitalité et la fidélité dans l'amour. On peut citer en outre chez les Anglais Milton, dans sa description d'Éden; chez les Français, Rousseau, Buffon, Bernardin de Saint-Pierre; enfin Chateaubriand, que M. de Humboldt appelle son ami. M. de Humboldt est, comme moi, fanatique de Paul et Virginie.

Voici comment il en parle:

«Puisque nous sommes revenu aux prosateurs, nous nous arrêterons avec plaisir sur la création qui a valu à Bernardin de Saint-Pierre la meilleure partie de sa gloire. Le livre de Paul et Virginie, dont on aurait peine à trouver le pendant dans une autre littérature, est simplement le tableau d'une île située dans la mer des tropiques, où, tantôt à couvert sous un ciel clément, tantôt menacées par la lutte des éléments en fureur, deux figures gracieuses se détachent du milieu des plantes qui couvrent le sol de la forêt, comme d'un riche tapis de fleurs. Dans ce livre, ainsi que dans la Chaumière indienne, et même dans les Études de la nature, déparées malheureusement par des théories aventureuses et par de graves erreurs de physique, l'aspect de la mer, les nuages qui s'amoncellent, le vent qui murmure à travers les buissons de bambous, les hauts palmiers qui courbent leurs têtes, sont décrits avec une vérité inimitable. Paul et Virginie m'a accompagné dans les contrées dont s'inspira Bernardin de Saint-Pierre; je l'ai relu pendant bien des années avec mon compagnon et mon ami M. Bonpland. Que l'on veuille bien me pardonner ce rappel d'impressions toutes personnelles. Là, tandis que le ciel du Midi brillait de son pur éclat, ou que par un temps de pluie, sur les rives de l'Orénoque, la foudre en grondant illuminait la forêt, nous avons été pénétrés tous deux de l'admirable vérité avec laquelle se trouve représentée, en si peu de pages, la puissante nature des tropiques, dans tous ses traits originaux. Le même soin des détails, sans que l'impression de l'ensemble en soit jamais troublée, sans que jamais la libre imagination du poëte se lasse d'animer la matière qu'il met en œuvre, caractérise l'auteur d'Atala, de René, des Martyrs et des Voyages en Grèce et en Palestine. Dans ces créations, sont rassemblés et reproduits avec d'admirables couleurs tous les contrastes que le paysage peut offrir sous les latitudes les plus opposées.»

Lamartine.

(La suite au prochain Entretien.)

CXIVe ENTRETIEN.

LA SCIENCE OU LE COSMOS,
PAR M. DE HUMBOLDT.
(TROISIÈME PARTIE.)

I

Humboldt passe à la peinture et au dessin. Platon dit quelque part aux Grecs: «La terre est petite.»

«Platon laisse voir un sentiment profond de la grandeur du monde, lorsqu'il indique en ces termes, dans le Phédon, les bornes étroites de la mer Méditerranée. Nous tous qui remplissons l'espace compris entre le Phase et les colonnes d'Hercule, nous ne possédons qu'une petite partie de la terre, groupés autour de la mer Méditerranée comme des fourmis ou des grenouilles autour d'un marais.»

De là sont parties cependant toutes les expéditions navales qui ont agrandi l'idée du monde.

Les Égyptiens complètent l'idée nouvelle de la grandeur de la terre, en naviguant par le golfe Arabique jusqu'au Gange, et chez les Scythes par le Bosphore de Thrace. L'expédition d'Alexandre fond les races, les idées des deux mondes: la terre est connue. Les livres d'Aristote sur les animaux sont contemporains de l'expédition d'Alexandre, son élève.

Les Ptolémées, en Égypte, développent la nature; les Romains, en soumettant le monde occidental, préparent à Pline les moyens de le décrire. Sa description est savante et réellement universelle: c'est le Cosmos latin. Le christianisme fait découvrir l'unité du genre humain.

II

Les Arabes apparaissent enfin comme des précurseurs de la race chinoise; ils répandent, sous les califes, l'unité de Dieu, la médecine, les mathématiques, le commerce, la géographie, la chimie, l'algèbre, et disparaissent après avoir annoncé ces grandes découvertes. Ils fondent Bagdad, capitale du monde oriental civilisé. L'Espagne, le Portugal, les Anglais, complètent la géographie par la découverte de l'Amérique et des Indes orientales.

«La période de découvertes dans les espaces terrestres, l'ouverture soudaine d'un continent inconnu, n'ont pas ajouté seulement à la connaissance du globe; elles ont agrandi l'horizon du monde, ou, pour m'exprimer avec plus de précision, elles ont élargi les espaces visibles de la voûte céleste. Puisque l'homme, en traversant des latitudes différentes, voit changer en même temps la terre et les astres, suivant la belle expression du poëte élégiaque Garcilaso de la Vega, les voyageurs devaient, en pénétrant vers l'équateur, le long des deux côtes de l'Afrique et jusque par-delà la pointe méridionale du Nouveau Monde, contempler avec admiration le magnifique spectacle des constellations méridionales. Il leur était permis de l'observer plus à l'aise et plus fréquemment que cela n'était possible au temps d'Hiram ou des Ptolémées, sous la domination romaine et sous celle des Arabes, quand on était borné à la mer Rouge ou à l'océan Indien, c'est-à-dire à l'espace compris entre le détroit de Bab-el-Mandeb et la presqu'île occidentale de l'Inde. Au commencement du XVIe siècle, Amerigo Vespucci dans ses lettres, Vicente Yañez Pinzon, Pigafetta, compagnon de Magellan et d'Elcano, ont décrit les premiers, et sous les couleurs les plus vives, comme l'avait fait Andrea Corsali lors de son voyage à Cochin dans les Indes orientales, l'aspect du ciel du Midi, au-delà des pieds du Centaure et de la brillante constellation du Navire Argo. Amerigo, littérairement plus instruit, mais aussi moins véridique que les autres, célèbre, non sans grâce, la lumière éclatante, la disposition pittoresque et l'aspect étrange des étoiles qui se meuvent autour du pôle Sud, lui-même dégarni d'étoiles. Il affirme, dans sa lettre à Pierre-François de Médicis, que, dans son troisième voyage, il s'est soigneusement occupé des constellations méridionales, qu'il a mesuré la distance des principales d'entre elles au pôle et qu'il en a reproduit la disposition. Les détails dans lesquels il entre à ce sujet font peu regretter la perte de ces mesures.»

III

«Les taches énigmatiques, vulgairement connues sous le nom de sacs de charbon (coalbags, kohlensäcke), paraissent avoir été décrites pour la première fois par Anghiera, en 1510. Elles avaient été déjà remarquées par les compagnons de Vicente Yañez Pinzon, pendant l'expédition qui partit de Palos et prit possession du cap Saint-Augustin, dans le royaume du Brésil. Le Canopo fosco (Canopus niger) d'Amerigo Vespucci est vraisemblablement aussi un de ces coalbags. L'ingénieux Acosta les compare avec la partie obscure du disque de la lune, dans les éclipses partielles, et semble les attribuer à l'absence des étoiles et au vide qu'elles laissent dans la voûte du ciel. Rigaud a montré que ces taches, dont Acosta dit nettement qu'elles sont visibles au

Pérou et non en Europe, et qu'elles se meuvent, comme des étoiles, autour du pôle Sud, ont été prises par un célèbre astronome pour la première ébauche des taches du soleil. La découverte des deux nuées Magellaniques a été faussement attribuée à Pigafetta. Je trouve qu'Anghiera, se fondant sur les observations de navigateurs portugais, avait déjà fait mention de ces nuages, huit ans avant l'achèvement du voyage de circumnavigation accompli par Magellan. Il compare leur doux éclat à celui de la Voie lactée. Il est vraisemblable au reste que le Grand Nuage (Nubecula major) n'avait pas échappé à l'observation pénétrante des Arabes; c'est très-probablement le Bœuf blanc, el Bakar, visible dans la partie méridionale de leur ciel, c'est-à-dire la Tache blanche dont l'astronome Abdourrahman Sofi dit qu'on ne peut l'apercevoir à Bagdad ni dans le nord de l'Arabie, mais bien à Tehama et dans le parallèle du détroit de Bal-el-Mandeb. Les Grecs et les Romains ont parcouru la même route sous les Lagides et plus tard; ils n'ont rien remarqué, ou du moins il n'est resté dans les ouvrages conservés jusqu'à nous aucune trace de ce nuage lumineux qui pourtant, placé entre le 11e et le 12e degré de latitude nord, s'élevait, au temps de Ptolémée, à 3 degrés, et en l'an 1000, du temps d'Abdourrahman, à plus de 4 degrés au-dessus de l'horizon. Aujourd'hui la hauteur méridienne de la Nubecula major, prise au milieu, peut avoir 5 degrés près d'Aden. Si d'ordinaire les navigateurs ne commencent à apercevoir clairement les nuages magellaniques que sous des latitudes très-rapprochées du Midi, sous l'équateur ou même plus loin vers le Sud, cela s'explique par l'état de l'atmosphère et par les vapeurs qui réfléchissent une lumière blanche à l'horizon. Dans l'Arabie méridionale, en pénétrant à l'intérieur des terres, l'azur profond de la voûte céleste et la grande sécheresse de l'air doivent aider à reconnaître les nuages magellaniques. La facilité avec laquelle, sous les tropiques et sous les latitudes très-méridionales, on peut, dans les beaux jours, suivre distinctement le mouvement des comètes, est un argument en faveur de cette conjecture.»

IV

«L'agroupement en constellations nouvelles des étoiles situées près du pôle antarctique appartient au XVIIe siècle. Le résultat des observations faites, avec des instruments imparfaits, par les navigateurs hollandais Petrus Theodori de Emden et Frédéric Houtmann, qui vécut de 1596 à 1599, à Java et à Sumatra, prisonnier du roi de Bantam et d'Atschin, a été consigné dans les cartes célestes de Hondius Bleaw (Jansonius Cæsius) et de Bayer.

«La zone du ciel, située entre 50° et 80° de latitude Sud, où se pressent en si grand nombre les nébuleuses et les groupes étoiles, emprunte à la distribution inégale des masses lumineuses un caractère particulier, un aspect qu'on peut dire pittoresque, un charme infini dû à l'agroupement des étoiles de première et de seconde grandeur, et à leur séparation par des régions qui, à l'œil nu, semblent désertes et sans lumière. Ces contrastes singuliers, l'éclat plus vif dont brille la Voie lactée dans plusieurs points de son développement, les nuées lumineuses et arrondies de Magellan qui décrivent isolément leur orbite, enfin ces taches sombres, dont la plus grande est si voisine d'une belle constellation, augmentent la variété du tableau de la nature et enchaînent l'attention des observateurs émus aux régions extrêmes qui bornent l'hémisphère méridional de la voûte céleste. Depuis le commencement du XVIe siècle, l'une de ces régions, par des circonstances particulières dont quelques-unes tiennent à des croyances religieuses, a pris de l'importance aux yeux des navigateurs chrétiens qui parcourent les mers situées sous les tropiques ou au-delà des tropiques, et des missionnaires qui prêchent le christianisme dans les deux presqu'îles de l'Inde; c'est la région de la Croix du Sud.

«Par suite de la rétrogradation des points equinoxiaux, l'aspect du ciel étoile change sur chaque point de la terre. L'ancienne race humaine a pu voir se lever dans les hautes régions du Nord les magnifiques constellations du Midi, qui, longtemps invisibles, reviendront après des milliers d'années.»

V

L'ère des mathématiciens succéda à l'ère des découvertes géographiques et à la découverte des télescopes: Kepler, Bacon, Galilée, Tycho-Brahé, Descartes, Newton, Leibnitz, surgirent.

Copernic, le révélateur du vrai système de l'univers, proclame hardiment le rôle central du soleil en face des préjugés bibliques et théologiques, et sous l'autorité morale du pape lui-même.

«L'homme que l'on peut appeler le fondateur du nouveau système du monde, car à lui appartiennent incontestablement les parties essentielles de ce système et les traits les plus grandioses du tableau de l'univers, commande moins encore peut-être l'admiration par sa science que par son courage et sa confiance. Il méritait bien l'éloge que lui décerne Kepler, quand, dans son introduction aux Tables Rudolphines, il l'appelle un libre esprit, «vir fuit maximo ingenio, et, quod in hoc exercitio (c'est-à-dire dans la lutte contre les préjugés) magni momenti est, animo liber.» Lorsque Copernic, dans sa dédicace au pape, raconte l'histoire de son ouvrage, il n'hésite pas à traiter de conte absurde la croyance à l'immobilité et à la position centrale de la terre, croyance répandue généralement chez les théologiens eux-mêmes. Il attaque sans crainte la stupidité de ceux qui s'attachent à des opinions aussi fausses. Il dit que «si jamais d'insignifiants bavards, étrangers à toute connaissance mathématique, avaient la prétention de porter un jugement sur son ouvrage, en torturant à dessein quelque passage des saintes Écritures (propter aliquem locum Scripturæ male ad suum propositum detortum), il méprisera ces vaines attaques. Tout le monde sait, ajoute-t-il, que le célèbre Lactance, qu'on ne peut prendre à la vérité pour un mathématicien, a disserté d'une manière puérile sur la forme de la terre, et s'est raillé de ceux qui la regardaient comme un sphéroïde; mais, lorsqu'on traite des sujets mathématiques, c'est pour les mathématiciens qu'il faut écrire. Afin de prouver que, quant à lui, profondément pénétré de la justesse de ses résultats, il ne redoute aucun jugement, du coin de terre où il est relégué, il en appelle au chef de l'Église et lui demande protection contre les injures des calomniateurs. Il le fait avec d'autant plus de confiance que l'Église elle-même peut tirer avantage de ses recherches sur la durée de l'année et sur les mouvements de la lune.» L'astrologie et la réforme du calendrier furent longtemps seules à protéger l'astronomie auprès des puissances temporelles et spirituelles, de même que la chimie et la botanique furent, dans le principe, entièrement au service de la pharmacologie.

«Le libre et mâle langage de Copernic, témoignage d'une conviction profonde, contredit assez cette vieille assertion, qu'il aurait donné le système auquel est attaché son nom immortel, comme une hypothèse propre à faciliter les calculs de l'astronomie mathématique, mais qui pouvait bien être sans fondement. «Par aucune autre combinaison, s'écrie-t-il avec enthousiasme, je n'ai pu trouver une symétrie aussi admirable dans les diverses parties du grand tout, une union aussi harmonieuse entre les mouvements des corps célestes, qu'en plaçant le flambeau du monde (lucernam mundi), ce soleil qui gouverne toute la famille des astres dans leurs évolutions circulaires (circumagentem gubernans astrorum familiam), sur un trône royal, au milieu du temple de la nature.» L'idée de la gravitation universelle ou de l'attraction (appetentia quædam naturalis partibus indita) qu'exerce le soleil, comme centre du monde (centrum mundi), paraît aussi s'être présentée à l'esprit de ce grand homme, par induction des effets de la pesanteur dans les corps sphériques. C'est ce que prouve un passage remarquable du traité de Revolutionibus, au chapitre 9 du livre premier.»

VI

Cependant le télescope découvert par le hasard en Hollande, en 1608, opérait ses miracles de grossissement et de rapprochement. Galilée s'en servait déjà à Venise; Kepler constate que toutes les étoiles sont autant de soleils entourés, comme le nôtre, de leurs planètes.

Ici finit le second volume, qui ne mérite le nom de Cosmos qu'à la fin, quand l'auteur se relève de la misérable contemplation littéraire des écrivains les plus modernes sur la vague nature à sa pensée astronomique, dont la grandeur grandit tout et le contemplateur lui-même.

Le troisième volume recommence encore l'astronomie.

Il rencontre par accident le Dieu créateur du monde dans une phrase d'Anaxagore de Clazomène. «Ce philosophe astronome s'élève de l'hypothèse des forces motrices de la nature à l'idée d'un grand esprit moteur et régulateur de tout esprit de matière.» Mais, un peu plus tard, lorsque la physiologie ionienne eut pris un nouveau développement, Anaxagore de Clazomène s'éleva de l'hypothèse des forces purement motrices à l'idée d'un esprit distinct de toute espèce de matière, mais intimement mêlé à toutes les molécules homogènes. «L'intelligence (νοῦς) gouverne le développement incessant de l'univers; elle est la cause première de tout mouvement et par conséquent le principe de tous les phénomènes physiques. Anaxagore explique le mouvement apparent de la sphère céleste, dirigée de l'Est à l'Ouest, par l'hypothèse d'un mouvement de révolution général dont l'interruption, comme on l'a vu plus haut, produit la chute des pierres météoriques. Cette hypothèse est le point de départ de la théorie des tourbillons qui, après plus de deux mille ans, a pris, par les travaux de Descartes, de Huyghens et de Hooke, une si grande place entre les systèmes du monde. L'esprit ordonnateur qui, selon Anaxagore, gouverne l'univers, était-il la Divinité elle-même, ou n'était-ce qu'une conception panthéistique, un principe spirituel qui soufflait la vie à toute la nature? C'est là une question étrangère à cet ouvrage.»

Peut-on plus clairement proscrire la seule idée raisonnable? Reléguer l'auteur de son âme et, pour éviter de nier Dieu, l'écarter de l'univers? N'est-ce pas le mot de Laplace ou d'Arago: «Je n'ai rencontré Dieu nulle part, et cette hypothèse ne m'a été nulle part nécessaire.» Illustres éblouis qui ne le rencontrez nulle part que parce qu'il est partout!...

VII

John Herschel, à l'aide de son télescope, arrive à cette assertion: «C'est que les étoiles soi-disant fixes, de la Voie lactée, visibles seulement dans son télescope de six mètres, sont situées à une distance telle de nous que, si ces étoiles étaient des astres nouvellement formés, il faudrait deux mille ans pour que leur premier rayon de lumière arrivât jusqu'à la terre!...» Quelle idée de distance et d'étendue!... Et de quoi cette étendue incommensurable est-elle remplie? par l'éther. Et sur quoi flottent ces mondes innombrables? sur l'éther. Et qu'y a-t-il au delà? l'éther et d'autres mondes!...

«La lumière des astres est variable. Sir John Herschel a tenté, à l'exemple de Wollaston, de déterminer le rapport qui existe entre l'intensité de lumière d'une étoile et celle du Soleil. Il a pris la Lune pour point de comparaison intermédiaire, et en a comparé l'éclat à celui de l'étoile double α du Centaure, une des plus brillantes (la 3e) de tout le ciel. Ainsi fut accompli, pour la seconde fois, le souhait que John Michell formait dès 1787. Par la moyenne de 11 mesures, instituées à l'aide d'un appareil prismatique, sir John Herschel trouva que la pleine Lune est 27,408 fois plus brillante que α du Centaure. Or, d'après Wollaston, le Soleil est 801,072 fois plus brillant que la pleine Lune. Ainsi la lumière que le Soleil nous envoie est à celle que nous recevons de α du Centaure dans le rapport de 22,000 millions à 1. En tenant compte de la distance, d'après la parallaxe adoptée pour cette étoile, il résulte des données précédentes que l'éclat absolu de α du Centaure est double de celui du Soleil (dans le rapport de 23 à 10). Wollaston a trouvé que la lumière de Sirius est, pour nous, 20,000 millions de fois plus faible que celle du Soleil: son éclat réel, absolu, serait donc 63 fois plus grand que celui du Soleil, si, comme on le croit, la parallaxe de Sirius doit être réduite à 0",230. Nous sommes conduits ainsi à ranger notre Soleil parmi les étoiles d'un médiocre éclat.»

Ces étoiles se renouvellent comme de lentes éclosions du ciel: les unes vieillies, les autres rajeunies.

«Avant de passer aux considérations générales, il nous paraît bon de nous arrêter, un moment, à un cas particulier, et d'étudier, dans les écrits d'un témoin oculaire, la vive impression que peut causer l'aspect inattendu d'un phénomène de ce genre.»

VIII

«Lorsque je quittai l'Allemagne pour retourner dans les îles danoises, dit Tycho Brahé, je m'arrêtai (ut aulicæ vitæ fastidium lenirem) dans l'ancien cloître admirablement situé d'Herritzwald, appartenant à mon oncle Sténon Bille, et j'y pris l'habitude de rester dans mon laboratoire de chimie jusqu'à la nuit tombante.

«Un soir que je considérais, comme à l'ordinaire, la voûte céleste dont l'aspect m'est si familier, je vis avec un étonnement indicible, près du zénith, dans Cassiopée, une étoile radieuse d'une grandeur extraordinaire. Frappé de surprise, je ne savais si j'en devais croire mes yeux. Pour me convaincre qu'il n'y avait point d'illusion, et pour recueillir le témoignage d'autres personnes, je fis sortir les ouvriers occupés dans mon laboratoire, et je leur demandai, ainsi qu'à tous les passants, s'ils voyaient, comme moi, l'étoile qui venait d'apparaître tout à coup. J'appris plus tard qu'en Allemagne des voituriers et d'autres gens avaient prévenu les astronomes du peuple d'une grande apparition dans le ciel, ce qui a fourni l'occasion de renouveler les railleries accoutumées contre les hommes de science (comme pour les comètes dont la venue n'avait pas été prédite).

«L'étoile nouvelle, continue Tycho, était pourvue de queue; aucune nébulosité ne l'entourait; elle ressemblait de tout point aux autres étoiles; seulement elle scintillait encore plus que les étoiles de première grandeur. Son éclat surpassait celui de Sirius, de la Lyre et de Jupiter. On ne pouvait le comparer qu'à celui de Vénus, quand elle est le plus près possible de la Terre (alors un quart seulement de sa surface est éclairé pour nous). Des personnes pourvues d'une bonne vue pouvaient distinguer cette étoile pendant le jour, même en plein midi, quand le ciel était pur. La nuit, par un ciel couvert, lorsque toutes les autres étoiles étaient voilées, l'étoile nouvelle est restée plusieurs fois visible à travers des nuages assez épais.

«Les distances de cette étoile à d'autres étoiles de Cassiopée, que je mesurai l'année suivante avec le plus grand soin, m'ont convaincu de sa complète immobilité. À partir du mois de décembre 1572, son éclat commença à diminuer, etc., etc.»

D'autres, selon M. de Laplace lui-même, sont des astres non détruits, mais éteints, qui gardent leur place dans le ciel et éclipsent les autres. Les étoiles, par leur changement de place relativement à la Terre, servent à motiver les pas que notre système planétaire lui-même fait en s'avançant dans l'espace absolu. On peut conjecturer, sans le savoir, que tous ces mouvements des cieux étoilés sont gouvernés de plus loin par un grand astre universel, dont notre propre soleil dépend.

D'immenses énumérations et considérations sur les volcans du globe, sortes d'embouchures de ses veines de feu, remplissent ce quatrième volume. Elles ne renferment ni faits ni aperçus nouveaux. Aristote en savait autant au temps d'Alexandre.

Voilà ce procès-verbal de l'univers connu en 1860; ce tableau immobilier et mobilier des mondes, ce domaine de la pensée humaine.

Ajoutez-y le phénomène de la vie, qui n'est, selon M. de Humboldt, qu'une combinaison d'hydrogène et d'oxygène, que la nature rallume et éteint comme une lampe, et qui produit la respiration et la pensée, et tout est dit.

Voilà le Cosmos de M. de Humboldt.

IX

J'avoue qu'en commençant à étudier cette savante apocalypse, je m'attendais à autre chose.

C'est le caput mortuum de la matière.

J'oserais poser à ce philosophe une série de questions cosmiques dont ces quatre énormes volumes ne seraient que le premier chapitre.

En les lisant qu'ai-je appris? tout, excepté ce qui intéresse l'homme, la nature et Dieu.

Il y a quatre mille ans que les premiers philosophes indous, égyptiens, grecs, en savaient davantage.

Où est donc le progrès?

Évidemment inverse!

Triste résultat de cette philosophie naturelle.

Les mots sont changés.—Oui.

Mais la cause du Cosmos, mais le mot des mots a disparu.

Cette philosophie matérialiste a perdu sa lanterne, et cette ignorance savante a épaissi les ténèbres au lieu de les dissiper.

La main de feu qui écrivait le MANE THECEL PHARES sur son œuvre a disparu.

Le Cosmos est devenu muet.

La plus élémentaire des notions, celle qui remonte et qui descend sans cesse de l'effet à la cause et de la cause à l'effet, s'est voilée.

C'était bien la peine de vivre quatre-vingt-treize ans!

Un enfant de trois ans, qui sait balbutier le nom de l'Infini et de l'Éternel, en sait un million de fois plus.

Le hasard a découvert la boussole.

Le hasard a découvert le télescope qui a découvert les astres.

Le hasard a découvert l'électricité.

Le hasard a découvert le magnétisme.

Le hasard et la matière ont découvert à Newton la gravitation.

Le hasard a découvert à Montgolfier la navigation aérienne.

La science proprement dite n'a découvert que des mots pour nommer ces phénomènes, et des chiffres pour les calculer. Qu'est-ce donc que la science purement matérielle?

La NOMENCLATURE de l'univers!

Il nous faut la logique des mondes.

Voyons.

X

Quant à moi,—si j'avais, non pas le génie des découvertes que M. de Humboldt n'avait évidemment pas reçu du ciel, mais l'aptitude patiente et infatigable aux études physiques que cet homme, remarquable par sa volonté, a manifestée pendant quatre-vingt-douze ans d'existence;

Et si je possédais, comme lui, la notion exacte et complète de tous les phénomènes dont l'univers est composé, de manière à me faire à moi-même et à reproduire pour les autres le tableau de l'universelle création, je commencerais par une humble invocation à genoux à l'auteur caché de ce Cosmos à travers lequel il me permet, sinon de l'entrevoir, du moins de le conclure; et une belle nuit d'été, soit sur les vagues illuminées de l'Océan qui me porte aux extrémités de l'univers, soit sur un sommet neigeux du Chimboraço, soit sur un rocher culminant des Alpes, je tomberais à ses pieds; je laisserais sa grandeur, sa puissance, sa bonté, me pénétrer, m'échauffer, m'embraser, comme le charbon de feu qui ouvrit les lèvres du prophète, et je lui dirais en face de ses soleils, de ses étoiles, de ses nébuleuses et de ses comètes:

«Toi qui es! toi dont j'ignore le nom, parce qu'aucun être et aucun Cosmos n'est assez vaste pour contenir l'image ou le son du nom de son auteur; infini! incréé! innommé! source et abîme de tout! océan sans rivage et sans fond, qui, dans ton flux et reflux éternel, laisse écouler, sans jamais t'épuiser, ces myriades de mondes grands ou petits les uns vis-à-vis des autres, mais qui, par rapport à toi, sont tous également grands,—depuis le soleil qui arpente d'un pas l'incommensurable étendue, jusqu'aux animalcules impalpables dont l'univers est composé, qu'on ne distingue qu'au télescope, et dont les corps organisés et couchés par la mort dans leur sépulcre commun ne formeraient pas l'ongle du doigt d'un enfant avec deux cent millions de leurs cadavres en poussière!

«Je me sens saisi devant tes œuvres, non-seulement de ce tressaillement sacré qui m'écrase d'enthousiasme devant tes immensités et tes perfections réunies, mais encore de la passion de te rendre gloire dans tes ouvrages, comme un insecte qui, ayant vu la trace du pied d'un géant imprimée sur le sable, s'arrête épouvanté d'admiration, la mesure, l'adore et la baise, comme une mesure de la grandeur de l'Être inconnu,—avant de la décrire pour lui et pour les autres.

«De même que l'homme a besoin d'exprimer ce qu'il sent pour le bien comprendre et pour se rendre compte de ses impressions, en les communiquant à ses semblables, de même mon âme, recueillie en soi-même, sent un foyer croissant de contemplation intérieure qui l'échauffe, l'embrase, l'incendie, et cherche à se répandre au dehors. Je cherche des noms pour te nommer, des formes pour t'incarner, des limites pour te contenir, des couleurs pour te peindre, et, n'en trouvant point que tu ne dépasses, je me tais, je me confonds, je reste ébloui et muet de ton incorporéité! puis, poussé de nouveau par l'instinct de l'infini qui est en moi, je me relève et je célèbre en balbutiant les miracles de ta nature. Je sais que je ne dis que des à peu près, des probabilités, des contre-sens, des ombres; mais tu me pardonneras comme le père pardonne au murmure confus du nouveau-né qui cherche à prononcer son nom! Sa nature est de l'ignorer, son instinct est de le découvrir toujours!»

XI

Enfin, cet être infini et mystérieux dans ses desseins me prête de siècle en siècle des lueurs pour m'approcher de lui par des spectacles rapprochés et plus sublimes; je finis non par comprendre, car l'étincelle ne peut comprendre l'étoile, mais par conjecturer je ne sais quoi d'immense, de parfait, d'accompli, qui me contient moi et les univers, et qui, sous le nom de divinité ou de Providence, m'a donné, tout insecte invisible que je suis, la même place, le même rang, la même part d'importance, d'attention et d'amour qu'à ses soleils.

Convaincu de cette foi évidente, je me rassure en sa présence, et je me dis: «Mon Créateur est là-haut!»—Allons à lui par la contemplation, et rendons-nous compte de son œuvre complète, afin de l'adorer plus complétement dans son œuvre, qu'il me permet d'entrevoir, jusqu'au moment où des instruments intellectuels plus parfaits me rapprocheront encore davantage, et où la science fera tomber les voiles qui me dérobent la perfection et l'immensité de l'infini.

XII

Voici donc comment mon intelligence se poserait la question de l'univers, et comment mon humilité ignorante et sublime s'efforcerait de la résoudre.

Je commencerais par le mot de Descartes:

«Je pense, donc je suis.»

Et qui suis-je? un être sorti d'un autre être, qui lui-même était sorti d'un autre, et ainsi de suite jusqu'à l'origine de cette espèce d'êtres appelés hommes.— Mais le premier de cette famille humaine, l'ancêtre de l'univers, vivant, pensant, aimant, qui lui avait donné la vie? Évidemment une vie supérieure, un ancêtre au-dessus de tous les ancêtres, un créateur au lieu d'un père.

Qui est-il? Où est-il? Il a agi, et il s'est caché dans l'éblouissement de sa toute-puissance, dans le mystère, cette ombre de Dieu!

Il m'a donné une seule évidence pour me parler dans ces ténèbres: la liaison de l'effet a la cause. Je sens que je suis, donc il est!

Je ne savais pas en naissant que je devais mourir; l'expérience me l'a enseigné.

Je vis entre la naissance et la mort, mes deux lois. Deux mystères aussi. L'un, le mystère du passé; l'autre, le mystère de l'avenir.

Ma seule science est d'avouer mon ignorance, et de dire: «J'ignore et je me soumets.»

Nul ici-bas n'en sait plus que moi sur l'effet homme et la cause Dieu.

Seulement je puis penser, et je dois penser, puisque la pensée est la vie morale produite en moi par la vie matérielle.

Pensons donc!—Les éléments de mes pensées sont mes sens, entr'ouverts au spectacle de moi-même et du monde.

Mais ma vie ne se compose pas seulement de pensées comme celle d'un pur esprit qui n'a d'autre objet que la contemplation. Elle est diversifiée, agitée, charmée, ennuyée par une foule d'autres passions, parmi lesquelles l'amour est la plus impérieuse et la plus brûlante, l'amour qui est le premier et le dernier mot de la nature, l'amour, image terrestre de ce suprême amour qui aspire à créer, qui jouit de créer, et qui sans savoir ce qu'il veut éprouve, en créant, quelque chose d'analogue au plaisir que la création divine donne à celui qui crée,—l'attrait divin, le plaisir de Dieu en créant l'homme et les mondes;—attrait tel que l'homme y sacrifierait mille fois sa courte vie.

Mille autres besoins de mes sens et de mon âme se partagent mon existence; puis je meurs, c'est-à-dire que cette existence cesse ici-bas, que mon âme, mon souffle, mon principe d'être, s'évanouit dans la douleur, la douleur mortelle, preuve que l'immortalité est mon premier besoin, et que je vais chercher ma vie nouvelle et supérieure, avec des conditions parfaites ou meilleures, avec ceux ou celles que je quitte en pleurant et regrette dans ce monde.

XIII

Mais, avant de mourir, le besoin de penser et de conclure me travaille incessamment.

Le premier objet de cette pensée, partout, chez tous les peuples plus ou moins policés, c'est l'auteur du monde. L'objet de cette pensée est infini; aussi occupe-t-il infiniment cette pensée, infinie elle-même dans son objet. Elle s'y enchaîne comme l'effet à la cause, sans repos jusqu'à ce qu'elle ait trouvé sa paix dans sa foi: EXISTENCE de son âme. Elle scrute la nature sous sa double forme matérielle et morale. Elle invoque, elle supplie, elle se consume de désir, elle brûle de volonté, puis elle se dit pour dernier mot: MYSTÈRE! Et elle s'endort dans ce mot humain, seule explication de la divine énigme.

Cependant, ne pouvant pas en découvrir l'essence, la substance, la nature incompréhensible de son ouvrage, elle contemple de nouveau l'univers et elle le voit sous ses deux formes: MATIÈRE et ESPRIT. Sous la forme matière, cette œuvre est très-grande et assez belle pour que ses investigateurs lui aient donné à faux le nom de science. Faux nom, puisqu'en réalité nous ne savons que ce que nous comprenons, et que, même dans l'ordre matériel, l'homme ne comprend absolument rien.—Donc il ne sait rien.—Rien que des mots qui n'ont aucune signification, sauf des significations matérielles.

Tant que l'intelligence ne remonte pas à son principe et n'essaye pas de se rendre compte des mondes, ou qu'elle ne s'incline pas avec confiance devant le mystère évidemment voilé de la création, rien n'existe en effet qu'une sombre énigme, et le mot science est une dérision de notre superbe ignorance. Lisez les trois volumes de M. de Humboldt, et demandez-vous de bonne foi ce que vous savez de plus qu'avant de les avoir lus.

Vous aurez mis dans votre tête beaucoup de mots, beaucoup de nombres, mais pas une idée; vous aurez appris que la mécanique céleste consiste dans la supposition des globes circulant appelés planètes, les uns brillants de leur propre lumière, les autres reflétant la lumière d'astres par eux-mêmes lumineux; qu'au-delà de ces soleils immenses, si nous les comparons à notre petitesse, il se cache au fond d'un éther sans fond et sans bornes des milliers d'autres soleils gouvernant par leur mouvement d'autres systèmes, d'autres planètes; que plus loin encore on aperçoit, sans savoir ce que c'est, des voies lactées, vaste épanchement d'étoiles répandues dans cet éther et que le télescope arrive à distinguer par leur noyau solide et distinct de cette lumière diffuse avec laquelle on les confondait; que plus loin encore on aperçoit les nébuleuses, magasin flottant de matières enflammées qui germent dans l'éther pour éclore un jour en soleils; que plus loin encore, et à des distances que le calcul se refuse à calculer, quelques soleils invisibles, auprès desquels le nôtre est un atome qui brûle un certain nombre de siècles, minutes à l'horloge des cieux, repoussent ou attirent d'autres systèmes étoilés, jusqu'à ce qu'ils les consument dans un cataclysme du ciel.

Mais cela ne vous dit rien que l'immensité d'espace, et l'immensité de durée, et l'immensité de matière rayonnant des œuvres du grand inconnu!

Qu'en concluez-vous?

Qu'en ajoutant un poids de plus à ces milliers de poids, à ces univers, on arriverait à les former comme à les comprendre?

Une année ou un jour de plus ajouté et surajouté à leur durée formerait leur durée éternelle, car l'éternité n'est qu'un jour éternellement ajouté à un jour.

Quant à leurs mouvements, on cherche en vain dans la rotation de la matière la loi qui les chasse ou les rappelle; tous les Newton et tous les Laplace de l'univers ne découvriront pas hors de la volonté d'un premier moteur divin la loi de leur circulation. Or, comme le Cosmos n'en dit rien, évidemment la science ne sait rien des causes et n'écrit qu'un procès-verbal de la terre et des cieux:—donc rien! donc néant de la prétendue science!—Vous regarderez éternellement tourner la toupie flamboyante des mondes; que si le doigt qui la lance et l'impulsion qui la continue disparaît, vous serez ébloui, mais non instruit. En toutes choses, celui qui ne sait pas la cause et la fin d'une œuvre, ne sait rien!

Telle est la science de M. de Humboldt: rien encore!

Tout ou rien, voilà l'énigme du Cosmos!

Vous ne voulez pas voir le tout (Dieu):

Donc vous ne voyez que néant, noyé dans un océan de mots!

Une telle science vaut-elle qu'on s'en occupe?

XIV

Mais la chimie céleste, dites-vous, depuis quelque temps parvient par analogie, par conjecture et même par expérience (en admettant que les pierres tombantes, les étoiles filantes décomposées par vos creusets soient des échantillons du ciel, des composés ignés, des planètes ambiantes tombées dans notre atmosphère), à analyser les huit ou dix métaux enflammés qu'elles contiennent, à constater que leurs matériaux sont les mêmes que ceux de nos volcans, et que les soleils eux-mêmes brûlent des mêmes éléments que les entrailles de notre terre!

Comme cette découverte bien contestable retracerait encore le domaine mystérieux de la science de la matière céleste! Les univers incendiés ne seraient que les cinq ou six métaux de la fournaise solaire. Quelle pitié pour la richesse de l'Être Suprême! Vulcain et les cyclopes en avaient autant.

Quant au mouvement, silence; la science cosmique n'en connaît pas la cause; un de ces jours elle apportera un nouveau mot qui remplacera dans un néant de plus la divine, ineffable et constante volonté de l'auteur des mondes.

Ces adorateurs de la matière ont oublié qu'à côté et au-dessus de la matière il existe une puissance éternelle, la pensée, la pensée qu'ils reconnaissent en eux et qu'ils se refusent à reconnaître dans son divin principe, Dieu!

La pensée qui a tout conçu avant d'avoir rien créé;

La pensée éternelle du Cosmos, qui est Dieu!

La matière n'est pas Dieu, mais c'est l'esclave organisé dont les lois éternelles ou périssables sont créées pour recevoir et subir les lois de Dieu.

Donc la pensée divine qui crée en pensant, et la matière inférieure qui reçoit et exécute les lois de Dieu:

Voilà les deux éléments dont le Cosmos se compose.

Ils ont oublié la moitié supérieure de l'univers et ils ont dit: «Voilà du mouvement, voilà de vils éléments matériels en circulation et en combustion, voilà des balances, voilà des poids dans ces balances, voilà des pesanteurs et des gravitations! mais voilà tout!

«La volonté divine, nous ne la voyons pas, donc elle n'est pas. Un géomètre, un physicien plus avancé viendra, qui inventera une nouvelle puissance matérielle, et un télescope plus parfait nous montrera un Cosmos plus complet.

«Peut-être, alors, verrons-nous ce rêve sans corps, que vous appelez Dieu!»

La pensée, cet élément du monde intellectuel, n'existe pas. Le monde est un monstre sans père ni mère, un effet sans cause!—Allons!—et ils vont, et ils s'appellent la science!—Quelle science, que la négation du seul principe qui peut rendre raison de tout!

Moi, je crois que la matière est vile, que la pensée est Dieu, et que Dieu pensant est tout le Cosmos!

Le véritable télescope de l'homme n'est pas ce tube de bois peint, multiplicateur de la lumière et abréviateur des distances, placé au sommet d'un observatoire; le véritable télescope, c'est le bon sens pieux de l'homme ignorant ou savant, peu importe, au travers duquel il ne voit pas, mais il conclut Dieu, le régulateur des univers qu'il lui a plu de créer, et de créer pour leur faire part de son éternité! Voilà le Cosmos des ignorants, voilà le mien. Je suis sûr que ce Cosmos m'approche plus de la vérité que celui de M. de Humboldt.

XV

Je prends le monde tel qu'il est aujourd'hui, dans les différents hémisphères de ce petit globe terrestre, insignifiant comme pesanteur et comme étendue, mais égal au millième ciel des cœurs, par cette pensée dont Dieu le fait participant, communion divine qui nourrit l'homme de l'essence de Dieu lui-même, et je me place, pour contempler ce Cosmos, sur cinq ou six points culminants de l'espace. Suivez-moi, commencez par la forêt vierge de l'équateur, ce miracle de la puissance créatrice végétative.

XVI

UNE FORÊT VIERGE.

L'immense forêt qui relie, dans la zone torride de l'Amérique du Sud, le bassin de l'Orénoque à celui de l'Amazone est assurément une des merveilles du monde. M. de Humboldt décerne à cette région le nom de forêt vierge dans la plus précise acception du terme. «S'il faut, dit-il dans ses Tableaux de la nature, regarder comme forêt vierge toute vaste étendue de bois sauvages où l'homme n'a jamais porté la hache, c'est là un phénomène commun à une foule de localités dans les zones tempérées et froides; mais si le caractère distinctif d'une forêt vierge consiste à être impénétrable, ce caractère n'existe que dans les régions tropicales.»

Telle est la définition du grand voyageur naturaliste, qui fait autorité dans la matière, celui qui, de tous les anciens explorateurs, Bonpland, Martius, Poppig et les Schombourg, c'est-à-dire avant MM. Wallace et Bates, a le plus longtemps vécu dans les forêts vierges de l'intérieur d'un continent. Nous préférons conserver au terme le sens simple et usuel d'une forêt que l'industrie de l'homme n'a point aménagée. Disons même, à propos de l'explication assez arbitraire de Humboldt, que l'impénétrabilité en question ne tient point, comme on a le tort de le supposer trop souvent en Europe, à la présence d'un fouillis inextricable de lianes grimpantes et de plantes rampantes. C'est la moindre partie du menu bois. Le grand obstacle provient des halliers, qui remplissent tous les intervalles d'un arbre à l'autre dans une zone où toutes les formes végétales ont une tendance à devenir arborescentes.

Dans ces forêts primitives l'homme disparaît. «On s'accoutume presque, dit ailleurs Humboldt, dans toute une partie de l'intérieur du nouveau continent, à considérer l'homme comme ne faisant point une partie essentielle de l'ordre de la création. La terre est encombrée de plantes dont rien n'arrête le développement. Une immense couche de pur humus manifeste l'action continue des forces organiques. Les crocodiles et les boas sont maîtres du fleuve; le jaguar, le pécari, l'anta et les singes à queue prenante parcourent la forêt sans crainte et sans danger: c'est leur domaine, leur patrimoine.» En un mot, ce que la géologie nous enseigne, que la terre, à l'époque où les fougères arborescentes croissaient dans nos climats tempérés, où le règne animal se réduisait à une classe d'amphibies monstrueux, où prédominait sans doute une atmosphère chaude et humide, saturée d'acide carbonique, n'était point encore prête à recevoir l'homme, cela est vrai aujourd'hui, dans une certaine mesure, des vastes forêts primitives de l'Amérique tropicale. Elles ne sont encore habitables que pour le précurseur de l'homme, pour le singe, à part quelques défrichements.

«Ce spectacle d'une nature animée où l'homme ne paraît point, continue Humboldt, a quelque chose d'étrange et de triste. Nous avons peine à nous réconcilier avec son absence sur l'Océan et au milieu des sables de l'Afrique; mais ces dernières scènes, où rien ne rappelle à notre esprit nos champs, nos bois et nos rivières, nous laissent moins étonnés de l'immensité des solitudes que nous traversons. Ici, c'est dans une contrée fertile, parée d'une éternelle verdure, que nous cherchons en vain une trace du pouvoir de l'homme; il semble que nous soyons transportés dans un monde différent de celui où nous avons vu le jour. L'impression est d'autant plus vive qu'elle est plus prolongée. Un soldat qui avait passé sa vie entière dans les missions de l'Orénoque supérieur, campait avec nous sur les bords du fleuve. C'était un homme intelligent qui, durant le cours d'une nuit calme et sereine, m'accabla de questions sur la grandeur des astres, sur les habitants de la lune, sur mille sujets à propos desquels mon ignorance égalait la sienne. Comme mes réponses étaient impuissantes à satisfaire sa curiosité, il me dit d'un ton convaincu: «Quant aux hommes, je suis persuadé qu'il n'y en a pas plus là-haut que vous n'en trouveriez si vous alliez par terre de Javita à Cassiquaire. Je m'imagine voir dans les étoiles, comme ici, une plaine couverte de gazon et une forêt traversée par un fleuve.» Ces simples paroles sont éloquentes et peignent l'impression que cause l'aspect monotone de ces régions solitaires.»

Il y a plus, et la philosophie de Humboldt ne donne point le dernier mot de l'énigme. L'homme est profondément humilié de sentir que l'antique forêt n'est point encore propre à lui servir de demeure. Voilà pourquoi elle lui inspire une aversion dont triomphent seuls l'esprit d'aventure et la nécessité. Il comprend qu'elle reste jusqu'à présent l'héritage exclusif de l'homme des arbres,—le singe.

XVII

Une autre catégorie de philosophes, Buckle, par exemple, ont voulu voir dans la végétation luxuriante de la forêt primitive la cause qui doit empêcher la civilisation d'y prendre pied: dans une pareille région on ne parvient que par une excessive dépense de travail et d'énergie à lutter contre les milliers de germes végétaux qui disputent à l'homme la jouissance du sol. Cette façon de parler manque de justesse, et le terme de population serait plus à sa place que celui de civilisation. Rien au monde ne s'oppose au déploiement de la civilisation la plus avancée dans le bassin de l'Amazone. De grands cours d'eau navigables ouvrent des routes naturelles à travers les bois. Le terrain est susceptible de culture et les produits seraient de ceux qui permettent l'emploi des engins et des machines les plus perfectionnés. C'est à l'établissement et au succès de l'humble colon isolé que s'oppose la vigueur excessive de la végétation. C'est ainsi qu'elle fait obstacle à l'extension de la population, mais non point de la civilisation proprement dite.

Le premier trait distinctif de la forêt vierge étant donc d'être impénétrable, le second de ne point convenir au développement de la race humaine, le troisième est l'énergie sauvage et pour ainsi dire forcenée de la végétation. Un voyageur allemand, Burmeister, a dit que la contemplation d'une forêt brésilienne avait produit sur lui une impression pénible, tant la végétation semblait déployer un esprit d'égoïsme farouche, de rivalité furieuse, d'astuce. À ses yeux, le calme paisible et majestueux des forêts de l'Europe offre un spectacle bien plus aimable, où il prétend même voir une des causes de la supériorité morale des nations de l'ancien monde. Dans cet ordre d'idées, non-seulement la forêt vierge ne s'accommode point au développement de l'espèce humaine, mais encore elle serait plutôt faite pour dégrader ses facultés morales et intellectuelles. Une page pittoresque de M. Bates va expliquer ce qu'il peut y avoir de vrai là-dedans:

«Dans ces forêts tropicales, chaque plante, chaque arbre, semble rivaliser avec le reste à qui s'élèvera plus vite et plus haut vers la lumière et l'air, branches, feuillage et tronc, sans pitié pour le voisin. On voit des plantes parasites en saisir d'autres comme avec des griffes, et les exploiter pour ainsi dire avec impudence, comme des instruments de leur propre prospérité. La maxime qu'enseignent ces solitudes sauvages n'est certainement point de respecter la vie d'autrui en tâchant de vivre soi-même, témoin un arbre parasite dont la variété est très-commune aux environs de la ville de Para et qui est peut-être le plus curieux de tous. Il s'appelle sipo matador, autrement dit la liane assassine. Il appartient à la famille des figuiers, et il a été décrit et dessiné dans l'atlas des voyages de Spix et Martius. J'en ai observé un grand nombre d'individus. La partie inférieure de la tige n'est pas de taille à porter le poids de la partie supérieure; le sipo va donc chercher un appui sur un arbre d'une autre espèce. En cela il ne diffère point essentiellement des autres arbres ou plantes grimpantes. C'est sa façon de s'y prendre qui est particulière et qui cause une impression désagréable. Il s'élance contre l'arbre auquel il prétend s'attacher, et le bois de la tige croît en s'appliquant, comme du plâtre à mouler, sur un des côtés du tronc qui lui sert de point d'appui. Puis naissent à droite et à gauche deux branches ou deux bras qui grandissent rapidement: on dirait des ruisseaux de séve qui coulent et durcissent à mesure. Ces bras étreignent le tronc de la victime, se rejoignent du côté opposé et se confondent. Ils poussent de bas en haut à des intervalles à peu près réguliers, et de la sorte, quand l'étrangleur arrive au terme de sa croissance, la victime est étroitement garrottée par une quantité de chaînons rigides. Ces anneaux s'élargissent à mesure que le parasite grandit, et vont soutenir jusque dans les airs sa couronne de feuillage mêlée à celle de la victime, qu'ils tuent à la longue en arrêtant le cours de la séve. On voit alors ce spectacle étrange du parasite égoïste qui étouffe encore dans ses bras le tronc inanimé et décomposé qu'il a sacrifié à sa propre croissance. Il en est venu à ses fins; il s'est couvert de fleurs et de fruits, il a reproduit et disséminé son espèce; il va mourir avec le tronc pourri dont il a causé la mort, il va tomber avec le support qui se dérobe sous lui.»

XVIII

«Le sipo matador n'est, après tout, qu'un emblème parlant de la lutte forcée des formes végétales dans ces forêts épaisses où l'individu est aux prises avec l'individu, l'espèce avec l'espèce, dans le seul but de se frayer une voie vers l'air et la lumière, afin de déployer ses feuilles et de mûrir ses organes de reproduction. Aucune espèce ne saurait être autrement victorieuse qu'aux dépens d'une foule de voisins et d'appuis; mais le cas particulier du matador est celui qui frappe le plus vivement les yeux. Certains arbres n'ont pas moins d'efforts à faire pour loger leurs racines que les autres pour gagner de la place en hauteur. De là les troncs arc-boutés, les racines suspendues en l'air et autres phénomènes analogues.

«La forêt vierge impénétrable, impropre au séjour de l'homme, vrai champ de bataille des végétaux, présente encore d'autres phénomènes particuliers et frappants. Ce qui n'est pas moins remarquable, c'est la docilité des plantes à devenir grimpantes, des animaux à devenir grimpeurs. Que la tendance à grimper se soit imposée à diverses espèces par une nécessité de circonstance, celle d'arriver jusqu'à l'air et à la lumière au milieu d'une végétation aussi drue, cela est démontré jusqu'à l'évidence par ce fait, que les arbres grimpants ne constituent ni une famille ni un genre spécial. Point de catégorie exclusive: cette habitude pour ainsi dire adoptive, ce caractère forcé, sont communs à des espèces d'une foule de familles distinctes qui, en général, ne grimpent point. Légumineuses, guttifères, bignoniacées urticées, telles sont celles qui fournissent le plus de sujets. Il y a même un palmier grimpant dont la variété (desmoncus) s'appelle jacitara en langue tupi. Il a une tige grêle, fortement tordue, flexible, qui s'enroule autour des grands arbres, passe de l'un à l'autre, et atteint une longueur incroyable. Les feuilles pinnées, comme dans le reste de la famille, que cette forme caractérise, sortent du stipe à de grands intervalles, au lieu de se réunir en couronne, et portent, à la pointe terminale, de longues et nombreuses épines courbes. Merveilleuse pour aider l'arbre à s'accrocher en grimpant, cette structure est fort désagréable pour le voyageur, quand le stipe épineux, suspendu sur son passage en travers du sentier, lui arrache son chapeau ou lui déchire ses habits. Les arbres qui ne grimpent point s'élancent à une extrême hauteur. Ils sont partout enchaînés et reliés dans tous les sens par les tiges ligneuses et tortueuses des parasites. Grands arbres et parasites confondent leur feuillage, qui n'apparaît que très-loin du sol. De ces parasites, les uns ressemblent à des câbles composés de plusieurs torons; les autres ont un gros stipe contourné de mille façons, qui s'enroule comme un serpent autour des troncs voisins, et va former entre les grosses branches des œils-debœuf ou des replis gigantesques; d'autres encore courent en zigzag ou sont dentelés comme les marches d'un escalier qui monterait à une hauteur vertigineuse.»

XIX

«La faune offre, comme la flore, une propension très-générale à devenir grimpante. Disons d'abord que, dans les forêts vierges, la faune est bien moins nombreuse et bien moins variée qu'on ne le supposerait à priori. Elle compte un certain nombre de mammifères, d'oiseaux et de reptiles, mais extrêmement disséminés, et fuyant tous l'homme, dont ils ont grand'peur. Dans cette vaste région uniformément couverte de bois, les animaux n'abondent que dans certaines localités propices qui les attirent. Le Brésil entier est pauvre en mammifères terrestres, et les espèces sont toutes de petite taille; elles ne se détachent point sur le fond du paysage. Le chasseur y chercherait en vain des groupes analogues aux troupeaux de bisons de l'Amérique du Nord, aux bandes d'antilopes, aux compagnies de pesants pachydermes de l'Afrique du Sud. Au Brésil, la grande majorité de la faune mammifère, qui est aussi la plus intéressante, vit habituellement sur les arbres. Tous les singes du bassin de l'Amazone, ou plutôt tous ceux de l'Amérique du Sud, sont des grimpeurs. Pas un seul groupe correspondant aux babouins de l'ancien monde, qui vivent à terre. On ne connaît point d'animaux mieux organisés pour vivre sur les arbres que les singes de l'Amérique méridionale des genres alouate, atèle, lagotriche, sapajou, saki, sagoin et nocthore, dont la plupart ont, comme en guise de cinquième main, une queue musculeuse, nue en dessous et prenante. Un genre de carnivores plantigrades voisins de l'ours (les cercoleptes), qu'on ne rencontre que dans les forêts de l'Amazone, habite exclusivement les arbres et possède une queue longue et flexible comme celle des singes du nouveau monde. Les gallinacés mêmes, qui tiennent ici la place des poules et faisans de l'Asie et de l'Afrique, ont les doigts disposés de manière à pouvoir percher, et on ne les voit jamais que sur la cime des arbres. Beaucoup de genres ou d'espèces de géophiles, c'est-à-dire d'insectes carnivores qui vivent ailleurs sous la terre, ont aussi des pattes conformées pour vivre sur les branches et les feuilles. M. Bates, qui adopte les théories de Darwin, voit dans ces faits la preuve que la faune de l'Amérique méridionale s'est insensiblement accommodée à la vie des bois, et il en conclut qu'il y a toujours eu dans cette région de vastes forêts, dès l'apparition des mammifères.»

XX

Les reptiles et les insectes ne pullulent point, comme on le croirait, dans les forêts vierges. La première peur d'un nouveau débarqué sous ces ombrages marécageux est de marcher à chaque pas sur des reptiles venimeux. Pour être nombreux à certains endroits, il s'en faut bien qu'ils soient nombreux partout, et encore appartiennent-ils la plupart du temps à des espèces sans venin. Il n'arriva qu'une fois à M. Bates de se trouver enlacé dans les replis d'un serpent merveilleusement mince, avec un diamètre maximum d'un demi-pouce sur six pieds de long. C'était une variété du dryophis. Le hideux sucurugu ou boa aquatique, eunectes murinus, est plus redoutable que les serpents des bois (hors les espèces les plus venimeuses, comme le javaraca, craspedocephalus atrox), et il attaque souvent l'homme. Dans la saison des pluies, les boas sont si communs qu'on en tue jusque dans les rues de Para. On range au nombre des plus communs et des plus curieux serpents les amphisbènes, espèce inoffensive, voisine des orvets d'Europe, qui vit dans les galeries souterraines de la fourmi saüba. Les indigènes l'appellent, en style oriental, maï das saübas, mère des fourmis.

La forêt vierge n'est point en général empestée de moustiques et autres diptères du genre cousin. L'absence de ce fléau, un mélange de variété et d'immensité, la fraîcheur relative de l'air, les formes diverses et bizarres de la végétation, la majesté de l'ombre et du silence, tous ces éléments combinés donnent de l'attrait à ces solitudes sauvages, que peuplent seuls les arbres et les lianes. «Ces lieux, dit M. Bates, sont le paradis du naturaliste, et pour peu qu'il soit porté à la contemplation, il n'y a point ailleurs de milieu plus favorable à l'esprit rêveur. Les forêts intertropicales produisent sur l'âme, comme l'avait déjà fait observer Humboldt, une impression analogue à celle de l'Océan. L'homme sent qu'il est en face de l'immensité de la nature.»

XXI

«On peut se faire une idée de l'aspect des basses terres en se représentant une végétation de serre chaude qui s'étendrait sur une vaste surface marécageuse, des palmiers mêlés à de grands arbres exotiques semblables à nos chênes et à nos ormes, couverts de plantes grimpantes et parasites, un sol encombré de troncs déracinés et pourris, de branches, de feuilles; le tout illuminé par les rayons ardents d'un soleil vertical et saturé d'humidité.

«Vrai pour les bords du fleuve, ce tableau ne l'est plus pour les grandes régions de la forêt vierge que la géographie mesure et qui s'étendent sans interruption à des centaines de milles dans tous les sens. Le pays se relève et s'accidente; les plantes aquatiques aux longues et larges feuilles disparaissent; il y a moins de taillis et les arbres sont moins rapprochés. Généralement ces arbres sont moins remarquables par l'épaisseur du tronc que par la grande et uniforme hauteur à laquelle ils s'élancent avant d'avoir une seule branche. On rencontre çà et là un véritable géant. Il ne peut pousser dans un espace donné qu'un seul de ces arbres monstrueux, qui accapare le domaine, et aux abords duquel on n'aperçoit que des individus d'une dimension beaucoup plus modeste. Le fût a pour l'ordinaire de vingt à vingt-cinq pieds de circonférence. Von Martius assure en avoir mesuré, dans le district de Para, qui avaient de cinquante à soixante pieds au bas du fût. Ces énormes colonnes végétales n'ont pas moins de cent pieds de hauteur du sol à la branche la plus basse. On peut estimer la hauteur totale, stipe et cime, à cent quatre-vingts ou deux cents pieds, et chacun de ces géants élève sa tiare de feuillage au-dessus des autres arbres de la forêt, comme une cathédrale fait de son dôme au-dessus des maisons de la ville. Les gallinacés perchés dans les couronnes, sont parfaitement à l'abri des atteintes d'un fusil de chasse.

«Ce qui achève de donner à ces arbres un aspect original, ce sont des projections en forme de contre-forts qui croissent tout autour du bas du stipe. Les vides compris entre les contre-forts, qui sont généralement des cloisons ligneuses, forment des chambres spacieuses que l'on peut comparer aux stalles d'une écurie; quelques-unes sont assez grandes pour contenir une demi-douzaine de personnes. L'utilité de cette disposition saute aussi vite aux yeux que celle des arcs-boutants de maçonnerie destinés à soutenir une haute muraille. Elle n'est point particulière à telle ou telle espèce, mais commune à la plupart des grands troncs. On se rend fort bien compte de la nature de ces soutiens et de leur façon de croître, quand on examine une série de jeunes sujets d'âges différents. On voit alors que ce sont les racines qui sont sorties de terre sur tout le périmètre de la base et qui ont monté peu à peu, à mesure que la hauteur croissante de l'arbre exigeait un point d'appui plus solide. Elles sont visiblement destinées à soutenir la masse du tronc et de la couronne dans ces bois enchevêtrés, et elles affectent une forme pivotante, parce qu'il leur serait difficile de s'étendre dans un plan horizontal, à cause de la multitude de plantes qui leur disputent le sol.

«Beaucoup de lianes ligneuses qui pendent aux arbres ne sont point des tiges grimpantes. Ce sont les racines aériennes des épiphytes (aroïdées), qui vivent sur les cimes, en plein air, qui se passent fort bien d'emprunter leur nourriture à la terre et sont comme une seconde forêt par-dessus la première, qui s'attachent à demeure aux plus fortes et aux plus hautes mères branches, et retombent droit comme un fil à sonde, tantôt isolément, tantôt en paquets, s'arrêtant ici à moitié chemin du sol, finissant ailleurs par y toucher et par y enfoncer leurs radicules.»

XXII

«Le taillis de la forêt vierge change d'un endroit à l'autre. Ici il se compose surtout de jeunes individus de la même espèce que les grands arbres; plus loin, de diverses sortes de palmiers, dont les uns s'élèvent à vingt ou trente pieds, dont les autres, grêles et délicats, ont une tige épaisse comme le doigt; plus loin encore, d'une variété infinie de buissons et de lianes qui se mêlent et se disputent l'espace.

«Les fougères arborescentes appartiennent aux collines de l'Amazone supérieure. Les fleurs sont en petit nombre. Les orchidées sont très-rares dans les fourrés des basses terres. Il y a bien des arbustes et des arbres fleuris, mais ils échappent à la vue. Par une conséquence naturelle, les insectes qui vivent sur les fleurs sont tout aussi rares. L'abeille forestière (genre mélipone et genre euglosse) est presque partout réduite à tirer sa nourriture de la séve sucrée que distillent les arbres ou des excréments que les oiseaux déposent sur les feuilles.»

Lamartine.

(La suite au prochain entretien.)

CXVe ENTRETIEN.

LA SCIENCE OU LE COSMOS, PAR M. DE HUMBOLDT. (QUATRIÈME PARTIE.)

I

«Les phénomènes de l'année et de ses subdivisions constituent dans la forêt vierge autant de cycles dignes de notre attention. Comme dans toutes les régions intertropicales, il n'y a guère qu'une seule et même saison durant le cours entier de l'année, et on n'y observe ni hiver ni été; on y voit les phénomènes de la vie animale et végétale se reproduire régulièrement, à peu près vers la même époque, ou pour toutes les espèces, ou pour tous les individus d'une espèce donnée, comme il arrive dans les zones tempérées. La saison sèche elle-même n'amène point de chaleurs excessives. La floraison des plantes et la chute des feuilles, la mue, l'accouplement et la génération des oiseaux ne sont point assujettis tour à tour à une sorte de succession collective. En Europe, l'aspect d'un paysage boisé varie de l'une à l'autre des quatre saisons. Dans les forêts de l'équateur, la scène est la même, ou peu s'en faut, tous les jours de l'année, ce qui rend d'autant plus intéressante l'étude du cycle quotidien: chaque jour voit apparaître des bourgeons, des fleurs et des fruits ou tomber des feuilles dans une espèce ou dans l'autre. L'activité des oiseaux et des insectes ne souffre point de relâche; chaque famille a ses heures. Pour ne citer qu'un exemple, les guêpes ne périssent point annuellement en ne laissant dans les nids que les reines, comme dans les climats froids; mais les générations et les essaims se suivent sans interruption. On ne peut jamais dire que ce soit le règne du printemps, ou de l'été, ou de l'automne: chaque journée est un abrégé des trois saisons. La durée de la nuit est constamment égale à celle du jour, les variations quotidiennes de l'atmosphère se compensent et se neutralisent avant le retour du lendemain, le soleil n'est jamais oblique et la température journalière est la même, à deux ou trois degrés près, tout le long de l'année. Toutes ces circonstances impriment à la marche de la nature un équilibre parfait et un caractère de majestueuse simplicité.»

II

«Au point du jour, le ciel est le plus souvent sans nuages. Le thermomètre oscille entre 22 et 23 degrés centigrades, ce qui n'est point une chaleur accablante. La rosée abondante ou la pluie de la nuit dernière se dissipe bien vite aux rayons ardents d'un soleil qui se lève en plein orient et monte rapidement au zénith. La nature entière se réveille; de nouvelles feuilles, de nouvelles fleurs poussent à vue d'œil. Où on n'apercevait la veille qu'une masse informe de verdure, on découvre le lendemain un arbre en fleur, une cime, un dôme paré de vives couleurs et créé, pour ainsi dire, par la baguette d'un magicien. Tous les oiseaux renaissent à la vie et à l'activité. On distingue entre tous le cri aigu du toucan. De petites bandes de perroquets prennent l'essor. Ils se détachent nettement sur l'azur du ciel et vont par couples, qui babillent et se suivent à des intervalles réguliers. À la hauteur où ils se tiennent, on ne distingue pas l'éclat de leur plumage. Les seuls insectes qui se montrent en grand nombre sont les fourmis, les termites, des guêpes qui vivent en société, et des libellules dans les clairières.

«La chaleur augmente avec rapidité jusque vers deux heures après midi. À cette heure, où la moyenne thermométrique est comprise entre 33 et 34 degrés centigrades, la voix des mammifères et des oiseaux se tait. Seule la cigale, cachée dans les arbres, fait entendre par intervalles son aigre fausset. Les feuilles, si humides et si fraîches à l'aube, deviennent flasques et pendantes; les fleurs perdent leurs pétales. Les Indiens et les mulâtres, qui habitent des huttes ouvertes à tous les vents avec un toit de feuilles de palmier, sommeillent dans leurs hamacs, ou se tiennent du moins assis à l'ombre sur des nattes, trop affaissés même pour causer. En juin et juillet, on a presque tous les jours, et d'habitude dans l'après-midi, une forte averse, qui est la bienvenue à cause de la fraîcheur qu'elle amène. L'approche des nuages pluvieux est intéressante à observer. La brise de mer, qui s'est levée vers dix heures et qui a fraîchi à mesure que le soleil devenait plus fort, tombe et meurt. La chaleur et la tension électrique de l'atmosphère deviennent presque insupportables. Une langueur qui dégénère en véritable malaise accable tous les êtres vivants, jusqu'aux hôtes de la forêt, comme l'atteste la lenteur de leurs mouvements. Des nuages blancs apparaissent du côté de l'orient, et se rassemblent par masses dont le bord inférieur est une frange noire grossissante. Tout à coup l'horizon entier se couvre de ténèbres qui montent et finissent par obscurcir le soleil. Un violent coup de vent ébranle alors la forêt et courbe la cime des arbres; puis vient un éclair éblouissant, un coup de tonnerre et une pluie diluvienne. Ces orages ne durent point; ils laissent dans le ciel, jusqu'à la nuit, des nuages immobiles d'un bleu noir. La nature entière est rafraîchie, mais on voit sous les arbres des monceaux de pétales et de feuilles. Vers le soir la vie reprend: les chants, les cris, mille bruits retentissent de plus belle dans les fourrés et les arbres. Le lendemain matin, le soleil se lève dans un ciel sans nuages, et voilà le cycle complété: le printemps, l'été et l'automne se sont confondus dans une seule journée tropicale. Ces journées se ressemblent, avec du plus ou du moins, d'un bout à l'autre de l'année. Il y a une légère différence entre la saison sèche et la saison humide; mais en général la saison sèche, qui dure de juillet en décembre, est entremêlée d'averses, et la saison humide, qui dure de janvier à juin, de jours de soleil.»

III

«Les récits des voyageurs nous entretiennent souvent du silence et de la sombre horreur de la forêt vierge. Ce sont, au témoignage de M. Bates, des réalités dont une fréquentation prolongée fortifie l'impression. Le ramage trop rare des oiseaux a un caractère mélancolique et mystérieux, plutôt fait pour aviver le sentiment de la solitude que pour égayer et pour exciter à vivre. Parfois, au milieu du calme, éclate un cri d'alarme ou d'angoisse qui serre le cœur: c'est celui d'un herbivore surpris et saisi par les griffes d'un carnassier de la famille du tigre, ou dans les replis du boa constrictor. Le matin et le soir, les singes hurleurs font entendre un concert effrayant. La forêt, qui paraissait déjà inhospitalière, le paraît dix fois plus au milieu de ce terrible vacarme. Souvent, à midi même, en plein calme, on entend un craquement soudain qui se prolonge au loin; c'est une grosse branche ou un arbre entier qui tombe. Il ne manque pas d'ailleurs de bruits dont il est impossible de se rendre compte, et qui laissent les indigènes aussi embarrassés que M. Bates. C'est parfois un son analogue à celui d'une barre de fer avec laquelle on frapperait sur un tronc dur et creux, ou bien c'est un cri perçant qui fend l'air. Ni le son ni le cri ne se répètent, et le retour du silence ajoute à l'impression pénible qu'ils ont faite sur l'âme.

«Au compte des indigènes, c'est toujours le curupira, l'homme sauvage, l'esprit de la forêt, qui produit tous les bruits qu'ils ne savent pas s'expliquer. Dans l'enfance de la science, l'humanité n'a jamais su inventer que des mythes et de grossières théories pour expliquer les phénomènes de la nature. Le curupira est un être mystérieux dont les attributs sont fort mal déterminés, car ils varient suivant les localités. Ici la description qu'on en donne est celle d'une sorte d'orang-outang, couvert d'un poil long et rude, qui vit sur les arbres. Ailleurs on dit qu'il a le pied fourchu, avec une face rouge et luisante. Il a femme et enfants, et on l'a vu descendre de son aire pour venir ravager les plantations de manioc. «J'ai eu à mon service, dit M. Bakes, un jeune mameluco ou métis qui avait la tête farcie des légendes et des superstitions de son pays. Je l'emmenais toujours avec moi dans la forêt, mais pour rien au monde il n'y serait allé seul, et toutes les fois qu'il entendait un de ces bruits étranges dont j'ai parlé, il tremblait de peur. Il se faisait petit, se cachait derrière moi et me suppliait de nous en retourner. Il ne se rassurait qu'après avoir fabriqué un charme pour nous protéger contre le curupira. Il arrachait pour cela une feuille de palmier, la tressait et en faisait un anneau qu'il suspendait à une branche au-dessus de notre sentier.»

«Après tout, le spectacle et l'exploration de la forêt vierge ont de quoi effacer toutes les impressions désagréables que causent ces divers phénomènes, et notamment l'énergie effrénée de la végétation. En comparaison de ce feuillage d'une beauté et d'une variété incomparables, de ces vives couleurs, de la richesse, de l'exubérance qui éclatent partout, le plus splendide paysage forestier du nord de l'Europe n'est plus qu'un désert stérile. Si on est affligé par la vue des ruines qu'accumule une inévitable rivalité, on est amplement dédommagé par l'intensité de la vie individuelle. Nulle part la lutte n'est plus active ni les dangers que court chaque individu plus nombreux, mais aussi nulle part la vie n'est plus belle. Si les végétaux pouvaient sentir, ils seraient heureux de leur vigoureuse et rapide croissance, que n'interrompt pas le sommeil glacé de l'hiver.

«Dans le règne animal, la guerre est peut-être plus meurtrière et les bêtes de proie plus constamment en éveil que dans les climats tempérés; mais, d'autre part, les animaux n'ont point à se défendre contre le retour périodique des saisons rigoureuses. À certaines époques de l'année, et dans certains recoins ouverts au soleil, les arbres et l'air fourmillent joyeusement d'oiseaux et d'insectes qui boivent la vie avec ivresse; la chaleur, la lumière, une alimentation facile et abondante, animent et surexcitent ces multitudes. Et pourquoi ne pas dire un mot de la parure sexuelle, des brillantes couleurs, des appendices qui distinguent les mâles? Cela se retrouve dans la faune de tous les climats, mais nulle part au même degré de perfection que sous les tropiques. C'est à la fois un reflet et un signe avant-coureur de la saison des amours. «À mon sens, dit à ce sujet M. Bates, c'est penser comme les enfants, que de supposer que la beauté des oiseaux, des insectes et des autres créatures leur est donnée pour charmer nos yeux. La moindre observation, la moindre réflexion démontre qu'il n'en est rien, car autrement pourquoi un seul des deux sexes serait-il si richement paré, tandis que l'autre est vêtu de couleurs sombres et ternes? Je suis persuadé que la beauté du plumage et du chant, comme toutes leurs autres qualités spécifiques, leur sont dévolues pour leur propre plaisir et pour leur avantage. Et si ma remarque est fondée, n'est-ce pas une raison pour nous faire des idées plus larges sur la vie intime et les relations mutuelles des êtres qui peuplent la terre avec nous?»

IV

«Tels sont donc, en résumé, les grands traits, les caractères de la forêt vierge par excellence: elle est impénétrable, impropre à la demeure de l'homme; la végétation est en guerre contre elle-même; les plantes et les animaux grimpent; il y a peu d'insectes et point de moustiques; les bas-fonds marécageux contrastent avec les terrains boisés du haut pays; des arbres d'une taille colossale s'appuient sur des racines arc-boutées et supportent des plantes pendantes aériennes, comme une seconde forêt par-dessus la première; pêle-mêle de taillis et de lianes parasites; absence de fleurs; retour invariable des mêmes phénomènes dans leur cycle annuel, mensuel et diurne; ombrages silencieux troublés par des bruits mystérieux et inexplicables; enfin, source inépuisable d'intérêt, qui provient de la beauté et de la variété, de la richesse, de l'exubérance et de l'intensité de la vie chez tous les êtres organiques.

«Ce qui précède n'est en quelque sorte que le cadre des explorations où nous suivrons le voyageur, dont nous avons seulement esquissé les premières impressions[2].»

V

Voilà une œuvre directe et permanente de Dieu sur l'écorce de la terre! la vie répandue à pleine main et renaissant d'elle-même comme un élément insensé, animé à la fois de l'existence et répandant en lui et autour de lui la folle ivresse de la vie! C'est le délire de l'existence, la cascade des créations bouillonnant des mains de l'éternel créateur!

Voilà la vie.

Dieu l'a créée infatigable, inépuisable, innombrable dans les végétations, moins nombreuse, moins palpable, moins fourmillante dans les animaux, excepté les insectes, parce que l'intelligence les anime, et que la nourriture plus recherchée leur manquerait dans leurs pâturages terrestres; mais il leur mesure les aliments et l'intelligence à proportion de leurs masses, de leurs besoins; entre eux et l'homme il a placé la barrière des langues qui se parlent, mais qui ne se comprennent pas entre elles, excepté les animaux domestiques, premiers esclaves et tendres amis de l'homme.

L'histoire naturelle a dans ce sens d'immenses connaissances à acquérir, des mystères profonds à sonder par l'intelligence et surtout par la charité, cette langue instinctive, qui balbutie à peine entre la nation animée, la nation végétale et la nation humaine. Un Aristote, un Pline, un Buffon, naîtront et feront l'histoire naturelle des animaux par l'intelligence au lieu de la faire par la forme.

C'est un des progrès assez rapprochés que la divine bonté permet à l'homme d'espérer d'entrevoir sur ce globe. Ce sont des voix nouvelles qui entrent une à une dans le cantique du Cosmos, dans l'hosanna de la création.

VI

En attendant, transportons-nous dans les solitudes méridionales de l'océan Indien ou à l'océan Austral; il est nuit, l'étoile sur la Croix du Sud dessine son trépied sur nos têtes, un vaisseau de guerre nous porte depuis dix mois sans voir de rivage vers quelqu'une de ces îles grandes comme des continents. Nous suivons notre route dans les cieux, comme dans un miroir où elle se reflète d'étoiles en étoiles, éteintes le jour, rallumées la nuit au souffle du Créateur.

Le vaisseau de cent canons plus vaste que le Léviathan, et organisé par l'industrie miraculeuse inspirée des hommes, contient deux mille vies d'hommes dans son sein, les uns veillant à la manœuvre et à l'orientement des voiles pour balayer et recueillir dans leur éventail gigantesque le moindre souffle d'air qui se repose sur le lit plus lourd de la mer, afin de récolter ainsi le mouvement nécessaire de la route; les autres, assis sur le pont, fourbissent les armes luisantes qui vont conquérir une région inconnue de la patrie. Dans les profondeurs du navire, la patrie a balayé avant le départ quelques centaines d'hommes condamnés, de femmes coupables, d'enfants innocents au sein de leurs mères, pour purifier la population saine de l'Angleterre et pour peupler des populations renouvelées dans ses colonies. La machine flottante est si vaste et les membres de bois sont si solidement encastrés les uns dans les autres par leurs extrémités et par leurs flancs, que le roulement des canons sur ses ponts y est insensible et qu'il ne sent pas plus le poids d'une foule d'hommes que le cheval de trait dans les rues de Londres ne sent le poids des mouches qui se posent sur sa crinière. La mer porte tout, et le vaisseau ne s'enfonce pas d'une ligne dans ses flots mugissants. Les proscrits émigrants qui sont ensevelis dans ses cavernes rêvent, pleurent, ou chantent pendant la longue traversée sur ce qu'ils ont laissé de leur vie passée, sur ce qu'ils vont retrouver de leur vie future, dans le hasard des unions que la destinée leur prépare sous d'autres cieux.

VII

La journée, longue pour tous ces passagers, touche à son déclin. Le calme complet des airs laisse le navigateur indécis mesurer de combien de vagues il a avancé dans sa route vers un rivage toujours invisible. La cloche sonne, le prêtre s'agenouille, le matelot se découvre, toutes les figures se rassérènent, toutes les conversations se taisent: c'est à l'invisible Infini qu'on va parler. La prière murmurée à demi-voix par le ministre du Tout-Puissant retentit sourdement sur toutes les lèvres qui la répètent, et emporte à Dieu les louanges, les actions de grâce et les vœux secrets de tout ce monde flottant. Le silence respectueux se prolonge après la dernière invocation, et chacun, pour dormir ou pour veiller à son poste, va reposer ou surveiller la nuit.

VIII

La nuit perfide et étouffante enveloppe dans un silence redoutable le vaisseau, le ciel et la mer. Un bruit limité et soudain éclate tout à coup dans ce silence. C'est le coup sourd des vagues qui s'amoncellent et qui viennent de minute en minute heurter les flancs du vaisseau; ce sont les plaintes des madriers et des solives qui, dans cet immense chantier flottant, tendent à se détacher les uns des autres pour reprendre leur liberté; ce sont les sifflements des ailes du vent à travers les voilures, dont cinq cents matelots intrépides prennent les ris; le tumulte des hommes sur le pont tremblant, la voix et le sifflet du commandant, les voiles qui se déchirent et qui emportent dans les airs la force échappée de leurs plis, les mâts surchargés qui se rompent et qui tombent avec leurs vergues et leurs cordages sur les bastingages, le pas précipité des matelots courant où le signal les appelle, les coups de haches qui précipitent à la mer ces débris pour que leur poids ajouté au roulis du navire ne l'entraîne pas dans l'abîme; le tangage colossal de ces débris mesuré par six cents pieds de quille, tantôt semble gravir jusqu'aux nuages la lame écumeuse et la diriger en plein firmament, tantôt, arrivé au sommet de la vague, se précipiter la tête la première, les bras des vergues tendus en avant dans l'abîme où il glisse, le gouvernail touchant au fond de l'océan; les matelots suspendus aux câbles décrivent des oscillations gigantesques sur l'arc des cieux; les canons détachés de leurs embouchures roulent çà et là sur les trois ponts avec des éclats de foudre; à chaque effondrement du vaisseau entre des montagnes d'écumes qui semblent l'engloutir, un cri perçant monte de la prison des condamnés, puis des voix de femmes et d'enfants qui croient toucher à leur dernière heure. Le vaisseau se relève lentement sous le poids des vagues qui se creusent un berceau au pied des mâts et roulent furieuses sur le pont disparu sous l'onde;

il flotte au hasard, rasé comme un ponton, sans savoir où la tempête le pousse; trois nuits, trois jours l'engloutissent avec ses deux mille habitants dans les caprices de la mer; c'est un tombeau où les morts sont avec les vivants, et où chaque seconde est une agonie renaissante; nul n'espère plus son salut, et le silence funèbre a succédé au cri de la terreur: tout est mort sur ce jouet de la mort.

IX

Mais les lames retentissantes semblent enfin se fatiguer de leur fureur, les tangages et les roulis laissent respirer les ponts, les ruisseaux d'écume coulent à la mer sur ses flancs, les mâts rajustés se relèvent avec quelques lambeaux de voiles, le gouvernail réparé plonge dans l'élément liquide et imprime une direction au vaisseau désemparé. Le soleil luit entre mille nuages, les soldats et les matelots remontent un à un sur le pont. On navigue au gré des lames aplanies; le coup de vent qui a fait avancer les navigateurs en aveugles sur l'océan Indien, leur laisse entrevoir à distance l'île de Ceylan couverte de ses forêts étranges, et approcher d'un continent à fleur d'eau, où un fleuve immense confond ses fanges avec les roseaux de la mer. C'est le Gange sacré, qui descend des hautes montagnes des Indes où brillèrent, à la naissance de l'homme primitif, les premiers crépuscules, les révélations du Créateur et ses premières créations humaines. Langues, idées, théologies, saintetés, invocations, martyres, héroïsme, dévouement, prodiges, chants sacrés dont les débris témoignent d'une majesté divine visible aux poëtes inspirés, morale surhumaine, mystérieuse, que l'homme n'aurait pu découvrir, invocation perpétuelle au Créateur, l'anéantissement de la matière devant l'intelligence sacrée: tels sont les vestiges que ces révélations indiennes conservent des premiers temps de l'entretien des dieux et des hommes. Les brahmes en gardent encore les monuments écrits dans leurs livres. On sent que Dieu a passé par là; on respire les parfums moraux de ses oracles. Il paraît évident que c'est là qu'il a par ses instincts manifesté sa divine nature aux premiers hommes. Sa première église a parlé, prié, chanté dans ces plaines et sur ces sommets consacrés. Cherchez ses traces, elles sont là; Alexandre en eut la première vision pour l'occident du globe. Elles se répandirent d'abord comme un reflet sur la Perse et la Chine; elles sanctifièrent Zoroastre et Confucius, et les législateurs du pays des pyramides; de là elles passèrent en Grèce, où l'imagination les colora de ses brillants mensonges adoptés par les Romains; puis l'incarnation chrétienne les sentit renaître et les pratiqua en morale parfaite et en ascétismes pieux. Puis l'homme, divinisé par le dévouement de ses frères, succède à l'Homme-Dieu, première institution de l'humanité! Puis ce crépuscule encore visible pâlit et s'obscurcit dans l'extrême Orient et se transforme dans l'Occident. Puis les conquérants modernes assujettirent une partie de ces peuples et vinrent purifier les populations et accroître leurs richesses par leur commerce dans ces régions où ils adorèrent leur Memnon d'or sur les autels du Dieu incorporel. Ils reconnurent le mystère, mais ils ne le comprirent pas; et les ténèbres renaquirent où les premières races de cette humanité mystérieuse avaient vu le jour du ciel dans la sainteté des fils aînés de Dieu.

Laissons débarquer cette lie de notre Occident et les conquérants profanateurs sur ce rivage des Indes asservies, et voyons ailleurs les mystères de l'action de Dieu dans les lieux ou dans les hommes.

X

C'est le soir; nous sommes dans la capitale du monde occidental; le Colisée, théâtre bâti par Vespasien à la mesure du peuple-roi et bourreau de l'univers alors connu, s'élève à des centaines de pieds au-dessus des édifices publics et des palais des citoyens de Rome.

Des murs percés de vomitoires, entrées et issues immenses, s'ouvrent de distance en distance, pour donner accès à cent dix mille spectateurs. Une ellipse colossale dessine à l'œil ce théâtre. Les galeries superposées et repliées les unes derrière les autres, pour laisser les regards embrasser librement la scène, s'avancent à l'intérieur comme autant de promontoires sur la mer.

Michel-Ange, déjà vieux, pendant qu'il méditait d'élever jusqu'à cinq cents pieds dans les airs la coupole du temple du christianisme, fut trouvé seul, errant, pensif, dans les ruines du Colisée.

Une neige tombée en abondance la nuit précédente en faisait ressortir les gigantesques lignes sur l'horizon; un ciel bleu, découpé par ses jours, éclatait dans l'intérieur; il était absorbé dans l'admiration muette, cherchant comment il dresserait dans le ciel le théâtre de la grandeur du Dieu des chrétiens. Il avait trouvé Saint-Pierre dans le Colisée.

XI

Le jour où Titus fit la dédicace de ce Colisée, le spectacle fut digne du monument. Des milliers de bêtes fauves de tous les déserts soumis à l'empire y furent amenés pour y mourir pendant une représentation qui dura cent jours! Trente mille esclaves gladiateurs, ces comédiens de la mort, y récréèrent, à leur agonie, les regards féroces des Romains. La mort seule était le jeu de ce peuple funèbre qui tuait pour triompher, et qui tuait encore pour célébrer ses triomphes. Il jouit pleinement ce jour-là de son ivresse de carnage, et il appelait Titus les délices du genre humain. Des chars mortuaires ne cessaient d'emporter, aux applaudissements de la foule, les carcasses d'animaux et les cadavres de victimes. Le sable renouvelé buvait les flots de sang, pour préparer à d'autres victimes une autre place pour mourir!

Le monde n'a rien vu d'aussi magnifique: quatre étages d'un ordre d'architecture différent le composent. Mille fois cent cinquante pieds décrivent la circonférence de l'ellipse. La scène a trois cents pieds d'étendue. Maintenant l'herbe et les ronces y poussent en liberté; les oiseaux y chantent comme dans la forêt.

Quatre cent quarante-six ans plus tard, c'est-à-dire l'an 526 de notre ère, les Barbares de Totila en ruinèrent diverses parties, afin de s'emparer des crampons de bronze qui liaient les pierres. Tous les blocs du Colisée sont percés de grands trous.

J'avouerai que je trouve inexplicables plusieurs des travaux exécutés par les Barbares, et que l'on dit avoir eu pour objet d'aller fouiller dans les masses énormes qui forment le Colisée. Après Totila, cet édifice devint comme une carrière publique, où, pendant dix siècles, les riches Romains faisaient prendre des pierres pour bâtir leurs maisons, qui, au moyen âge, étaient des forteresses.

Ces palais dont les matériaux ont été fouillés dans cette masse de pierres, n'ont fait que l'ébrécher. Quelques petits autels, desservis par un pauvre moine mendiant, sont invisibles dans la vaste arène. On y dit la messe et on y demande pardon au Dieu victorieux du sang de tant de millions de victimes répandu à plaisir pour amuser les Romains!

Quand la lune sereine de la campagne romaine se lève dans le ciel et laisse filtrer sa blanche lueur à travers les brèches du Colisée sur l'arène du Cirque, quelques humbles voix de solitaires s'élèvent et demandent grâce pour les forfaits et pour les orgueils de l'humanité. Le Colisée, vu ainsi, est la plus grande image qui soit sur la terre des honteuses vicissitudes de la gloire humaine. On sent à la fois tant de grandeur et tant de néant! On s'enorgueillit et on s'humilie d'être homme.

XII

Mais, à quelques pas de là, Saint-Pierre de Rome, œuvre encore jeune et vivante de la nouvelle religion des hommes, s'élève à trois cents pieds plus haut que l'œuvre de Vespasien.

Entrez avec moi dans l'aire de l'édifice chrétien. Un obélisque égyptien en granit marque la borne de l'ombre du temple. Deux fontaines jaillissantes tombent et retombent éternellement avec la profusion de leur eau dans des bassins de porphyre des deux côtés de l'obélisque. Leur murmure fait faire silence et parle d'éternité.

Ici, à droite et à gauche, une double colonnade de sept cent trente-huit pieds de long, sur six cents pieds de large, enferme la place qui précède le temple. Douze cents pieds d'espace ouvrent à l'œil la vue nécessaire pour embrasser la masse et la beauté de l'église.

La place comprise entre les deux parties semi-circulaires de la colonnade du Bernin (mais, je vous en prie, ayez les yeux sur une lithographie de Saint-Pierre), est à mon gré la plus belle qui existe. Au milieu, un grand obélisque égyptien; à droite et à gauche, deux fontaines toujours jaillissantes dont les eaux, après s'être élevées en gerbe, retombent dans de vastes bassins. Ce bruit tranquille et continu retentit entre les deux colonnes, et porte à la rêverie. Ce moment dispose admirablement à être touché de Saint-Pierre, mais il échappe aux curieux qui arrivent en voiture. Il faut descendre à l'entrée de la place de' Rusticucci. Ces deux fontaines ornent cet endroit charmant, sans diminuer en rien la majesté. Ceci est tout simplement la perfection de l'art. Supposez un peu plus d'ornements, la majesté serait diminuée; un peu moins, il y aurait de la nudité. Cet effet délicieux est dû au cavalier Bernin, dont cette colonnade est le chef-d'œuvre. Le pape Alexandre VII eut la gloire de la faire élever.

Le vulgaire disait qu'elle gâterait Saint-Pierre.

La place ovale, dont les deux extrémités sont terminées par les deux parties de la colonnade, a sept cent trente-huit pieds de long sur cinq cent quatre-vingt-huit de large. Vient ensuite une place à peu près carrée, et qui finit à la façade de l'église. La longueur totale de ces trois places qui précèdent Saint-Pierre est, à partir de la rue par laquelle on y arrive, de mille cent quarante-huit pieds.

Les deux portiques circulaires du Bernin se composent de deux cent quatre-vingt-quatre grosses colonnes de travertin et de soixante-quatre pilastres; ces colonnes forment trois galeries. Dans de certaines solennités, les carrosses des cardinaux passent sous celle du milieu. La base des colonnes est d'ordre toscan, le fût d'ordre dorique, et l'entablement d'ordre ionique; elles ont trente-neuf pieds deux tiers de haut. Les deux portiques semi-circulaires ont cinquante-six pieds de large et cinquante-cinq de hauteur. La balustrade supérieure est ornée de cent quatre-vingt-douze statues de douze pieds de haut, comme celles du pont Louis XVI. Les statues de Rome sont en travertin; elles furent faites sous la direction du cavalier Bernin. Elles sont bien placées, et contribuent à l'ornement.

XIII

L'homme qui nous apprend le plus de choses sur l'antiquité, Pline, nous dit que Nuncoré, roi d'Égypte, fit élever dans la ville d'Héliopolis l'obélisque qui est à Saint-Pierre. Caligula le fit transporter à Rome; on le plaça dans le cirque de Néron au Vatican. Constantin bâtit sa basilique de Saint-Pierre sur une partie de l'emplacement de ce cirque; mais, jusqu'en 1586, l'obélisque, chose étonnante, resta debout dans le lieu où Caligula l'avait mis, c'est-à-dire à l'endroit où se trouve maintenant la sacristie de Saint-Pierre, bâtie par Pie VI.

En 1586, presque un siècle avant la construction de la colonnade, Sixte-Quint fit placer l'obélisque où il se voit aujourd'hui. Ce transport, qui coûta 200,000 francs, fut exécuté par l'architecte Fontana, au moyen d'un mécanisme admirable, que de nos jours personne ne pourrait inventer, ni peut-être même imiter. À la fin du moyen âge, on a transporté jusqu'à des clochers à une distance de soixante ou quatre-vingts pas du lieu qu'ils occupaient d'abord. L'obélisque du Vatican a soixante-seize pieds de haut et huit pieds dans sa plus grande largeur. La croix qui le surmonte est à cent vingt-six pieds du pavé.

Cet obélisque n'a point d'hiéroglyphes; il n'est pas le plus grand de ceux de Rome, mais quelques personnes le regardent comme le plus curieux, parce que, n'ayant jamais été renversé, il a été conservé dans toute son intégrité.

Aux côtés de l'obélisque, on voit les deux fontaines. Les brillantes pyramides d'écume blanche qui s'élèvent dans les airs retombent dans deux bassins formés chacun d'un seul morceau de granit oriental de cinquante pieds de circonférence. Le jet le plus élevé monte à soixante-quatre pieds.

Bramante, Raphaël, Michel-Ange, les plus grands artistes furent prodigués aux plus grands pontifes pour concevoir et gouverner la construction de ce prodige de la puissance, de la richesse et du génie.

Le christianisme tout entier se concentre dans son chef-d'œuvre. La façade trop théâtrale y manque seule. Elle est formée d'un portique dont les colonnes ont quatre-vingt-sept pieds de tronc, sans les chapiteaux et les corniches. Quand une des cinq portes de ce portique s'ouvre, l'édifice apparaît tout entier.

XIV

VUE GÉNÉRALE DE L'INTÉRIEUR DE SAINT-PIERRE.

«On pousse avec peine une grosse portière de cuir, et nous voici dans Saint-Pierre. On ne peut qu'adorer la religion qui produit de telles choses. Rien au monde ne peut être comparé à l'intérieur de Saint-Pierre. Après un an de séjour à Rome, j'y allais encore passer des heures entières avec plaisir. Presque tous les voyageurs éprouvent cette sensation. On s'ennuie quelquefois à Rome le second mois de séjour, mais jamais le sixième; et, si on y reste le douzième, on est saisi de l'idée de s'y fixer.

«Quand vous serez assez malheureux pour désirer connaître les dimensions de Saint-Pierre, je vous dirai que la longueur de cette basilique est de cinq cent soixante-quinze pieds; elle a cinq cent dix-sept pieds de large à la croisée. La nef du milieu a quatre-vingt-deux pieds de largeur et cent quarante-deux de hauteur. Elle est ornée de grosses statues de saints de treize pieds de proportion. On peut dire qu'ils donnent l'idée de la magnificence à qui ne les examine pas en détail. Cet effet est dû au grandiose de l'architecture, et aux soins infinis que l'on se donne pour que tout, dans Saint-Pierre, rappelle au voyageur qu'il est dans le palais d'un Dieu.»

XV

«Vous savez que Bramante avait élevé jusqu'à la corniche les quatre énormes piliers de la coupole, qui ont chacun deux cent six pieds de circonférence. L'église de San-Carlo alle Quattro Fontane occupe exactement l'espace d'un de ces piliers et ne paraît pas petite.

«Bramante jeta les quatre grands arcs qui, comme des ponts, unissent ces piliers l'un à l'autre.

«Voilà ce que Michel-Ange trouva; c'est là-dessus qu'il éleva sa coupole. Elle a cent trente pieds de diamètre, c'est-à-dire trois pieds de moins que celle du Panthéon. Elle commence à cent soixante-trois pieds du pavé, et sa hauteur, prise depuis sa base jusqu'à l'ouverture de la lanterne, est de cent cinquante-cinq pieds. On ne croirait jamais que la petite lanterne qui est au-dessus a cinquante-cinq pieds de haut, l'élévation d'une maison ordinaire. Ainsi, la coupole de Michel-Ange, enlevée de dessus les piliers, et placée par terre, aurait deux cent soixante pieds de haut, élévation qui surpasse celle du Panthéon.

Montons sur les combles de Saint-Pierre pour voir la partie extérieure du dôme: le piédestal de la boule de bronze a vingt-neuf pieds et demi de hauteur; la boule elle-même sept pieds et demi. La croix qui couronne l'église est haute de treize pieds.

«La hauteur totale de Saint-Pierre, depuis le pavé de l'église jusqu'au dernier ornement de la croix, est de quatre cent vingt-quatre pieds. Les Romains comptent onze pieds de plus, je crois, parce qu'ils mesurent l'élévation à partir du pavé de l'église souterraine, où est le tombeau d'Alexandre VI.

«Cette hauteur fait frémir quand on songe que l'Italie est fréquemment agitée de tremblements de terre, que le sol de Rome est volcanique, et qu'un instant peut nous priver du plus beau monument qui existe. Certainement jamais il ne serait relevé. Deux moines espagnols, qui se trouvèrent dans la boule de Saint-Pierre lors de la secousse de 1730, eurent une telle peur, que l'un d'eux mourut sur la place.

Pour que l'œil soit satisfait, le contour extérieur de la partie sphérique d'une coupole ne doit pas être le même que le contour intérieur; la coupole de Saint-Pierre a deux calottes, et entre les deux rampes l'escalier par lequel on monte jusqu'à la boule.

Le tambour de la coupole (la partie cylindrique) est percé de seize fenêtres; c'est à travers ces fenêtres qu'en se promenant au Pincio on aperçoit quelquefois le soleil qui se couche.»

XVI

Depuis la base des piliers jusqu'à la cime de cinq cents pieds de la coupole, abîme de vide, les murailles élèvent avec elles jusqu'au faîte le miracle de tous les arts: chapelles, tombeaux, figures, peintures, mosaïques, balustrades de marbres précieux, symbole du crucifié, anges qui l'assistent sur la terre ou qui le reçoivent dans son éternité. J'ai eu la curiosité de monter aux trois sommets de Saint-Pierre à Rome. Le premier, celui qui règne au-dessus du niveau des murailles avant la naissance de la voûte de la coupole, présente l'aspect d'une ville immense où les ouvriers voués à la conservation de l'édifice habitent à deux ou trois cents pieds au-dessus du niveau de la place avec leurs familles et les instruments de leurs métiers. Leurs maisons disparaissent derrière les balustrades et l'ombre de cette montagne de pierre qui prend racine à leur pied, sans pour cela leur cacher le soleil.

On se repose un moment à cette hauteur, avant de tenter l'ascension du dôme. Une porte basse y conduit; l'on se trouve forcé de se courber et de grimper entre deux voûtes parallèles, l'une extérieure, l'autre intérieure, artifice de l'architecture que je n'ai pas compris, mais qui a été adopté comme une nécessité de l'art dans plusieurs autres voûtes à cathédrale, soit pour consolider la construction de ces dômes portant sur eux-mêmes, soit pour rectifier à l'œil du spectateur les lignes harmonieuses de leurs dômes aériens. C'est ainsi que l'insecte ramperait entre l'arbre et l'écorce. De temps en temps des fenêtres, inaperçues d'en bas, laissent entrer le jour dans ces demi-ténèbres intérieures. On en sort enfin à la hauteur de la moitié de la coupole, et l'on entre en frissonnant dans le dôme lui-même. Une galerie étroite vous permet d'en contempler la profondeur, en appuyant vos mains crispées sur le parapet et la galerie. Les fidèles qu'on aperçoit d'en bas sur le pavé du temple paraissent des fourmis rampantes sur un morceau de marbre. On rentre épouvanté dans la calotte double du dôme. On poursuit sa route et l'on retrouve enfin la lumière du jour, mais on la retrouve dans le ciel. L'horizon de Rome avec sa mer, ses montagnes, ses lacs, ses forêts, ses déserts, tremble sous vos pieds; le moindre souffle du vent de mer, en se résumant de cette élévation et en heurtant ses ailes contre cet écueil isolé des cieux, résonne comme un tonnerre et semble prêt à enlever comme une feuille morte le dôme colossal qui tremble sous vos pieds. Une seule pierre, déplacée dans ces carrières de pierres superposées étage à étage, ferait pencher ce monument et vous arriveriez en poussière impalpable dans la poudre et la ruine. Vous pâlissez de la seule pensée; cependant la volonté triomphe de la terreur, il vous reste à gravir encore 75 pieds en dehors des murailles pour ramper autour du dernier petit globe, bouton de la grande coupole, et pour embrasser les bras de la croix de fer de 25 pieds qui couronne le tout. Je renonce à décrire le bruit du vent dans l'intérieur de cette oreille de bronze dont les moindres haleines de l'air frappent le tympan (que serait-ce dans la tempête?). N'importe! reprenons force et marchons toujours. Une échelle de fer aux échelons tremblants sort du dernier sommet et vous porte au tronc de la croix, que vous embrassez convulsivement comme un brin de mousse embrasse une aiguille d'un chêne; vos yeux se troublent, et vous ne voyez plus que le vide ondoyant à cinq cents pieds au-dessous de vous!

Est-ce Dieu, sont-ce des hommes qui ont mis la première et la dernière pierre à ce monument de la plus grande pensée du Cosmos?

XVII

Vous redescendez en silence, et vous entrez dans le sanctuaire en mesurant de l'œil au-dessus de votre tête le même abîme que vous mesuriez tout à l'heure au-dessous! L'étonnement et la terreur refoulent le cri d'admiration sur vos lèvres. Vous parcourez lentement, en silence, en comptant vos pas, les piliers, les colonnes, les murs du saint édifice. À chaque pas votre enthousiasme redouble. Jamais l'humanité n'a rien rêvé d'aussi vaste et d'aussi parfait! Rêve de Dieu exécuté par les hommes. Tous les pas que vous faites en parcourant l'enceinte démesurée sont marqués par le nom d'un homme de génie que les siècles ont conservé comme une relique. Ces ouvriers de Dieu ont été animés et inspirés par lui. De plus grands hommes dans tous les arts ne sont pas nés et ne renaîtront jamais: architectes, artistes, pontifes, poëtes, tailleurs de marbre, peintres, sculpteurs, mosaïstes, ont été réunis en faisceau de foi, de puissance, de conception, de richesse, de génie, de volonté, d'inspiration, d'enthousiasme pour enfanter ce miracle!

Raphaël peignait, Jules Romain dessinait, Buonarotti changeait à volonté le marteau contre le pinceau, Bramante imaginait et concevait la transfiguration de l'architecture pour élever dans le ciel le Panthéon simplifié, exalté, glorifié. Et enfin le génie humain de toutes les époques se couronnait lui-même en face de l'Éternel, et, son diadème sur le front, disait à la religion et au pouvoir politique: «Tu n'iras pas plus loin!»

Voilà Saint-Pierre de Rome!

XVIII

Or, qu'est-ce qui a fait ces trois œuvres? c'est l'homme!

Et qu'est-ce que l'homme selon le Cosmos matérialiste de M. de Humboldt? C'est un peu d'hydrogène enfermé dans un canal de peau pour râler quelques heures un certain nombre de respirations, puis pour s'évanouir à jamais dans le néant et ne plus être! Ô législateurs! ô guerriers! ô poëtes! ô artistes! ô potentats de la terre! ô savants! qu'est-ce que vous êtes? qu'est-ce que vous faites? qu'est-ce que votre gloire? qu'est-ce que votre immortalité? le misérable crépitement de la feuille de ces arbustes que l'enfant qui la presse en jouant dans ses deux doigts fait éclater avec un petit bruit, et qu'il jette pour la voir sécher et pourrir sous ses pas!

Voilà, hommes, voilà de l'oxygène accumulé, que vous appelez la vie! Et vous appelez cela de la science? Appelez donc cela non pas la science, mais la moquerie de la création, commençant par se moquer de soi-même afin d'avoir le droit de se moquer de son Créateur!

Et que les idiots vous croient!

Votre vie et votre Cosmos ne méritent pas même cette raillerie scientifique.

Votre Cosmos et le néant ne sont pas deux.

Votre science n'est que le néant ayant conscience de lui-même!

Non, la vie humaine n'est pas cela.

Vous retranchez de Dieu, de l'homme, de la vie, de la mort, de la nature, ce qui en fait la divinité; c'est-à-dire le mystère.

Ouvrez vos yeux et confessez le mystère, le secret de Dieu!

XIX

LA PENSÉE.

Il n'y a pas longtemps qu'ouvrant par hasard un des cahiers d'études de ces jeunes hommes chargés par état d'étudier le principe de vie chez les animaux, et surtout chez l'homme (et que serait-ce s'il était descendu jusqu'aux plantes, existences animées, imparfaites encore, dont les racines sont du moins capables de choix et d'appropriation des substances dont elles forment les fruits, et dont le cerveau est en bas au lieu d'être en haut?); il n'y a pas longtemps, dis-je, que je restai frappé d'admiration et de vérité en lisant ces belles considérations sur le principe de la vie, base et opération progressive du Cosmos. Je m'écriai: Voilà un homme qui pense comme moi, et qui, à travers la matière, a deviné la pensée. Lisez et comprenez cette préface d'un autre Cosmos:

«Je crois même que la question de la vie et des destinées humaines ne peut être bien résolue que par les enchaînements de la vie universelle dont elle fait partie: une même lumière logique, éclairant et fécondant ce vaste ensemble, sera la plus saisissante des preuves pour l'esprit humain.

«La division la plus infinie de la matière ne pourra jamais vous donner que de la matière. Le sentiment du vrai est comme l'affirmation de la nature en nous.—Le rien sans rien, dit le philosophe Royer-Collard, mais je l'affirme! De toutes les certitudes, la plus certaine est celle qui résulte des dépositions du sens intime, parce que la conscience est plus près du souvenir de l'être que le raisonnement.

«Le raisonnement a besoin de faits pour démontrer; le sens intime croit, voit, conclut, affirme sans aucun argument qu'un regard!

«Le principe de la vie est-il quelque chose de distinct de la matière?

«Ou bien est-il, sous le nom de propriété de la matière, inhérent à la matière même?

«La question, ainsi posée et acceptée, est exactement la même pour le principe de la vie morale que pour le principe de la vie corporelle.

«On n'hésite pas plus à dire de la VERTU que de la divisibilité, qu'elle est une propriété de la matière. Le principe une fois admis, que tout est matière, et rien que matière en nous, cette conséquence est naturelle. Il y a même, à la déduire ouvertement et à la soutenir, quand on croit le principe, un certain courage et une franchise plus honorables que l'indifférence.

«Il ne s'agit donc pas ici d'une simple dispute de mots, comme il semble à quelques esprits aveugles ou distraits; sous le voile des mots, la question est posée sur des substances: ici, substance matérielle, qu'admettent également les deux doctrines; là, substance d'une autre nature, et d'une nature supérieure, dont la matière n'est que le support.

«Il ne faut pas nous le dissimuler, messieurs: ce n'est rien moins que l'ordre moral qui est en question sous les deux doctrines contraires.

«Dans un cas, les destinées de l'homme sont celles de la matière: la vie humaine est un écoulement, qui commence à l'organisation, qui finit à la dissolution, et qui s'épanche, comme le fleuve, sur une pente fatale, des glaciers à l'Océan.

«Dans l'autre cas, les destinées, ou plutôt les prédestinations de l'homme, rarement réalisées, sont celles du principe supérieur supporté par la matière; dans la mesure même où l'homme entre en possession de ce principe supérieur, il en partage la nature et les destinées, et par les responsabilités d'ici-bas, et par les espérances immortelles.

«Il n'est pas un des sentiments, pas une des pensées, pas un des actes de l'homme, sur lesquels la doctrine acceptée ne retentisse, à l'insu même de l'homme;

«Comme il n'est pas une seule des réactions chimiques d'un corps, sur laquelle ne rejaillisse sa simplicité ou sa dualité de composition.

«Introduisez votre doctrine dans la loi, interdisez aux juges la recherche du principe des actes, et à l'instant même où l'intention s'évanouit, où il ne reste plus que l'organisme du fait, toute moralité s'évanouit avec elle, et l'homicide par imprudence devient l'égal du meurtre avec préméditation. Introduisez dans les mœurs votre abstention de la recherche des causes, et bientôt, des deux éléments prédestinés de tout acte humain, l'intention morale et l'action, le droit et le fait, il ne reste plus que le fait.

«Prise à ce sommet humain de la vie, c'est-à-dire aux régions morales de l'échelle vitale universelle, la question du principe de la vie n'est donc pas oiseuse.

«Mais ce sommet est préparé par tout ce qui précède, et la question de matière pure ou de principe incorporé dans la matière est la même à tous les degrés de l'échelle.

«Les principes incorporés peuvent varier et varient, en effet, à chacun de ces degrés; mais la question de l'incorporation, c'est-à-dire de la simplicité ou de la dualité de substance, est partout la même.

«Abordons franchement la question.»

XX

«Ces deux états, l'un de pure matière, l'autre de pur esprit, sont aussi étrangers l'un que l'autre à la nature humaine, formée de leur concours et non de leur exclusion.

«Aussi, ne pouvons-nous les concevoir séparés, que par une violence faite à la nature des choses, que par l'abstraction, tout artificielle, de l'esprit du sein de la matière qui le supporte; que par une séparation fictive de la matière d'avec l'esprit qui la vivifie.

«Et c'est cette violence faite à la nature des choses, à la nature bi-substantielle de l'homme et de tous les êtres de notre univers, qui a causé l'erreur, également déplorable, du matérialisme, qui confond la vie avec son support, et du mysticisme, qui prétend se passer de ce support, et qui s'égare dans les fictions de l'esprit pur.

«Le matérialisme, en effet, n'est arrivé à cette conception de matière pure que par l'abstraction, c'est-à-dire par la séparation graduelle de toutes les qualités ou propriétés qu'on observe aux divers degrés de l'échelle des êtres. Il a dépouillé, en idée, la substance sensible, de toutes les vertus que la substance supérieure ou vivifiante lui avait communiquées: de la sensibilité et de la contractilité de l'animal, des qualités végétatives, des propriétés chimiques et de la plupart des propriétés physiques des minéraux; et nous a dit ensuite de cette substance inférieure, réduite à l'étendue et à l'inertie: voilà la matière dans son état primitif.

«Le matérialisme ne s'est pas aperçu qu'il donnait ainsi lui-même et la preuve indirecte de son insuffisance à expliquer les phénomènes de la vie, par la matière, c'est-à-dire par la substance réduite aux deux seules propriétés de l'étendue et de l'inertie; et la preuve directe de la nécessité et de la réalité d'une autre substance: car comment l'étendue et l'inertie, combinées de toutes les façons, pourraient-elles engendrer ce qui est contraire à leur nature? l'étendue: l'unité indivisible de la pensée? l'inertie: les activités vitales de toute sorte?

«L'inertie, d'ailleurs, n'est pas une propriété, mais la négation de toute propriété; c'est l'état où l'auteur de la Genèse se représente la terre avant la vivification par l'esprit créateur: Terra autem erat inanis et vacua.

«Mais, pour passer de cet état d'inertie à l'état opposé qui se définit par des propriétés, il a fallu nécessairement que les vertus dont la matière était dénuée par elle-même lui fussent communiquées. Je ne cherche en ce moment ni par qui, ni par quoi, ni comment; je saisis au passage le fait irrécusable de la dualité, là où était la simplicité; je constate le flagrant délit des vertus au sein même de l'incapacité de toute vertu; par conséquent, l'intervention d'un supérieur dans le sein même de l'inférieur, et je dis, avec l'autorité de l'évidence: Les propriétés ultérieures de la matière sur lesquelles vous vous appuyez pour repousser tout principe étranger à la matière, sont la chose même que vous niez, sont les manifestations logiques de ce principe même que vous essayez vainement de dissimuler, d'absorber dans la matière, croyant par là vous éviter de le reconnaître.

«Et c'est vous-même qui, en défaisant par abstraction et pièce à pièce l'œuvre de la vie, en dépouillant la matière des propriétés qu'elle n'a pu se donner elle-même, c'est vous-même qui faites la preuve, par analyse, de l'intervention nécessaire et progressive d'un agent de la vie.

«Ramenons donc tous les êtres et tous les phénomènes de la vie, de ces abstractions matérialistes et mystiques, aussi fausses l'une que l'autre, à leur véritable nature, formée du concours de deux substances.

«Je sens profondément et sûrement que ces deux termes sont partout au fond de la vie; car la vie est partout, toujours, proportionnelle à leur union. Mais, avouables, évidents l'un et l'autre au sens intime, dans le fait substantiel de leur être, ils sont aussi insaisissables, aussi indéfinissables l'un que l'autre, dans leur état primitif ou essentiel; tellement que nous ne savons les définir que par opposition l'un à l'autre: La matière, disons-nous, est l'opposé de l'esprit, l'esprit est l'opposé de la matière.

«Pour moi, l'essence saisissable de leurs caractères relatifs est là: que l'un est supérieur à l'autre et, par conséquent, prédestiné sur l'autre.

«Ce quod divinum qui s'ajoute progressivement à la matière inerte, qui est la substance même des propriétés progressives qu'elle manifeste aux divers degrés de l'échelle, cette substance supérieure.

«Mais si ces principes (âme et matière, vie et mort) sont divers, me dites-vous, où est dans l'organisme vivant le siége organique de la vie?»

XXI

«Je réponds: Votre question n'est qu'une nouvelle violation de la nature réelle des choses.

«Le siége organique d'un principe est partout où est sa logique, et sa logique est partout où il a pris, par elle, possession de la matière. Il n'est pas un point vivant de mon organisme corporel où mon principe vital organique ne soit, ne règne et ne gouverne par sa logique. Ne dites-vous pas vous-même que «l'état vital s'exprime dans la conscience par une affection permanente, vaguement localisée dans tous les points à la fois de la masse vivante et animée?»

«Où est le siége d'un principe de civilisation dans les sociétés humaines, du principe chrétien, par exemple? Il est partout où sa logique s'est emparée des choses humaines, partout où la vie chrétienne a pénétré, c'est-à-dire dans tous les actes chrétiens.

«Mais, au-dessus des phénomènes physiologiques qui m'affirment un principe vital organique, j'observe, dans une région supérieure de mon être, un autre ordre de phénomènes parfaitement distincts des précédents, les phénomènes psychiques, source de tout idéal en moi, qui m'affirment un autre principe. Ce principe, ce demi-dieu créateur de nos pensées et de nos actes, dont mon corps est le temple, dont ma conscience est le sanctuaire, je ne l'aperçois pas seulement en conclusion logique, je le sens en moi de si près et dans une intimité si absolue avec moi-même, que je le reconnais pour être ce moi lui-même qui sent, qui comprend, qui veut et qui parle en ce moment.

«Ce principe, je n'en connais pas la nature essentielle, je ne cherche pas ici comment il s'est constitué; le nom qu'on lui donne m'importe peu; ce qui m'importe, c'est l'irrécusabilité de son être et sa souveraineté incontestable sur le monde de mes sentiments, de mes pensées, de mes volontés, de mes expressions diverses, qu'il gouverne par sa logique.»

Voilà pour la vie.

XXII

Cette belle ébauche de vérité révèle, dans l'homme qui a su la penser et qui a osé l'écrire, autant de hardiesse d'instinct que de profondeur de réflexion. C'est la métaphysique du mystère; il n'y en a pas d'autre. L'homme qui prétend tout expliquer par un seul mot n'est pas digne d'en comprendre deux. Le Cosmos de M. Fournet (c'est le nom du jeune médecin français qui a écrit ces belles lignes) éclaire plus le Cosmos du savant prussien que l'intelligence n'éclaire la matière inerte des époques. Qu'il pense et qu'il écrive encore: ses conjectures sont l'aurore des vérités qu'il découvrira. Il est entré hardiment dans la logique de Dieu, qui est mystère. Je trouve aussi sous sa plume le mot dont j'avais besoin et que la nature divine du sujet me suggère pour mon Cosmos, à moi. Celui de M. de Humboldt ne mérite que le nom d'histoire naturelle. Le Cosmos a une âme, comme l'homme; cette âme, c'est sa loi. Cette loi est évidente, mais ne peut être comprise que par celui dont elle émane. Les hommes et tous les siècles lui ont donné son vrai nom: Mystère, Humboldt!

Je le rétablis et je dis humblement:

Matière et pensée forment le monde.

Mais la matière, soit qu'elle soit composée des mêmes éléments en ignition que supposait M. de Humboldt, soit qu'elle soit composée d'autres éléments inconnus, mais toujours matière, n'est pas Dieu. Elle n'est ni infinie, ni indivisible, ni parfaite. Elle est périssable. Elle ne peut par conséquent être cause; elle est effet.

La pensée seule est Dieu. La pensée est créatrice.

C'est donc la pensée divine qui, s'associant avec la matière créée par Dieu, forme le monde.

Dieu, en appliquant sa pensée ou sa volonté à la matière ou au néant sorti de ses mains, lui a imprimé ses qualités ou ses lois: étendue, poids, grandeur relative, et sa forme, et ses limites, et sa gravitation, et sa vie, et sa mort, et sa transformation quand sa vie est accomplie.

Tout ce que les yeux ou le télescope nous permettent de discerner de ses lois, dans les espaces astronomiques de l'étendue infinie de l'éther, n'est que la volonté absolue et mystérieuse de Dieu qu'il a commandé et commande d'exécuter à l'infini matériel de ces mondes flottants.

Ces mondes nous paraissent petits ou grands, relativement à nous comme matière; mais en réalité, et par rapport à Dieu qui les crée et qui les gouverne, ils ne sont ni grands ni petits. L'égalité de leur création et de leur illusion les nivelle, ils sont tous l'œuvre de Dieu et les exécuteurs de ses volontés qui sont leurs lois.

Ils ont tous, depuis le soleil jusqu'à l'imperceptible animalcule vêtu d'une impalpable poussière de matière, la même dignité, la même sainteté, œuvre de Dieu!

Dieu leur a donné à tous un atome ou un monde de matière, et une parcelle ou un monde d'intelligence, selon les desseins qu'il a sur eux. Aux derniers l'instinct, aux seconds la sensation, aux premiers la liberté méritoire.

Leur partie matérielle se disperse à leur mort.

Leur partie animée, intelligente, méritante, leur âme survit tout entière, et va animer, selon ses perfections ou ses imperfections acquises, d'autres éléments ou portions d'éléments matériels. C'est ce qu'on appelle ciel ou enfer.

La mort étend son linceul sur ce mystère, et l'existence s'accomplit, ou recommence, au gré des desseins mystérieux de Dieu!

XXIII

Mais tout est mystère incompréhensible dans ce Cosmos, où l'existence, la volonté, la Providence de Dieu, le mystère de son action divine et absolue, sont eux-mêmes le mystère nécessaire, mais inexplicite.

Ôter les mystères de ce Cosmos, c'est ôter Dieu du monde, c'est-à-dire la vérité et la vertu.

Donc il n'y a point de matière sans mystère, car qui l'aurait créée?

Point de lois physiques sans mystère, car qui les aurait données?

Point d'âme sans mystère, car qui l'aurait allumée et éteinte?

Rien sans mystère, car le nom de mystère est le nom de la volonté ou de l'action de Dieu dans les deux mondes, le monde physique et le monde de l'âme.

Nier le mystère, c'est plus que nier la matière et l'intelligence; c'est presque nier l'existence et l'autorité de Dieu. C'est nier la logique.

Sans le mystère, je vous défie d'expliquer un atome.

Avec les mystères, tout s'explique, depuis Dieu lui-même jusqu'aux lois physiques et intellectuelles dans les phénomènes qui composent, en découlant de lui, son véritable Cosmos.

J'ajoute la loi des lois, la loi morale de la création intelligente et libre.

La vertu est fille de la vérité!

Chaque vérité impose un devoir.

Le Cosmos est un Tout.

La matière n'explique rien. Jetez dans votre creuset tous vos éléments; nommez-les comme vous voudrez, analysez-les!

Vous ne trouverez sûrement au fond du creuset qu'une énigme.

Est-ce qu'une énigme explique un monde?

Elle ne fait qu'ajouter à l'insolubilité des choses l'insolubilité des doctrines soi-disant scientifiques.

Quant à la conscience, il n'y en a plus! Est-ce que la conscience serait éclairée par une énigme?

Et sans conscience, qu'est le bien et le mal, l'honnête et le déshonnête, le vice et la vertu dans l'univers?

Vous voyez donc que votre prétendue science est obligée de se désavouer elle-même et de recourir au mystère de son instinct inné pour croire à quelque chose de surnaturel, au bien ou au mal moral sur lequel la science matérielle ne dit rien!

Car, si votre Cosmos matériel ne dit rien de ce qui est nécessaire à l'homme, il n'est pas humain, il n'est ni humain ni divin, il n'est rien.

C'est un néant savant, qui est forcé de recourir au mystère ou de désavouer Dieu.

C'est un transcendant blasphème!

Voilà la fin de tout!

Quelle fin!

XXIV

—Mais un mystère, me direz-vous, est la confession de notre ignorance.

—Oui, le mystère mesure toute la distance incommensurable qui existe et qui doit exister entre le mode d'action de Dieu sur les mondes et l'ignorance de l'homme.

Si Dieu n'était pas Dieu, il ne serait pas mystère.

Tout serait clair comme le jour, palpable comme la pierre, compréhensible comme la main qui contient ce que l'œil juge.

Mais il est Dieu, et par conséquent il agit en tout d'une manière incompréhensible à notre misère morale. Quel rapport peut-il exister entre le créateur et le créé?

Aucun, si ce n'est ce mot qui fait incliner toute tête: Mystère!

On le conclut, on le prononce, on adore, on croit, et l'on vit en paix jusqu'à ce qu'une seconde vie nous introduise dans un autre mystère!

Il est permis de le chercher, il est interdit de le découvrir.

On ne peut que le conjecturer: la conjecture n'est point orgueilleuse; elle est l'humiliation de la raison.

Voici la mienne:

Dieu, l'auteur des choses créées, n'est pas matière et ne peut pas être matière, car la matière n'est pas infinie; et lui, Dieu, est infini.

Il lui a plu de s'unir pour la visibilité de son être à nos sens avec ce quelque chose d'imparfait, de borné, de court, de divisible, que nous appelons matière!

Il lui a plu de lui donner la vie, le mouvement, des lois de mouvement, de gravitude; de rotation, par lesquelles les mondes visibles opèrent ce qu'il leur commande d'opérer.

Il l'a soumise au temps, qui lui mesure la durée de l'être;

À la dissolution et à la mort, qui la décomposent et la transforment.

Les êtres qu'il a créés dans ces conditions sont aussi nombreux, aussi innombrables, aussi indescriptibles, aussi infinis que sa pensée.

Tous ont un corps, parcelle de matière; tous ont une âme, parcelle d'intelligence.

Les hommes sont un composé; Dieu est simple, parce qu'il est immatériel dans sa nature.

Mais, dans son action, il est non-seulement double, il est innombrable, il est infini, il est libre parce qu'il est à lui-même sa propre loi; il n'a de limites que lui-même.

Dans son action sur l'univers, pourquoi voulez-vous qu'il soit un? Savez-vous seulement ce que c'est que son unité ou sa dualité?

Dites-moi le jour où il a créé cette substance visible qu'on appelle matière?

Qui vous dit que cette substance dont il a formé votre Cosmos est la même que sa substance invisible à l'œil du corps?

Moi, je suis persuadé qu'elle est distincte de Dieu;

Et qu'il agit sur les mondes par l'action double de l'esprit et de la matière.

XXV

Dieu est, selon moi, pensée;

La pensée du monde qui conçoit et qui régit tout.

La matière n'est que matière.

Elle ne pense pas; elle obéit à la pensée divine.

C'est par l'union éternelle ou momentanée de la pensée et de la matière, c'est par ce mariage surnaturel et fécond, que le monde ou le Cosmos est formé.

Cette union des deux substances, la pensée divine et l'obéissance matérielle, est le mystère!

Ce mystère explique tout!

Il a seul le mot du Cosmos!

Celui qui le prononce sait tout!

Il a trouvé le fond de la science, il a le pied sur le solide.

Il n'a pas besoin d'en savoir davantage; son âme est satisfaite, son esprit est en repos.

Il n'écrit pas de Cosmos; il écrit l'histoire naturelle, la géographie de la terre ou l'astronomie géographique des cieux.

Il ne cherche point sa loi morale alors dans la science, qui ne peut rien lui dire que de matériel.

Il la trouve dans sa conscience, gravitation mystérieuse, mais convenable, que Dieu a donnée comme une impulsion constante dans tous les pays, dans tous les temps, dans toutes les doctrines civiles ou religieuses, à tous les hommes de bonne volonté.

La conscience est le mystère que nous portons en nous.

Nous ne le comprenons pas, mais nous lui obéissons.

Le christianisme en a simplifié pour nos siècles la formule morale.

Il nous a apporté le mot, non de la science, mais de la conscience.

Pour tout le reste il a dit comme nous: Mystère!

Ce mot est terrible pour notre orgueil, mais il est comme Dieu lui-même, parce qu'il est; il faut le subir ou avec rage ou avec amour.

Avec rage, c'est la révolte et l'impiété;

Avec amour, c'est la raison et la vertu.

Peut-on hésiter?

XXVI

Il s'est formé parmi les savants une nouvelle école qui affecte, comme des sourds et muets, de n'admettre que ce qu'ils touchent et de traiter l'existence et le gouvernement du Créateur avec la plus dédaigneuse indifférence, affectant de tout expliquer sans Dieu et sans mystère.

M. de Humboldt a écrit pour eux et comme eux son Cosmos.

Il a enlevé le pivot du monde et il lui a dit: Tournez!

Les ignorants ont été étonnés, et ils ont dit: «Voyez, c'est admirable que cela tourne tout seul. Voilà quatre volumes qui nous expliquent l'univers, et le nom de Dieu n'y est pas même prononcé.

«Laissons la divine énigme au fond des espaces, et répétons les vains mots que nous avons mis à sa place!

«Cela nous suffit!»

XXVII

Mais cela suffit-il à l'inquiète raison humaine, qui n'a de repos que quand elle a trouvé son aplomb?

Mais cela suffit-il à la science, qui n'admet aucun effet sans cause, et qui voit l'effet universel, le Cosmos, se désintéressant de la plus grande des causes, son Créateur et son Dieu?

Mais cela suffit-il au malheur, qui voit effacer des astres cet astre de l'âme, cette divine providence infinie qui compte ses larmes et ses jours et qui met en réserve ses souffrances pour les changer en océan de justice, de réparation et de délices au jour éternel où elle donnera à l'insecte tout ce qu'elle a promis à l'univers pour sa seule existence?

Mais cela suffit-il à l'espérance, qui, en s'approchant chaque jour de la mort, y marche gaiement pour étancher enfin sa soif d'immortalité?

Non, si vous mettez en doute l'existence de la providence et la bonté de Dieu, la création, la conservation, la perfectibilité de ses œuvres, que votre vie soit une éternelle malédiction, au lieu d'être une bénédiction sans fin!

Or, votre conscience vous le dit, un Dieu sans évidence serait, s'il existait, une malédiction sans terme; s'il n'existait pas, le Cosmos n'existerait pas lui-même!

Le mystère est la seule explication du Dieu invisible; le mystère est la seule explication de la matière elle-même.

Confessez que tout commence et que tout finit par le mystère, et adorez!

Le mystère est le passe-partout des deux mondes!

Lamartine.

FIN DU TOME DIX-NEUVIÈME.

Milton Keynes UK
Ingram Content Group UK Ltd.
UKHW031825160823
426962UK00011B/317